HISTÓRIAS QUE CURAM

Dados Internacionais de Catalogação na Publicação (CIP)
(Câmara Brasileira do Livro, SP, Brasil)

Remen, Rachel Naomi
 Histórias que curam: conversas sábias ao pé do fogão / Rachel Naomi Remen; Steve Andreas [tradução Laura Teixeira Motta]. – São Paulo : Ágora, 1998.

 Título original: Kitchen table wisdom.
 ISBN 978-85-7183-536-8

 1. Médico – Estados Unidos – Biografia 2. Meditações 3. Remen, Rachel Naomi 4. Remen, Rachel Naomi – Filosofia I. Título.

98-0959 CDD-610.9

Índice para catálogo sistemático:

1. Médicos: Biografia 610.9

Compre em lugar de fotocopiar.
Cada real que você dá por um livro recompensa seus autores
e os convida a produzir mais sobre o tema;
incentiva seus editores a encomendar, traduzir e publicar
outras obras sobre o assunto;
e paga aos livreiros por estocar e levar até você livros
para a sua informação e o seu entretenimento.
Cada real que você dá pela fotocópia não autorizada de um livro
financia o crime
e ajuda a matar a produção intelectual de seu país.

HISTÓRIAS QUE CURAM

Conversas sábias ao pé do fogão

Rachel Naomi Remen

EDITORA
ÁGORA

Do original em língua inglesa
KITCHEN TABLE WISDOM
Copyright © 1996 by Raquel Naomi Remen, M.D.
Publicado de acordo com Riverhead Books,
uma divisão da The Putnam Berkeley Group, Inc.
Direitos desta tradução adquiridos por Summus Editorial

Tradução: **Laura Teixeira Motta**
Capa: **BVDA - Brasil Verde**

Summus Editorial

Departamento editorial
Rua Itapicuru, 613 – 7º andar
05006-000 – São Paulo – SP
Fone: (11) 3872-3322
http://www.summus.com.br
e-mail: summus@summus.com.br

Atendimento ao consumidor
Summus Editorial
Fone: (11) 3865-9890

Vendas por atacado
Fone: (11) 3873-8638
e-mail: vendas@summus.com.br

Impresso no Brasil

Para todo aquele que jamais contou sua história.

SUMÁRIO

Apresentação à edição brasileira 11
Prefácio 13
Introdução 17

I. A FORÇA DA VIDA 25
    Flores de ameixeira 29
    A vontade de viver 32
    Um lugar na primeira fila 36
    Estilo 38
    Silêncio 41
    Lendo nas entrelinhas 43
    Represando o rio 45

II. JULGAMENTO 47
    Fazendo o que é certo 52
    Encontro com o homem certo 54
    De volta ao elementar 56
    Além da perfeição 58
    O herói comum 61
    Profissionais não choram 63
    Quem é esse mascarado? 66
    Beijinho no dodói 69
    Como foi 71
    O dom de curar 73
    Sobre rótulos e assombro 75

Justamente o que serve 77
A floresta dos sem-nome 78

III.   ARMADILHAS 81
Curando à distância 85
Reflexo no espelho 87
Sorte 89
Graça 92
Prestidigitação 94
A roupa nova do imperador 96
Defasagem 101

IV.   LIBERDADE 103
O longo caminho para casa 109
O recipiente 112
Outro tipo de silêncio 116
A caminho de casa 120
Recordação 123

V.   ABRINDO O CORAÇÃO 127
Um modo de vida 131
Apenas ouça 133
No avião 135
Ser visto pelo coração 137
Tornando visível a solicitude 139
Sem prazo de prescrição 141
A tarefa nos separa 143
Surpreso pelo significado 145
Linhagem 148
Certas coisas são nossas para sempre 150

VI.   ACOLHENDO A VIDA 153
Finalmente 158
Eu não lhe prometi um mar de rosas 160
A vida é para os que estão bem 162
Um quarto com vista panorâmica 163
Três fábulas sobre abrir mão 164
Fins e começos 166
Capitulação 168
Apego ou comprometimento 169
Comer o biscoito 171
Escolha a vida! 172

Apego ou comprometimento 2 176
Tudo ou nada 178
Acolhendo a vida 181

VII.   VIVA E AJUDE A VIVER 187
Ser humano 192
Viva e ajude a viver 196
Como vemos uns aos outros 198
Toque 203
O lugar de encontro 206
A sombra santa 208
A cura é mútua 213
Dando o *darshan* 215

VIII.   CONHECENDO DEUS 219
E se Deus piscar? 223
Conexão total 225
Prece 228
Vovó Eva 230
O rabino dos rabinos 233
Santuário 235
Consagrando o comum 237
Sem igual 239

IX.   MISTÉRIO E REVERÊNCIA 243
Liberdade 248
A questão 252
Qual é o som do aplauso de uma só mão? 253
Na escuridão 258
Enxergando depois da esquina 262
Recordando o sagrado 265
Mistério 268
A última lição 270

Epílogo 274

Agradecimentos 276

APRESENTAÇÃO À EDIÇÃO BRASILEIRA

Encantamento e familiaridade são sentimentos que começam a envolver o leitor-peregrino no passo a passo das histórias deste livro, favorecendo o despojar das idéias preconcebidas e das travas do coração.

Rachel Remen, doutora em medicina e incansável pesquisadora de todos os caminhos que possam promover cura, unida a seus pacientes, nos conta histórias e mais histórias que se transformaram em ensinamentos curativos para as mágoas e os vazios do coração, assim como para as emoções que se enraizam nas doenças do corpo, manifestas em todas as suas graduações. Lembrando que Rachel já é uma guerreira consagrada no combate ao câncer e doenças graves, tendo sempre lutado pela sua própria vida, este livro nos traz verdades que mostram ser, como diz Jung, *verdades verdadeiras*.

Histórias que curam é uma coletânea de vivências autênticas, onde não há espaço para relatos frívolos ou supérfluos, separando bem o *joio do trigo*, como diz o texto bíblico. O livro enaltece a essência do homem na sua simplicidade e nas aprendizagens do seu dia-a-dia, que se refletem no corpo.

A aparente simplicidade em que se alicerça o seu trabalho — vontade de viver, reconhecimento da força da vida, generosidade amorosa, observação atenta, disposição para mudanças, enfrentar o desconhecido, liberdade de ser quem somos — contém em seu âmago o caráter universal da busca de pleno amadurecimento, enaltecido em todos os tempos pela filosofia oriental.

O reconhecimento de Deus faz parte dos caminhos de vida deste livro, sendo assim reconhecido por Rachel: "...que talvez não haja vida cotidiana, que apesar das aparências, estamos sempre em Terreno Sagrado".

Histórias que curam nos mostra que as mais difíceis lutas podem ser também as mais gloriosas, trazendo conquistas pequenas ou grandes, mas todas elas heróicas. Rachel nos diz: "talvez toda vítima seja um sobrevivente que não sabe disso".

Seus relatos deixam claro que pequenos prazeres ou bons momentos podem ter grande significado quando se está doente e que, nos processos de cura, cada pessoa tem suas particularidades que mostram o caminho a seguir.

Encontramos neste livro um louvor à vida, que é reverenciada e enaltecida como *coerente, elegante, misteriosa* e *estética*.

Com essas *Conversas sábias ao pé do fogão* nos aquecemos com relatos de atitudes e disposições, que podem ser consideradas *armas de luz: delicadeza, solidariedade, entusiasmo, coragem*. Vemos a coragem caminhar junto com as inseguranças e os medos, tão conhecidos por todos nós e expressos pelo herói contemporâneo Nelson Mandela representante de um povo que foi tão oprimido: "Coragem não é não ter medo... É conseguir vencer o medo...".

Em suas páginas, reconhecemos a convivência e a interligação dos opostos expressas nas fraquezas e nos atos heróicos, nos inconformismos e nas aceitações do que não pode ser mudado. Rachel, ao lado de seus pacientes, nos mostra que muitas vezes as doenças e os sentimentos destrutivos podem mudar de direção, como ela mesma diz: "... percebi que minha raiva era a minha vontade de viver do avesso".

Histórias que curam é para todos nós um grande útero de acolhimento. É um campo de aprendizagem e de esperança mostrando as doenças e os sofrimentos como estados em potencial de transformações, que podem servir para o amadurecimento, a expansão e o crescimento. Já foi eternizada em poesia a transformação de uma ferida em jóia, nas palavras de Lygia Fagundes Telles: "... na minha concha como pérola na ostra".

E, assim, as vidas passam, as pérolas permanecem, e com elas as suas histórias...

Na simplicidade deste livro se oculta um tesouro que vai vertendo suas pérolas ao entrar em alquimia com o leitor.

Suzana Delmanto

Psicoterapeuta junguiana,
neo-reichiana e corporal.

PREFÁCIO

Nas conferências que faço em encontros científicos, sempre peço aos que vão falar que assinem um formulário indicando se existe ou não um potencial conflito de interesses. Assim, no espírito de franqueza total, quero declarar logo de saída que a doutora Rachel Naomi Remen é uma de minhas amigas mais queridas e uma das pessoas mais extraordinárias que conheço. Gosto muito de Rachel. E você, quando tiver terminado este livro, muito provavelmente, também estará gostando.

Os grandes artistas, de qualquer área, possuem a rara capacidade de enxergar nosso mundo e nossa vida de um modo novo, de experimentar a vida diretamente sem passá-la pelo filtro das crenças, expectativas e idéias preconcebidas. Conseguem recapturar um senso perdido de encanto e sentir a riqueza da vida em toda a sua plenitude. Mais incomum ainda é a capacidade de expressar em palavras essa visão e experiência de modo que também nós possamos aprender a ver com novos olhos e voltar a sentir com o coração aberto.

A capacidade de vivenciar o que é familiar de novas maneiras não requer situações extremas de vida e morte; ela pode estar presente mesmo na vida cotidiana. Talvez *especialmente* nas experiências corriqueiras. Por exemplo, recentemente, pedi macarrão com legumes e molho de tomate. O molho tinha um gosto diferente, nada parecido com o que eu esperava. Era um sabor maravilhoso, familiar, mas eu não conseguia identificá-lo. Como não conseguia dar-lhe um nome, eu não podia limitá-lo. Não dispunha de uma categoria para classificá-lo, e por isso pude senti-lo diretamente. Minha boca quase explodiu com a riqueza do sabor. Por fim, eu me dei conta de que se tratava apenas de molho de hicória. Era o mesmo molho de hicória que eu já provara muitas vezes antes, mas foi uma experiência completamente diferente.

Nomes, crenças e preconcepções podem emprestar um senso de ordem ao mundo, porém muitas vezes à custa de não se poder sentir a vida plenamente. O raro dom de Rachel Remen está em nos ajudar a enxergar além do véu das crenças e opiniões que temos sobre nós mesmos e os outros e ver o mundo com encanto e sabedoria, como que pela primeira vez.

Ela vê as coisas da perspectiva de uma paciente com uma história de quarenta anos, como doente crônica. Ela vê da vantajosa posição de médica extremamente bem preparada e competente. E vê também do ponto de vista de uma conselheira.

Ela é tudo isso, e mais. Rachel Remen é alguém que se encaixa em qualquer lugar e, contudo, em lugar nenhum, como uma antropóloga em sua própria cultura e uma visionária em sua profissão. É guerreira da solidariedade e maga do espírito.

Mestres espirituais surgem em muitas roupagens. Às vezes, vêm na roupagem de médicos como Rachel; outras, na de gente comum que sofre com uma doença. Aprender a ouvir os ensinamentos espirituais que todos nós podemos oferecer uns aos outros é o tema deste livro.

A sabedoria aqui existente está alicerçada na vida real. Rachel não escreve "este é o caminho". Sua sabedoria emerge de modo mais orgânico. Ela consegue ouvir e transmitir a mensagem do supremo mestre espiritual, que é a própria vida.

A vida é repleta de incógnitas, prodígios, mistérios. A maioria dos livros procura conduzir-nos para fora do mistério e entrar no domínio do controle. O livro de Rachel Remen nos leva a reconhecer e chegar perto do mistério que existe na vida diária. Muitas vezes, o que nos leva a encontrar a cura é penetrar no desconhecido e não fugir dele buscando um conserto rápido. Ela ensina que a vida não está quebrada e não precisa ser consertada; precisa ser saboreada e celebrada.

Como cientista, vivo em um mundo de dados, números, experiências clínicas com amostras aleatórias e controladas. Os cientistas acreditam no que pode ser medido — pressão arterial, colesterol, fluxo sanguíneo —, embora, como já disse o doutor Denis Burkit, "nem tudo o que conta pode ser contado". As evidências que vêm dos relatos — em outras palavras, as histórias — são vistas com desconfiança pelos cientistas. Existem muitas variáveis que confundem e, assim, é mais difícil provar e reproduzir os fatos.

Mas não existe significado nos fatos. Como médico e como ser humano, vivo em um mundo de histórias. As histórias não são reproduzíveis porque nossas vidas são únicas. É nossa singularidade que nos dá valor e significado. No entanto, contando histórias também aprendemos o que nos faz semelhantes, o que nos liga uns aos outros, o que nos ajuda a transcender o isolamento que nos separa uns dos outros e de nós mesmos.

As histórias são a linguagem da comunidade. O coração é uma bomba e precisa ser tratado no nível físico com a melhor medicina que a ciência tem para oferecer, mas nós somos mais do que apenas máquinas. A verdadeira epidemia em nossa cultura não é apenas a doença física do coração; é o que chamamos de doença emocional e espiritual do coração: o sentimento de solidão, isolamento e alienação tão predominante em nossa cultura devido à ruptura dos laços sociais que antes nos davam um senso de ligação e comunidade.

E daí? As pessoas que se sentem sozinhas e isoladas são mais propensas a fumar, comer em excesso, usar drogas e trabalhar demais. Além disso, muitos estudos mostram que as pessoas que se sentem sozinhas e isoladas apresentam um risco de três a cinco vezes maior de morte prematura, não só de doença cardíaca, mas, também, de *todas* as causas em comparação com as pessoas que gozam de um senso de ligação e comunidade.

Em meu trabalho, com freqüência, constato que existe imensa avidez por um senso de ligação e comunidade. Muitas pessoas que entram para nossos programas, em geral, vêm para reduzir o nível de colesterol, diminuir a pressão sanguínea, perder peso ou, como dizem muitas vezes, "desobstruir as artérias". Elas vêm na esperança de mudar sua dieta, parar de fumar, exercitar-se.

Aprendi que fornecer às pessoas informações sobre a saúde — fatos — é importante mas em geral não suficiente para motivá-las a efetuar mudanças permanentes em sua dieta e estilo de vida. Se fosse, ninguém seria fumante. Precisamos atuar em um nível mais profundo.

Parte de nosso programa é o que chamamos de "apoio de grupo". Começou como um lugar que proporcionava às pessoas segurança suficiente para trocarem receitas e dicas de compras, mas que evoluiu e se transformou em uma comunidade, um lugar que oferecia segurança suficiente às pessoas para falarem sobre o que realmente ocorria em suas vidas — para contar suas histórias — sem receio de serem julgadas, abandonadas ou criticadas. Embora esta seja a parte do nosso programa que oferece mais dificuldades para muitos participantes, em geral é a parte considerada mais significativa. Quando trabalhamos nesse nível, de profundidade, com freqüência, descobrimos que as pessoas são bem mais propensas a efetuar mudanças de estilo de vida que sejam enriquecidas do que autodestrutivas.

O sofrimento — seja físico, emocional, espiritual ou, como quase sempre ocorre, dos três tipos simultaneamente — pode ser uma porta aberta para a transformação. À medida que nos aproximamos do fim do século e do milênio, nosso sofrimento pessoal é, por vezes, agravado pela falta de comunicação e de vida em sociedade. A doença muitas vezes intensifica essa sensação de isolamento.

Contar histórias pode ser curativo. Todos nós possuímos em nosso íntimo a possibilidade de acesso a uma sabedoria maior, que provavelmente desconhecemos até o momento em que falamos em alto e bom som.

Ouvir histórias também pode ser curativo. Uma fé profunda na vida muitas vezes emerge quando ouvimos as histórias dos outros. Você se dá conta de que não está sozinho, que está viajando em maravilhosa companhia. Indivíduos comuns, que levam uma vida comum, muitas vezes são heróis.

Ler o livro de Rachel Remen pode ser curativo. Quando ouvimos sua voz e as vozes dos que usaram o sofrimento como portas para a transformação de sua dor, de algum modo, ao longo do caminho, nosso sofrimento se abranda, nossas feridas começam a cicatrizar, nosso coração começa a se sentir seguro o bastante para se abrir um pouquinho mais.

A conexão com os outros e com nossa alma e nosso espírito já está lá. Nas ocasiões em que nos sentimos mais vulneráveis, aquela parte de nós que é invulnerável se revela, se mostra mais. Quando nosso coração começa a se abrir, tornamo-nos capazes de senti-lo; é como abrir a veneziana e deixar penetrar a luz do sol que estivera ali todo o tempo, esperando pacientemente que lhe permitissem entrar.

Dean Ornish, médico
Presidente e diretor do Preventive Medicine Research Institute
[Instituto de Pesquisas em Medicina Preventiva]
Sausalito, Califórnia
4 de março de 1996

INTRODUÇÃO

Desde que eu era bem pequena, meu avô, de um modo digno do próprio Sócrates, norteou-me para a busca do que é Real. O mundo de meu avô, habitado por um deus imanente e pessoal, foi um dos dois mundos de minha infância. Ele era um homem reservado e erudito, já idoso quando eu nasci, um rabino ortodoxo que passava boa parte do tempo estudando os textos do judaísmo místico. Os livros da Cabala que ele trouxe da Rússia eram antigos, escritos a mão, em hebraico, em papel finíssimo. Quando criança, enquanto ele os estudava, eu ficava sentada embaixo da mesa, alisando seus chinelos de veludo roxo, e devaneando.

O outro mundo de minha infância foi o mundo da medicina. Entre duas gerações dos filhos de meu avô há três enfermeiros e nove médicos. Quando pequena, eu achava que a pessoa tornar-se adulta e médica era parte de um mesmo processo. Aprendi, desde cedo, a resposta certa para quando me perguntavam o que eu queria ser quando crescesse. Eu era a única pré-médica no jardim-de-infância. Quando meu avô morreu, deixou-me em testamento o dinheiro para cursar a faculdade de medicina. Eu estava com sete anos.

Conforme fui crescendo, o fardo dessas expectativas familiares passou a pesar. Meus tios e primos eram homens de ciência, distantes, cultos, intelectuais e bem-sucedidos. Assim como meu pai, eles me recompensavam por dar as respostas certas. Meu avô recompensara-me por fazer as perguntas certas. Eu admirava aqueles doutores, mas amara meu avô e seu modo de questionar a vida. Aos 12 anos, meu primo mais chegado e eu queríamos, ambos, ser rabinos. Nós dois nos tornamos médicos.

Acredito que, em última análise, acabei escolhendo a medicina devido a um romance que li quando tinha uns 12 anos, uma história sobre a vida de

São Lucas intitulada *The road to Bithynia*. Os romances históricos eram o LSD dos anos 50, uma válvula de escape fácil para uma geração de adolescentes do pós-guerra entediados. Eu era viciada neles.

Eu não sabia que Lucas fora médico. *The road to Bithynia* originalmente me atraíra porque o Evangelho segundo Lucas era minha parte preferida da história do Natal. O livro foi escrito por um médico, Frank Slaughter, que contou a história de Lucas com toda a força e credibilidade de seu conhecimento pessoal sobre a prática da medicina. Li o romance quatro vezes, espantada por descobrir que nem todos os médicos eram iguais a meus tios, que era possível ser médico, de modo que meu avô teria compreendido. Que ser médico podia tornar-se um meio de melhor conhecer e servir a vida e a fonte da vida. O romance criou a esperança de que alguém como eu poderia encontrar um lugar na medicina sem ter de escolher entre o modo de vida de meu avô e o de seus filhos.

O dia em que tudo começou está marcado em minha memória: meu pai carregando meus pertences para o quarto que eu ocuparia no alojamento dos estudantes de medicina, minha mãe desembrulhando as coisas e forrando minhas gavetas com papel especial; como sempre, os dois trabalhando em conjunto até não sobrar mais nada para fazer. Lembro-me da conversa constrangida e, por fim, de fechar a porta quando eles saíram. Quanto eles gostariam de ter ficado, de partilhar aquela última noite antes do primeiro dia da faculdade de medicina! Mas, aos vinte anos, eu quisera enfrentar aquela ocasião importante a sós.

Olhei as roupas cuidadosamente dobradas, as prateleiras sem livros, a cama dura e estreita e a superfície vazia da escrivaninha. O quarto parecia impessoal, monástico até, muito diferente do quarto feminino em que eu dormira na noite anterior. Seria meu lar por quatro anos. Naquela noite ele parecia frio e, de algum modo, inseguro.

Eu sentia uma dúvida bem familiar, um medo de estar fazendo a coisa errada, de não ser talhada para aquilo e de falhar. Como havia concentrado meus estudos na área de filosofia, com muita dificuldade consegui ser aceita na faculdade de medicina de Cornell. O entrevistador examinara meu diploma com distinção em filosofia wittgensteiniana, comentara que minha especialização era "irrelevante" e iniciara uma vigorosa dissertação sobre genética, o trabalho de sua vida. Fiquei impassível, mas, lá no fundo, eu sabia que não era uma cientista. No meu íntimo eu achava a ciência sem graça e fria. Cheia de saliências angulosas. Como aquele quarto.

Abraçando a mim mesma, virei-me para a única janela. Antes, em um vislumbre, eu havia reparado que ela se abria para a rua da cidade. Dera-me uma impressão fugaz de ser implacavelmente sombria. Mas anoitecera, e lá do outro lado da rua estava a entrada principal do hospital, um dos mais conhecidos do mundo inteiro. Ele resplandecia de tão iluminado.

De onde eu estava, podia ver o prédio principal e as duas alas que circundavam a entrada semicircular dos carros. Um fluxo interminável de carros chegava e partia, trazendo pessoas doentes, pessoas que sofriam e aqueles para quem elas eram importantes. Aproximei-me da janela, decidida a observar por algum tempo, só até as luzes se apagarem. Pouco antes da meia-noite vi chegar uma multidão de pessoas, muitas vestidas de branco; um pouco depois, outro grupo numeroso de pessoas de branco saiu, cada qual se dirigindo a seu carro no estacionamento. Mudara o turno. Peguei o cobertor, embrulhei-me nele e puxei uma cadeira. Carros, ambulâncias, táxis e carros de polícia continuavam a chegar e partir. Cochilei várias vezes, sempre acordando e descobrindo que nada mudara. Lá pelas quatro da manhã, percebi que aquelas luzes nunca se apagavam. As pessoas estavam lá, sempre, para qualquer um em crise, qualquer um com dor. As luzes eram passadas de mão em mão. E, daquela manhã em diante, eu faria parte disso. Eu ainda não sabia nada, mas aquele era meu lugar.

Na sinagoga de meu avô havia uma luz que nunca se apagava. Todas as sinagogas possuem essa luz eterna. Ela indica que a presença invisível de Deus está sempre ali. Reconfortada, levantei-me e fui dormir. Não me lembro de, nos quatro anos seguintes, ter alguma vez tido tempo para olhar novamente por aquela janela.

É impossível estar em um programa de aprendizado intensivo de 24 horas por dia, durante muitos anos, e não ser mudado por ele. Trabalhávamos sete dias por semana, quase sempre 36 horas seguidas e 12 horas de folga. Nas horas de folga, dormíamos. A negação do corpo, de sua necessidade de sono, conforto e até mesmo de alimento era a própria base do programa. Ninguém se queixava. Aquele era simplesmente o modo como todos nós vivíamos. Muitos dos aposentos em que eu trabalhava e estudava não tinham janelas. Com freqüência, eu não sabia em que dia estávamos ou que horas eram. Lembro-me de presenciar a mudança de turno das enfermeiras, dia após dia. Erguia os olhos e via a senhorita Harrison; então, devia ser de manhã novamente. Muitas vezes eu não havia dormido desde a vez anterior em que a vira. Uma ocasião, quando eu era interna, minha mãe, fazendo-me uma visita no alojamento dos residentes, ficou horrorizada ao abrir meu guarda-roupa e descobrir que eu não tinha um casaco de inverno. "Onde está seu casaco?", indagou, pasma. Eu não sabia que estávamos no inverno. Não saía do hospital e de seus sistemas de túneis subterrâneos fazia mais de um ano.

Em uma raríssima tarde de folga no verão, recordo-me de ter pego o metrô para visitar meus pais, percebendo só depois de algum tempo que eu estava, inconscientemente, sondando as veias das pessoas de braços à mostra ao meu redor, imaginando se minha habilidade com a agulha seria suficiente para poder tirar sangue delas. Esse tipo de treinamento muda sua maneira de ver as coisas, a maneira como você pensa. Pouco a pouco, o que havia sido fundamental em minha vida anterior tornou-se vago e desapareceu de vista, e outras coisas mais fortemente recompensadas desenvolveram-se em excesso. Depois de algum tempo, esqueci-me completamente de muitas coisas importantes.

Trinta e cinco anos atrás, eu era uma das poucas mulheres em minha turma de especialização na faculdade, e meus colegas do sexo masculino, de modo geral, supunham que eu, por ser mulher, possuía mais facilidade e habilidade para lidar com as necessidades emocionais dos pacientes. Contudo, na época, nada poderia estar mais longe da verdade. Em muitos aspectos, eu era emocionalmente menos evoluída do que alguns dos homens com quem trabalhava diariamente. Durante os quatro anos de faculdade, eu competira vitoriosamente com os homens e cultivara, com todo vigor e resolução, exatamente as qualidades de decisão, objetividade, competência, avaliação e raciocínio analítico que eram as mais respeitadas naquela cultura. Tais qualidades se haviam tornado ainda mais importantes para mim do que para os homens, pois me esforcei em superar o que a maioria deles via como uma desvantagem nas pessoas do meu sexo.

Porém, às vezes aqueles mesmos colegas que faziam tudo para me tratar como se eu fosse homem vinham me chamar em situações que os deixavam desconfortáveis. Quando estávamos todos trabalhando na clínica ou no pronto-socorro, cada qual examinando pacientes em sua própria sala, batiam à minha porta. Eu abria e me deparava com outro médico ali, em pé, constrangido, que dizia alguma coisa como: "Meu paciente está chorando... você pode ir lá?". Eu não me sentia mais à vontade do que ele em tais situações, mas logo me dei conta de que aquilo era parte de meu bilhete de aceitação e, por isso, ia e escutava enquanto alguém partilhava comigo suas preocupações e sua experiência de viver, na realidade, com a doença que havíamos diagnosticado.

A princípio eu me surpreendi com o fato de pessoas com a mesma doença terem histórias tão diferentes. Depois, comovi-me profundamente com elas, com as pessoas e o significado que elas haviam descoberto em seus problemas, com as forças insuspeitadas, com o alcance do amor e da devoção, com a rica e humana tapeçaria iniciada pela patologia que eu estava estudando e tratando. Por fim, aquelas histórias tornaram-se mais interessantes para mim do que o processo da doença. Passei a sentir-me mais rica como pessoa por causa delas, e não por fazer o diagnóstico certo. Elas me deixavam orgulhosa de ser humana.

As histórias tocavam-me em outro aspecto, mais oculto. Também eu sofria com uma moléstia, a doença de Crohn, uma enfermidade intestinal crônica e progressiva que me acometera aos 15 anos de idade. Portanto, para mim, aquelas conversas aliviavam certa solidão. Era um tipo de conexão diferente das despreocupadas brincadeiras e companheirismo que havia entre mim e os outros médicos residentes. Era a conversa das pessoas nos abrigos antiaéreos, das pessoas em estado de sítio, das pessoas em períodos comuns de crise por toda a parte. Eu ouvia seres humanos que estavam sofrendo e reagindo aos sofrimentos de maneiras tão únicas como suas impressões digitais. Suas histórias eram inspiradoras, comoventes, importantes. Com o tempo, a verdade nelas contida começou a me curar.

Cada pessoa é uma história. Quando eu era criança, as pessoas sentavam-se à mesa da cozinha e contavam suas histórias. Hoje já não fazemos isso com tanta freqüência. Sentar-se à mesa e contar histórias não é apenas um modo de passar o tempo. É o modo como a sabedoria é transmitida. É o que nos ajuda a viver uma vida digna de ser lembrada. Apesar dos espantosos poderes da tecnologia, muitos de nós ainda não vivem muito bem. Talvez precisemos voltar a ouvir as histórias uns dos outros.

A maioria das histórias que nos contam agora é escrita por romancistas e roteiristas de cinema, representada por atores e atrizes; histórias que possuem começo e fim, histórias que não são reais. As histórias que podemos contar uns aos outros não têm começo nem fim. São um lugar na primeira fila para a experiência real. Muito embora possam ter acontecido em época ou lugar diferentes, elas têm algo de familiar. De certo modo, também são sobre nós mesmos.

Histórias verdadeiras levam tempo. Paramos de contar histórias quando começamos a não mais dispor desse tipo de tempo, do tempo para parar, refletir, maravilhar-se. A vida nos impele, e poucas pessoas são fortes o bastante para se deterem sozinhas. Na maior parte das vezes, alguma coisa imprevista nos faz parar, e só então temos tempo para nos sentarmos à mesa da cozinha da vida. Para conhecermos nossa história, e contá-la. Para ouvir as histórias de outras pessoas. Para lembrar que o mundo real é feito exatamente dessas histórias.

Enquanto não nos detemos ou, mais freqüentemente, somos detidos, esperamos "deixar para trás" certos acontecimentos da vida e prosseguir nosso caminho. Depois que paramos, percebemos que certas coisas da vida permanecerão conosco enquanto vivermos. Passaremos por elas vezes sem conta, com uma nova história, cada vez com maior discernimento, até que elas se tornem indistinguíveis de nossas bênçãos e de nossa sabedoria. É a maneira como a vida nos ensina a viver.

Quando não temos tempo para ouvir as histórias uns dos outros, procuramos especialistas para nos ensinar a viver. Quanto menos tempo passamos juntos nas mesas de cozinha, mais livros de auto-ajuda aparecem nas livrarias e em nossas estantes. Mas ler esses livros é muito diferente de ouvir a experiência que alguém vivenciou. Como paramos de ouvir uns aos outros, podemos até mesmo ter-nos esquecido como ouvir, não mais sabendo reconhecer o que é importante e como nos nutrir dos acontecimentos comuns da vida. Nós nos tornamos solitários; leitores e observadores, em vez de parceiros e participantes.

A mesa da cozinha é um campo imparcial. A história de cada pessoa é importante. A sabedoria da história da pessoa mais instruída e poderosa, com freqüência, não é maior que a sabedoria da história de uma criança, e a vida de uma criança pode nos ensinar tanto quanto a vida de um sábio.

A maioria dos pais sabe a importância de contar aos filhos sua própria história, muitas e muitas vezes, para que eles venham a conhecer, pelo que é contado, quem são e a quem pertencem. Na mesa da cozinha, fazemos isso uns pelos outros. Oculta em todas as histórias está *A* história. Quanto mais ouvimos, mais clara essa história se torna. Nossa verdadeira identidade, quem somos, por que estamos aqui, o que nos sustenta, está nessa história. As histórias contadas em cada mesa de cozinha falam sobre as mesmas coisas, são histórias de possuir, de ter e perder, de sexo, poder, dor, sofrimento, coragem, esperança e cura, de solidão e fim da solidão. Histórias sobre Deus.

Ao contá-las, estamos contando uns aos outros a história humana. As histórias que nos tocam nesse lugar de humanidade comum nos despertam e nos reúnem como uma família outra vez.

Às vezes, quando peço às pessoas que me contem sua história, elas me contam sobre suas realizações, o que adquiriram ou construíram ao longo de toda a vida. Portanto, muitos de nós não conhecem sua própria história. A história sobre quem somos, não sobre o que fizemos. Sobre o que enfrentamos para construir o que construímos, sobre aquilo a que recorremos e que riscos corremos, o que sentimos, pensamos, receamos e descobrimos durante os acontecimentos de nossa vida. A verdadeira história que pertence somente a nós.

Todas as histórias são verdadeiras. Às vezes, quando um paciente me conta sua história, alguém da família protesta: "Mas não foi bem assim que aconteceu, foi de outro jeito". Ao longo dos anos, fui descobrindo que as histórias que essas duas pessoas contam são igualmente verdadeiras, igualmente genuínas, e que nenhuma delas talvez seja "correta", uma descrição exata do evento tal como uma câmera de vídeo o teria registrado. As histórias são a experiência de alguém sobre os acontecimentos de sua vida, e não os acontecimentos em si. A maioria de nós vivencia o mesmo acontecimento de maneiras muito diferentes. Nós o vemos de nossa maneira única, e a história que contamos tem muito de nós. A verdade é altamente subjetiva.

Todas as histórias são repletas de vieses e singularidades; misturam fatos e significados. Essa é a raiz de seu poder. As histórias nos permitem enxergar algo familiar com novos olhos. Naquele momento nós nos tornamos um convidado na vida de outra pessoa, e junto com ela nos sentamos aos pés de seu mestre. O significado que extraímos da história de alguém pode ser diferente do significado que a própria pessoa extraiu.

Não importa. Os fatos nos trazem conhecimento, mas as histórias conduzem à sabedoria.

As melhores histórias possuem muitos significados; estes mudam conforme cresce nossa capacidade de compreender e avaliar o significado. Relembrando tais histórias com o passar dos anos, ficamos admirados por não termos percebido o significado presente desde o início, o tempo todo ignorando que significado uma reflexão futura poderá conter. Assim como as próprias histórias, todos esses significados são verdadeiros.

Conhecer nossa própria história requer uma reação pessoal à vida, uma experiência íntima da vida. É possível viver a vida sem vivenciá-la. A maioria das crianças vivencia a vida mais plenamente do que nós. As crianças percebem os detalhes. Para uma criança, o tempo decorrido entre o Dia das Bruxas e o Natal compõe-se de milhares e milhares de momentos plenamente vivenciados. Isso leva mais tempo para sentir, mais tempo para atravessar. Depois dos quarenta, o Natal parece chegar três vezes por ano.

Já fui pediatra, mas não sou mais; faz muitos anos que venho ouvindo, como conselheira, as histórias de pessoas com câncer e outras doenças graves. Com elas reaprendi a desfrutar os pequeninos detalhes da vida, a graça de uma xícara de café quente, a presença de um amigo, a delícia de ter um sabonete novo e de passar uma hora sem dor. Essas experiências despretensiosas compõem o material de que são feitas as melhores histórias. Se julgamos que não temos histórias, é porque não prestamos atenção o bastante à nossa vida. A maioria de nós vive de forma muito mais rica e cheia de significado do que pensa.

Trazemos conosco cada história que ouvimos e cada história que vivemos, arquivada lá no fundo, em algum lugar recôndito de nossa memória. Levamos a maioria dessas histórias sem as ler, por assim dizer, até desenvolvermos a capacidade ou a disposição para lê-las. Quando isso acontece, elas podem ressurgir para nós plenas de algum significado antes insuspeitado. É quase como se viéssemos reunindo fragmentos de uma sabedoria maior, por vezes ao longo de muitos anos, sem saber.

Minha mãe era uma mulher de muitas histórias. Como enfermeira-visitadora do serviço de saúde pública, sentara-se à mesa em muitas cozinhas, tomando chá e ouvindo. Aos 84 anos, ela optou por submeter-se a uma cirurgia cardíaca de ponte de safena, porque era sua última possibilidade de vida. Mesmo assim, o risco era grande: quarenta por cento de chance de ela não sobreviver à operação. Mas minha mãe não era aquele tipo de velhinha que todo o mundo imagina. A vida toda ela fora uma pessoa independente, acostumada a correr riscos, e para ela aquela probabilidade parecia boa. Na manhã da cirurgia, cheguei ao seu quarto no hospital duas horas antes, mas descobri que a operação fora antecipada e que mal teria tempo de dar-lhe um beijo antes de a levarem para o andar de cima. Apesar da súbita mudança de planos e do risco assustador que ela corria, minha mãe estava serena, até mesmo radiante.

"Que bom! Você chegou!", disse-me ela . "Há uma coisa que eu queria lhe dizer. Queria ter a certeza de que você soubesse que, não importa o que aconteça aqui, *eu estou satisfeita* e espero que você faça todo o possível para ficar satisfeita também." Ela me lançou seu sorriso encantador e jovial, e eles a levaram. Essas foram suas últimas palavras lúcidas para mim.

Por muito tempo fiquei pensando naquelas palavras, tentando entender o que elas significavam. Minha mãe realizara muito em sua vida, mas não creio ter sido isso que lhe deu tamanha tranqüilidade e satisfação diante da possibilidade da morte. Lentamente, acabei compreendendo que a chave para esse tipo de satisfação encontra-se no mundo interior, o mundo das histórias e lembranças. Não provém de qualquer realização exterior, e sim da riqueza de vivenciar a vida e partilhar sua experiência íntima com os outros.

Após 37 anos como médica e mais de quarenta convivendo com minha própria doença grave, eu também sou uma mulher de muitas histórias. Histórias que vivi e histórias que me contaram. Tenho histórias sobre ser filha, neta e amiga. Histórias sobre ser paciente e ser médica. Histórias que outros médicos e pacientes me contaram. Histórias sobre meu gato. Histórias sobre coisas que não compreendo. Se eu estivesse sentada à mesa de sua cozinha, como fazia antigamente o médico da família, estas seriam algumas das histórias que eu traria comigo.

Cada uma dessas histórias tem me ajudado a viver.

I
A FORÇA DA VIDA

Coerente, elegante, misteriosa, estética. Na época em que me diplomei em medicina, eu não teria descrito a vida dessa maneira. Mas eu não tinha então intimidade com a vida. Não vira o poder da força da vida em cada pessoa, não havia encontrado a vontade de viver em todas as suas formas variadas e sutis, reconhecido o irreprimível amor pela vida no fundo do coração de toda criatura viva. Eu não fora usada pela vida para que esta se realizasse, nem fora apanhada de surpresa por sua força em meio à mais profunda fraqueza. Eu não tinha o sentimento de admiração reverente. Achava que a vida estava quebrada e que eu, armada com as poderosas ferramentas da ciência moderna, a consertaria. Achava, na época, que eu também estava quebrada. Mas a vida mostrou-me o contrário.

Muitas das pessoas que hoje vêm a meu consultório como clientes em busca de aconselhamento procuram-me porque a medicina moderna falhou com elas, de algum modo, ou usou todo o seu poder para ajudá-las e não sabe mais o que fazer. Elas têm esperança de encontrar um caminho para a cura, de cooperar com a vida que há nelas ou mesmo fortalecer essa vida. Depois de ouvir centenas e centenas de histórias dessa gente nos últimos vinte anos, eu diria que a maioria das pessoas não reconhece a intensidade da força vital que há nelas ou as muitas maneiras como essa força se mostra para elas. Porém, cada um de nós já sentiu seu poder. Nós, os que duvidamos, estamos cobertos com as cicatrizes de nossas muitas curas.

Assim, quando as pessoas chegam, em geral é por aí que começamos — conversando a respeito da própria vida, de nossa atitude em relação a ela, de nossas experiências sobre ela, da confiança ou desconfiança que dela sentimos. Desenvolvendo a capacidade de vê-la, nos outros e em nós mesmos. No princípio, existe a força da vida. Tendo vivido mais de cinqüenta anos, aprendi que podemos confiar nela.

FLORES DE AMEIXEIRA

Há muitos anos, ao sair para fazer compras, fomos parar em uma loja especializada em móveis japoneses, para ajudar um amigo que estava mobiliando sua casa. Ele rapidamente foi abordado pela única vendedora, mulherzinha muito miúda de quimono, que lhe agarrou o braço e começou uma conversa sobre pinturas japonesas, falando alto e com veemência. A cabeça da mulher mal superava em altura o cotovelo de meu amigo, mas, pequena como era aquela vendedora, seus modos deixaram-me constrangida, e eu me esgueirei em direção à porta, espreitando por trás de baús e *tonkus*, esperando que ele terminasse as compras. Achava que me escondera bem até que, sem aviso, a mulher virou-se e veio em minha direção, apontando para mim. Vi então que ela era muito idosa, possivelmente até mesmo surda, o que talvez fosse a razão de ela falar tão alto. Ela me pegou pelo braço e começou a empurrar-me pela loja, encorajando-me com estalinhos da língua e repetindo: "Venha. Venha você". Tentei desvencilhar-me dela, mas para alguém tão pequena e frágil ela apertava com força. Assim, fui andando, acompanhada por meu amigo, que estava visivelmente se divertindo com minha luta.

Ela nos levou a uma sala nos fundos da loja, vazia exceto por quatro rolos de pergaminho, um em cada parede, representando as estações do ano. Ao contrário das pinturas da loja, estas eram dignas de um museu. Em uma delas, um ramo velho e retorcido recobria-se com centenas de minúsculas flores rosadas. O ramo e as flores estavam cobertos de neve. Era primoroso.

Conduzindo-me até essa pintura, ela me disse: "Vê, vê? Fevereiro! A flor da ameixeira vem!". No seu jeito peculiar, veemente, ela me explicou que a ameixeira sofria porque era a primeira, florescia cedo, em fevereiro, muitas vezes ainda no inverno, sob as inclemências e o frio. Ela tocou a neve no ramo com suas mãozinhas artríticas, meneando a cabeça com força. Fitando intensamente meu rosto e balançando de leve meu braço, ela comentou: "Flor de ameixeira, o começo. Como mulher japonesa, flor de ameixeira delicada, frágil, suave... e sobrevive".

Posteriormente, matutei sobre isso durante muito tempo. Como médica, eu achava que entendia de sobrevivência, afinal, eu estava nesse ramo. Julgava que a sobrevivência era uma questão de perícia, de habilidade e ação, de competência e conhecimento. O que ela disse não tinha sentido para mim.

Aquilo me confundia ainda por outros motivos. Assim como as flores da ameixeira, eu também chegara cedo. Minha mãe sofrera uma toxemia, e eu nascera por uma cesariana de emergência, com peso muito inferior ao das crianças nascidas no tempo normal de gestação. Em fevereiro de 1938, julgaram que eu não viveria. Durante toda a minha infância disseram-me que eu sobrevivera graças à invenção da incubadora. Por muitos anos, senti gratidão por essa tecnologia, senti que lhe devia minha vida. Na época da história da loja japonesa, como jovem pediatra, eu estava trabalhando em uma unidade de tratamento intensivo para recém-nascidos prematuros, empregando tecnologia muito mais poderosa para manter vivos outros bebês. Mas o que a velha senhora me disse deixou-me intrigada. Talvez a sobrevivência não fosse apenas uma questão do uso hábil da tecnologia mais avançada, talvez houvesse alguma coisa inata, alguma coisa naqueles pequeninos bebês rosados, que os capacitara, e a mim, a sobreviver. Eu nunca tinha pensado nisso antes.

Aquilo me fez lembrar de algo que acontecera em um dia de primavera quando eu tinha 14 anos de idade. Andando pela Quinta Avenida, em Nova York, espantei-me por ver duas folhinhas de grama crescendo na calçada. Verdes e frágeis, elas de alguma forma haviam irrompido pelo cimento. Apesar de a multidão trombar comigo, parei e olhei-as, incrédula. Essa imagem continuou comigo por muito tempo, possivelmente por parecer-me tão miraculosa. Na época, minha idéia de poder era bem diferente. Eu entendia o poder do conhecimento, da riqueza, do governo e da lei. Ainda não possuía experiência com este outro tipo de poder.

Acidentes e desastres naturais muitas vezes levam as pessoas a julgar que a vida é frágil. Pela minha experiência, a vida pode mudar abruptamente e terminar sem aviso, mas ela não é frágil. Há uma diferença entre impermanência e fragilidade. Mesmo no nível fisiológico, o corpo é um esquema intricado de controles e contrapesos, elegantes estratégias de sobrevivência sobrepostas a estratégias de sobrevivência, equilíbrios e reequilíbrios. Qualquer pessoa que tenha testemunhado a recuperação de intervenções profundas e invasivas como transplante de medula ou cirurgia cardíaca de peito aberto fica com uma sensação de profundo respeito, quando não de reverência, pela capacidade do corpo para sobreviver. Isso acontece tanto na idade avançada quanto na juventude. Há uma tenacidade no sentido da vida presente em nível intracelular, sem a qual nem mesmo a mais complexa das intervenções médicas teria êxito. O ímpeto de viver é forte até mesmo no mais minúsculo dos seres humanos. Recordo-me de ver, quando estudante de medicina, um de meus professores colocar o dedo na boca de um recém-nascido e, assim que o bebê o segurou, levantar delicadamente parte de seu corpo da cama graças à força com que a criança sugava.

Essa tenacidade à vida resiste em todos nós, inalterada, até o momento de nossa morte.

A VONTADE DE VIVER

Viver pode ser uma escolha? E, se for, será que escolhemos sobreviver da mesma maneira que escolhemos um traje para vestir ou um carro? Muitas pessoas passaram a crer que sim. Mas as evidências indicam que a sobrevivência não pode ser escolhida exatamente como escolhemos nossos pertences. A vida não é uma propriedade. Há os que desejam intensamente viver e acabam morrendo, e outros que não sentem grande apego pela vida e permanecem vivos por muito tempo. Isso é estranho, pois muitos de nós têm uma noção íntima de que existe alguma dimensão de escolha pessoal ligada à sobrevivência.

Ao longo destes anos de observação da sobrevivência, comecei a pensar se não haveria uma vontade, à qual temos acesso em sonhos e imagens mentais, que faça parte de um código básico bem no cerne de nossa vida pessoal. Ali, naquele nível profundo do inconsciente, reside o ímpeto para manter-se encarnado com fins que a mente consciente desconhece, uma espécie de compromisso de nossa força vital pessoal para com o específico e o concreto. Talvez, oculta no presente debate a respeito de escolha pessoal e sobrevivência acima de tudo, esteja uma concepção mais antiga e mais misteriosa denominada vontade de viver.

Se isso for verdade, muitos fatores inconscientes das coisas podem afetar essa vontade, sua força, coerência e tenacidade. Nossas crenças mais profundas e inconscientes quanto à nossa natureza essencial, quanto a merecermos a vida, podem estar atuando. Às vezes, uma singularidade da vontade de viver aparece com mais clareza só quando alguém é desafiado por uma doença grave.

Max era o tipo de homem que vivia perigosamente, fumando, bebendo, brigando, dirigindo em alta velocidade. Onde estava o perigo, lá estava ele. Aos 63 anos, passara por quatro casamentos, ganhara e perdera duas fortunas. Era agora um bem-sucedido criador de gado. Sentou-se em meu consultório, de chapéu enorme e botas surradas, tão desconfortável e pouco à vontade ali quanto um de seus prezados touros campeões em um estábulo pequeno demais. Em resposta às minhas perguntas sobre seu passado, ele contou-me que crescera em um rancho do meio-oeste. Seu pai fora vaqueiro; sua mãe, a única filha do banqueiro da cidade. Ele fora muito apegado à mãe. Seu irmão mais velho, um menino robusto e destemido, fora mais chegado ao pai. Seu pai o amara, ele me disse, e desviou o olhar.

Olhei para ele ali sentado, grandalhão, competente e afoito. Suas mãos, pousadas sobre os joelhos cobertos pela calça de brim, eram marcadas pelas cicatrizes de toda uma vida de trabalho ao ar livre. Eram mãos masculinas. Por que, então, tive aquela pontada de sentimento de proteção, aquele vislumbre fugaz do frágil garotinho que havia nele? Seguindo este palpite, perguntei-lhe o que ele sabia a respeito de seu nascimento e primeira infância. Ele contou-me que nascera prematuro. Nos primeiros dois ou três anos de vida, fora doente e exigira grande parte da atenção, dos cuidados e do tempo de sua mãe. A frustração de seu pai fora se acumulando até que, em uma violenta discussão com sua mãe, ele bradara: "Se esse nanico fosse um dos animais, eu o deixaria morrer de fome". Perguntei se ele tinha ouvido isso por acaso ou se alguém lhe contara. Ele não se lembrava, mas sempre soube daquilo, e sabia, sem sombra de dúvida, que acontecera.

O ressentimento do pai contra ele permanecera inalterado mesmo depois de ele ter crescido e conseguido tornar-se um homem fisicamente grande e forte. "Meu pai não era homem de perdoar", comentou. Às vezes o pai não lhe falava e não fazia caso de sua presença por várias semanas, agindo como se ele não estivesse presente. Ele nunca soube por quê. Não fora uma infância fácil, e aos 15 anos Max saiu de casa.

Incomodado com minhas perguntas, ele indagou por que tudo aquilo era importante. Batia os pés e tinha o olhar inquieto. Tateava os bolsos distraidamente. Imaginei que talvez estivesse morrendo de vontade de fumar. Respondi que as atitudes das pessoas consigo mesmas às vezes facilitam ou dificultam a recuperação de sua saúde, por isso era bom entendermos o máximo possível.

Ele se pôs então a falar a respeito de suas tendências autodestrutivas. Contou-me que vinha "desafiando a morte" desde que se conhecia por gente, e falou sobre anos de vida árdua e numerosas lesões. Mesmo quando criança fora propenso a acidentes, o que desviou ainda mais a atenção da mãe para ele e alimentou o ressentimento do pai. Ele não entendia por que isso acontecia, pois era um sujeito atlético e com boa coordenação. "Sempre me senti sem importância, como se não prestasse." Seus muitos êxitos, nos negócios, nos esportes ou com as mulheres, não haviam abrandado tais sentimentos, apenas encoberto. "Enganei todo o mundo", disse ele, carrancudo. "Talvez fosse penoso você sentir que era bom porque nunca podia ter certeza do que exatamente precisava para ser bom", comentei. Ele me olhou intrigado. "Se você devia viver para agradar à sua mãe ou morrer para agradar ao seu pai", expliquei.

Minha observação deixou-o chocado. Ele muitas vezes pensara ter vivido imprudentemente para ganhar a aprovação do pai ou para provar que era o mais durão. Isso deu uma nova perspectiva à questão. "Desde o momento em que nasci, eu fui para ele um espinho atravessado na garganta simplesmente pelo fato de estar ali. Nada do que eu pudesse ter feito causaria diferença. Ele não me queria de jeito nenhum."

Lembrei-lhe de que, apesar de seus muitos entreveros com a morte, dos ossos quebrados, dos acidentes, dos riscos que ele corria quase diariamente, ele ainda estava ali. Perguntei o que, em sua opinião, o mantivera vivo até então. "Sorte", ele respondeu, rápido. Lancei-lhe um olhar cético. Ninguém tinha tanta sorte assim. Por uns momentos, ele ficou ali sentado, matutando. Depois, com a voz embargada e quase inaudível, ele me disse que sempre desejara viver. Eu quase não conseguia escutá-lo. "Você consegue dizer isso mais alto?" Ele fitou o tapete por entre as botas. Incapaz de falar, apenas fez que não com a cabeça. Quase sussurrando, explicou: "Tenho vergonha".

Tive pena dele. Com a voz trêmula, ele comentou: "Alguma coisa dentro de mim deseja viver". Ainda tinha os olhos fixos no tapete. "Diga isso, Max", pensei. "Diga isso até que se torne real." Fiquei imaginando se conseguiria levá-lo um pouquinho mais longe. "Acha que seria capaz de olhar para mim e dizer isso?", perguntei. Pude sentir a luta que se travava dentro dele. Será que eu tinha ido longe demais? Ele jamais confrontara o pai. Era bem provável que dizer uma coisa dessas em voz alta colidisse contra o padrão de toda uma vida. Talvez ele não fosse capaz de libertar-se nem mesmo aquele pouquinho. Com esforço, ele ergueu os olhos e, com a voz embargada mas já não inaudível, disse sem hesitar: "Eu quero viver". Ficamos olhando um para o outro por alguns instantes, mas ele não baixou o olhar. Sorri para ele. "Eu também quero que você viva", disse-lhe.

Um modo de olhar a história de Max seria pensar que a velha discussão entre seus pais continuara em sua mente inconsciente. Confuso e dividido entre o empenho da mãe por sua vida e o desejo do pai de que ele desaparecesse, Max andara por cima do muro entre a vida e a morte durante todos aqueles anos. Porém, mesmo em segredo, o voto decisivo permanecera com ele. Talvez a intensidade do diálogo interior tornara necessário que ele garantisse a si mesmo o que escolhera, desafiando o perigo e dando seu voto vezes sem conta. Cada vez que sobrevivia, podia sentir de novo sua própria vontade de viver. Quando a luta inconsciente é assim tão intensa, pode ser que a pessoa precise voltar a verificar sua escolha com freqüência, por meio de acidentes e de uma vida arriscada só para ter certeza.

O câncer era apenas a última de uma longa série de crises que punha em xeque a questão de sua vida. Era a razão de ele estar ali em meu consultório. Mas agora, que ele estava com câncer, seria necessário escolher de uma vez por todas. Sobreviver a uma doença que ameaça a vida pode requerer a coerência entre escolha consciente e inconsciente.

Max tinha câncer metastático de cólon. Os especialistas lhe haviam citado estatísticas desalentadoras e fornecido apenas um prognóstico comedido. Mas especialização não é clarividência. Como especialistas, apenas lidamos com probabilidades e não com resultados específicos. Assim, como a maioria das pessoas que faz esse tipo de trabalho, constatei que os prognósticos podem não ser a realidade, tanto quanto um mapa não é o território e uma planta não é o edifício.

Max viveu por oito anos depois desse primeiro encontro. Trabalhamos juntos por alguns anos, explorando a porta que se abrira naquela primeira sessão, e acabei me afeiçoando profundamente àquele homem durão, engraçado e muito gentil. Pouco a pouco, ele se tornou capaz de compreender e perdoar seus pais, de dar valor a si mesmo e se cuidar. Os ferimentos e os acidentes cessaram. Nos primeiros meses, ele com freqüência gracejava sobre o momento em que somei meu voto ao dele. "Superamos o patife em número de uma vez por todas", dizia com um risinho.

Quando eu lhe disse que queria que ele vivesse, falei como uma pessoa para quem sua vida era importante e não como alguém que sabia qual seria o resultado. Com toda a sua especialização, todo médico sente-se assim com respeito a cada paciente, não importa quais sejam as chances em contrário. É a motivação por trás de todo aquele estudo e esforço, a base de todo aquele empenho. Mas penso que às vezes é importante dizer em voz alta esse tipo de coisa.

UM LUGAR NA PRIMEIRA FILA

É difícil confiar em algo que não podemos ver. Mesmo depois de sete grandes cirurgias, eu às vezes tenho dificuldade para confiar em minha cura. Em 1981, tive peritonite e sepse quando as suturas que sustentavam meu intestino cederam alguns dias depois de uma cirurgia abdominal de seis horas. Quando isso foi por fim diagnosticado de modo correto, eu já estava gravemente enferma. Fui levada de volta às pressas para a sala de cirurgia, onde uma outra operação provavelmente me salvou a vida. Recordo-me de ser levada de maca pelo corredor, em velocidade estonteante, as luzes lá em cima faiscando, meu cirurgião, que também era meu amigo, correndo ao lado da maca. Sendo a cultura médica como é, ele conversava comigo sobre meu caso como se fôssemos dois médicos almoçando no refeitório do hospital e falando sobre um paciente comum. "Você sabe que, devido à infecção, teremos de conseguir uma cicatrização por aderência primária." Cheia de remédios e me sentindo muito mal, lembro-me de ter pensado: "Aderência primária. Eu antes sabia o que significa isso". Depois, tudo aconteceu muito rápido, e eu perdi a noção de tudo.

Várias horas depois, acordei na sala de recuperação, atordoada com a percepção de que sobrevivera uma vez mais. Mal tendo recobrado a consciência, explorei meu abdômen com a ponta do dedo. Lá estava o grande curativo mole, exatamente como antes. Tranqüilizada com o familiar, deixei a mente vaguear.

No dia seguinte, a enfermeira veio trocar o curativo. Tagarelando despreocupadamente, ela puxou a bandagem, e eu olhei, esperando ver a costumeira incisão de 35 centímetros com sua fileira uniforme de cento e tantos pontos. Em vez disso, havia uma grande ferida aberta, aberta como todas as que eu vira quando ajudava na sala de operação. As palavras de meu cirurgião voltaram-me à memória de pronto — *aderência primária* —, e então eu soube o que isso significava. Na presença de infecção, não haveria suturas. O peritônio e a fáscia seriam fechados, e a ferida seria deixada aberta para cicatrizar por conta própria.

Terrivelmente chocada, olhei para a ruína que era meu abdômen. Sem dúvida, aquela era uma ferida mortal. Lembro-me de ter pensado: "Não há como uma coisa dessas possa vir a sarar". A enfermeira continuou tagarelando, sem perceber minha reação. Depois de recolocar o curativo com leves batidinhas, saiu do quarto. Na manhã seguinte, ela voltou para trocá-lo. Desta vez, virei a cabeça para o lado e não quis olhar. Ela conversou comigo, amável, enquanto fazia o serviço. Não respondi. Estava desesperada.

Durante várias manhãs, a rotina foi a mesma, com ela puxando a bandagem, murmurando encorajamentos, e eu de cabeça virada, à espera do fim. Depois de mais ou menos uma semana, ocorreu-me que, contra todas as probabilidades, eu ainda estava viva. Talvez não fosse morrer daquela ferida, afinal de contas, mas teria de viver com ela. Isso suscitou uma série completamente diferente de preocupações e obsessões. Como é que eu iria viver com aquele buracão bem na minha frente? Talvez, depois de alguns anos, viesse a encher-se e ficar plano — uma cicatriz de 35 centímetros de comprimento e vários centímetros de largura. Até lá, nada de calças jeans apertadas, nem maiôs. Será que eu poderia usar roupas extragrandes? Ou encher a funda trincheira da barriga com algodão e colar com fita adesiva para que não aparecesse?

Depois de alguns dias cismando assim, ficou óbvio que, se era para viver com aquilo, então eu precisava ver. Por isso, naquele dia, quando a enfermeira puxou o curativo, obriguei-me a olhar, esperando ver a ferida aberta de dez dias antes. Mas estava diferente. Estarrecida, vi que ela começara a fechar embaixo, e que estava distintamente mais estreita. E, então, uma coisa extraordinária começou a acontecer. Dia após dia, a enfermeira tirava o curativo e eu observava enquanto aquela grande ferida, do modo lento e paciente de todas as coisas naturais, gradualmente tornava-se uma cicatriz da espessura de um fio de cabelo. E eu, médica, não tinha controle sobre aquilo. Uma experiência que infundia humildade. Mas sem dúvida eu tinha um lugar na primeira fila no processo de cura. Foi só bem mais tarde que percebi que vinha ocupando aquele lugar na primeira fila desde o momento em que entrara na faculdade de medicina. A força da vida que presenciei em mim mesma era um direito inato comum a todos nós.

ESTILO

Embora o impulso para a saúde seja natural e exista em todos, cada um de nós obtém a cura a seu próprio modo. Algumas pessoas se recuperam porque têm trabalho a fazer. Outras porque se viram liberadas do trabalho, das pressões e expectativas que outros lhes impunham. Alguns precisam de música; outros, de silêncio; há quem precise de gente por perto, e há os que saram sozinhos. Muitas coisas diferentes podem ativar e fortalecer a força da vida em nós. Para cada um existem condições de cura que são tão únicas quanto as impressões digitais. Algumas pessoas me perguntam o que faço nas sessões com os pacientes. Muitas vezes, eu só lembro as pessoas da possibilidade de cura e estudo com elas sua maneira pessoal de sarar.

Algum tempo atrás, um jovem foi encaminhado a meu consultório por um programa de treinamento de visualização ativa para pessoas com câncer. Apesar do diagnóstico de melanoma maligno, ele fora tão pouco motivado que, apenas um mês depois de completar o treinamento intensivo, não conseguia lembrar-se de fazer sua meditação diária com as imagens mentais. A indicação fora clara: talvez eu conseguisse reverter suas tendências autodestrutivas e encorajá-lo a lutar pela vida.

Jim era controlador de tráfego em um grande aeroporto. Era um homem reservado e calado, que poderia ser julgado tímido até que se notasse a firmeza de seu olhar. Ele me contou, embaraçado, que era o único nas aulas de treinamento de visualização que não conseguia acompanhar o programa. Ele não entendia por quê. Conversamos um pouco sobre seus planos de vida e sobre sua reação ao diagnóstico. Sem dúvida ele queria muito ficar bom. Gostava de seu trabalho, amava sua família, ansiava por criar seu filhinho. Não havia ali sinal algum de autodestruição. Assim, pedi-lhe que contasse a respeito do treinamento com visualização ativa.

Em resposta, ele desdobrou um papel com o desenho de um tubarão. A boca do animal era enorme, aberta e repleta de dentes afiados e pontudos. Por 15 minutos, três vezes ao dia, ele tinha de imaginar milhares de tubarões minúsculos caçando dentro de seu corpo, atacando e destruindo selvagemente toda célula cancerosa que encontrassem. Era um tipo bem tradicional de imagem do sistema imunológico, recomendado por muitos livros de auto-ajuda e usado por inúmeras pessoas. Indaguei o que parecia impedi-lo de fazer a meditação. Com um suspiro, ele respondeu que achava maçante.

O treinamento não dera certo com ele desde o princípio. No primeiro dia, foi pedido à classe que encontrasse uma imagem para o sistema imunológico. Na discussão subseqüente, ele descobriu que não encontrara o tipo "certo" de imagem. Toda a classe e o psicólogo/líder trabalharam com ele até que lhe veio à idéia aquele tubarão. Olhei para o desenho em seu colo. O contraste entre a imagem e aquele homem reservado era marcante.

Curiosa, perguntei qual tinha sido a sua primeira imagem. Desviando o olhar, ele murmurou: "Não era feroz o bastante". Era a do peixe dojô. Fiquei intrigada. Eu nada sabia sobre o dojô, nunca vira um, e ninguém antes me falara dele nesse papel de curador. Com entusiasmo crescente, Jim descreveu o que os dojôs fazem no aquário. Ao contrário dos peixes mais agressivos e competitivos, eles se alimentam no fundo, peneirando a areia com as guelras, constantemente avaliando, separando o que presta do que não presta, comendo o que já não mais sustenta a vida no aquário. Nunca dormem. São capazes de tomar decisões rápidas e precisas. Como controlador de tráfego aéreo, Jim admirava essa capacidade.

Pedi-lhe que descrevesse em poucas palavras o dojô. Ele usou palavras como "perspicaz, vigilante, impecável, minucioso, inabalável". E "confiável". "Nada mau", pensei.

Conversamos um pouco sobre o sistema imune. Jim não sabia que o DNA de cada um dos nossos bilhões de células possui uma assinatura individual, uma espécie de logotipo pessoal. Nossas células do sistema imune são capazes de reconhecer o logotipo do nosso DNA e destroem toda célula que não o possua. Esse sistema é o defensor de nossa identidade celular, patrulhando constantemente as fronteiras do Eu/Não-Eu, discernindo o que é "eu" e o que não é, sem nunca dormir. As células cancerosas perderam seu logotipo de DNA. O sistema imune saudável as ataca e destrói. Na verdade, a mente inconsciente de Jim fornecera-lhe uma imagem particularmente precisa para o sistema imune.

Quando estudante de medicina, eu participara de um estudo no qual um microenxerto, um minúsculo grupo de células epiteliais, fora retirado de uma pessoa e enxertado na pele de outra. Contei a Jim sobre esse experimento. Em 72 horas, o sistema imune da segunda pessoa, procurando entre os bilhões de células possuidoras da assinatura de seu próprio DNA, encontrava aquele grupo minúsculo de células com o DNA errado e as destruía.

Descrevi-lhe os numerosos truques a que recorrêramos para esconder ou disfarçar o microenxerto. Por mais que tentássemos, não conseguíamos passar a perna no sistema imune. Infalivelmente ele encontrava aquelas células e as destruía.

Jim ainda parecia em dúvida. O professor e a classe haviam conversado sobre a importância de um "espírito de luta" agressivo e da "motivação assassina" de uma imagem mental eficaz para combater o câncer. Ele corou de novo. "Há mais alguma coisa?", perguntei. Fazendo que sim com a cabeça, ele contou que, no lugar em que ele crescera, os dojôs ficavam grandes e em certas épocas do ano "andavam" pelas ruas. Quando ele era criança, isso lhe parecera uma espécie de milagre, e ele nunca se cansava de observá-los. Tivera vários dojôs como animais de estimação. Perguntei-lhe: "Jim, o que é um animal de estimação?". Ele pareceu surpreso. "Ora, um animal de estimação é aquele que gosta de você incondicionalmente", ele respondeu.

Assim, pedi-lhe que sintetizasse sua imagem. Fechando os olhos, ele descreveu milhões de dojôs que nunca dormiam, moviam-se por todo o seu corpo, vigilantes, incansáveis, dedicados e seletivos, examinando pacientemente cada célula, deixando todas as que estavam saudáveis, comendo as cancerosas, motivados pelo amor e pela devoção incondicionais de um bicho de estimação. Era importante para eles se Jim viveria ou morreria. Jim era único e especial para eles tanto quanto para seu cachorro. Jim abriu os olhos. "Pode parecer bobagem, mas sinto uma espécie de gratidão por eles, por sua preocupação", explicou.

Essa imagem comovia-o profundamente, e não lhe era difícil lembrar-se dela. Nem maçante. Por um ano, ele fez essa meditação diariamente. Anos mais tarde, depois de plenamente recuperado, Jim continua com essa prática algumas vezes por semana. Diz que ela o lembra de que, no nível mais profundo, seu corpo está do seu lado.

As pessoas podem aprender a estudar sua força vital da mesma maneira que um jardineiro perito estuda uma roseira. Nenhum jardineiro jamais fez uma rosa. Quando suas necessidades são atendidas, a roseira produz rosas. Os jardineiros colaboram e dão as condições que favorecem esse resultado. Como sabe qualquer pessoa que já tenha podado uma roseira, a vida flui de cada roseira, de modo ligeiramente diferente.

SILÊNCIO

Na adolescência, trabalhei um verão como acompanhante voluntária em uma casa de repouso para idosos. O trabalho teve início com um treinamento intensivo de duas semanas, a respeito da comunicação com os idosos. Havia muitas coisas para memorizar, e o que começara como a tentativa muito afetiva de uma adolescente de passar um rápido verão transformou-se em uma série sistemática de técnicas e habilidades pelas quais eu seria avaliada por uma equipe de enfermagem. No primeiro dia de verdadeiro contato com os pacientes, eu estava bastante nervosa.

Minha primeira tarefa era visitar uma mulher de 96 anos que não falava havia mais de um ano. Um psiquiatra diagnosticara demência senil, mas ela não reagira à medicação. As enfermeiras duvidavam que ela me dirigisse a palavra, mas eu esperava fazê-la participar de alguma atividade comigo. Deram-me um cesto cheio de contas de vidro, de todos os tamanhos e cores imagináveis. Faríamos um cordão com as contas. Eu deveria voltar à sala de enfermagem dali a uma hora.

Eu não queria visitar aquela paciente. Sua idade muito avançada me assustava, e as palavras "demência senil" sugeriam que não só ela era mais velha do que qualquer pessoa que eu conhecia, mas também que era louca. Cheia de pressentimentos, bati na porta de seu quarto. Não houve resposta. Abrindo a porta, vi-me em um quartinho iluminado por uma única janela que deixava entrar o sol da manhã. Duas cadeiras haviam sido colocadas de frente para a janela; em uma delas sentava-se uma senhora muitíssimo idosa, olhando para fora. A outra estava vazia. Fiquei parada junto à porta durante algum tempo, mas ela não deu sinal de perceber minha presença. Sem saber o que fazer, fui até a cadeira e me sentei, com o cesto de contas no colo. Ela não pareceu notar que eu chegara.

Por alguns momentos, tentei encontrar um modo de iniciar uma conversa. Eu era terrivelmente tímida naquela época, o que fora uma das razões por que meus pais haviam sugerido aquele trabalho para mim, e mesmo em circunstâncias menos difíceis eu teria sentido grande dificuldade. O silêncio no quarto era absoluto. De algum modo, falar parecia quase uma grosseria, mas eu desejava ardentemente ser bem-sucedida em minha tarefa. Pensei em todas as maneiras de entabular uma conversa que eu aprendera no treinamento, e descartei todas. Nenhuma parecia possível. A velha senhora continuava a olhar pela janela, o rosto meio oculto de minhas vistas, respirando imperceptivelmente. Por fim, desisti por completo e fiquei ali sentada com o cesto de contas no colo durante toda aquela hora. Era muito tranqüilo.

O silêncio foi finalmente rompido pela campainha que anunciava o fim da atividade matutina. Pegando o cesto, preparei-me para sair. Mas eu só tinha 14 anos, e a curiosidade me venceu. Virando-me para a velha senhora, perguntei-lhe: "O que a senhora está olhando?". Corei na mesma hora. Intrometer-se na vida dos residentes era estritamente proibido. Talvez ela não tivesse ouvido. Mas ouvira. Devagar, ela se virou para mim, e pude ver seu rosto pela primeira vez. Estava radiante. Com a voz jubilosa, ela respondeu: "Ora, menina, estou olhando para a Luz".

Muitos anos mais tarde, quando era pediatra, vi recém-nascidos olharem para a luz com aquela mesma expressão extasiada, quase como se estivessem tentando ouvir alguma coisa. Felizmente, eu não conseguira encontrar um modo de interromper.

Uma mulher de 96 anos pode parar de falar porque a arteriosclerose danificou-lhe o cérebro, ou porque se tornou psicótica e não é mais capaz de falar. Mas também pode ser que ela tenha se retirado para um espaço entre os mundos, para contemplar o que virá, para desfraldar as velas e pacientemente esperar ser conduzida pela luz.

Eu a encontrara por acidente, ou talvez por graça. Muitas vezes pensei o que poderia ter acontecido se eu fosse então a médica altamente treinada em que me transformaria em breve. Eu não saberia como encontrá-la e sentar-me com ela. Não saberia como aprender com ela sobre o silêncio e sobre a confiança na vida. Agora, muitos anos depois, espero saber.

LENDO NAS ENTRELINHAS

Sara é uma mulher que, como eu, há muitos anos sofre com a doença de Crohn. Em trinta anos de doença, ela passou por mais de 14 cirurgias abdominais e nas juntas. Como conseqüência dessas experiências, ela se julgava vítima. Quando veio pela primeira vez a meu consultório, ela estava com depressão crônica e incapacitada pela autocomiseração. Porém, com o tempo, isso mudou. Agora, ela trabalha três dias por semana e participa da vida atarefada da família. Quando ela concluiu as sessões de aconselhamento, seu marido comentou sobre as mudanças que haviam ocorrido nela, e afirmou que era como estar casado com outra mulher.

Um ano depois de eu tê-la visto pela última vez, ela começou a sentir dor nas mandíbulas e foi procurar o dentista. Ele diagnosticou um pequeno abscesso no osso e informou que seria necessário uma cirurgia do canal radicular para curá-la. Quando ele começou a descrever o que seria feito, ela se levantou abruptamente e saiu do consultório. Algumas horas depois, recebi um telefonema de seu marido, alarmado, que chegara do trabalho e a encontrara de roupão, sentada na sala, profundamente deprimida. Ele não tinha idéia do porquê, pois ela não queria lhe contar. "Venham até aqui", pedi.

Fiquei horrorizada com a mudança de Sara; ela lembrava-se da mulher que era quando nos encontráramos pela primeira vez, três anos antes. Olhos sem vida, cabelos desgrenhados. Suas roupas mal combinadas pareciam ser as primeiras em que ela pusera as mãos ao abrir o armário. Ela afundou na cadeira à minha frente. Com voz monótona, contou-me o que acontecera aquela tarde no consultório do dentista. "É demais, não posso agüentar isso", disse ela. "É a gota d'água que vai fazer transbordar o copo."

"O que está acontecendo, Sara?", perguntei. Ela começou a chorar. "Não sei", respondeu. "Estou me sentindo como da primeira vez em que vim aqui, esmagada, derrotada." Sugeri que tentássemos algumas das imagens mentais que haviam sido tão úteis para ela antes. Talvez isso a ajudasse a trazer à tona as razões de sua aflição. Em lágrimas, ela concordou.

Eu a incentivei a recostar-se na cadeira e relaxar. Lentamente, ela conseguiu seguir o procedimento que lhe era familiar. Quando sua respiração desacelerou e tornou-se um pouco mais profunda, sugeri que ela se imaginasse em frente a uma porta fechada. "Quando sentir que está preparada, estenda a mão e abra a porta", orientei. "Do outro lado você encontrará algo que a ajudará a lidar com seus sentimentos."

Abrindo essa porta imaginária, ela se surpreendeu ao ver-se em um quarto de hospital. A paciente no leito era ela mesma, em coma, na época em que sua doença começara, trinta anos antes.

Ao longo dos 15 minutos seguintes, ela visitou em imaginação cada um dos quartos de hospital em que estivera. Pouco a pouco, os eventos de sua longa doença começaram a revelar-se, ano por ano, operação por operação, revés por revés, recuperação por recuperação. Enquanto eu a acompanhava, minha mente lógica começou a protestar. Pensava comigo como era que aquilo poderia, de algum modo, ajudá-la agora. Recordar todo aquele sofrimento não iria fazê-la sentir-se ainda mais vítima, ainda mais desamparada? Porém, à medida que ela prosseguia, sua voz ia ficando mais forte, e ela começou a endireitar-se na cadeira. Acabara de chegar ao ano de 1988, e estava em pé em uma sala de cirurgia, observando o que deve ter sido sua décima segunda operação, na qual seu quadril direito foi totalmente recolocado, quando de repente abriu os olhos e deu uma gargalhada. "Canal radicular, grande coisa!", berrou, chorando de rir. "Posso fazer essa cirurgiazinha ridícula com a mão nas costas."

Recordando a trajetória de sua doença, Sara pôde vivenciar a história por trás da história, o significado pessoal contido nos fatos e eventos familiares. Examinando profunda e honestamente seu sofrimento, ela encontrou seu poder, sentiu sua indomável vontade de viver, sua coragem e capacidade de curar-se vezes sem conta. Talvez toda "vítima" seja na verdade um sobrevivente que ainda não sabe disso.

REPRESANDO O RIO

No começo, eu reagia com raiva ao sofrimento e às limitações. Aos 15 anos, quando adoeci gravemente, eu precisava consultar minha doença sobre as coisas mais simples. Será que ela me permitiria comer um pedaço de queijo? Será que eu teria forças para subir aquele lance de escadas? Será que eu conseguiria assistir ao filme inteiro sem ter de ir embora por causa de uma agonizante dor de estômago? A autoritária doença não admitia discussões. Hoje ela ainda dirige minha vida, mas com rédeas bem mais soltas.

Talvez só um adolescente seja capaz de sentir o tipo de raiva que eu sentia na época. Eu odiava todas as pessoas sadias, odiava o lado da família que me transmitira aqueles genes. Odiava meu corpo. Permaneci nesse estado de raiva por quase dez anos.

Pouco antes do último ano de especialização médica, as coisas mudaram. Haviam me oferecido a oportunidade de ser residente-chefe em um bem-conceituado hospital-escola. Mas eu mal tinha forças para dar conta do trabalho que fazia na época. Lá estava mais um sonho roubado. Naquela tarde, fui de carro até a velha casa de praia que fora dada ao nosso hospital para uso dos professores e funcionários. Atribulada, caminhei pesadamente à beira-d'água, comparando-me com outros da minha idade, pessoas que pareciam ter uma vitalidade infinita. Eu parecia inferior. Lembro-me de pensar que aquela doença roubara-me a juventude. Eu ainda não sabia o que ela me dera em troca.

Em resposta àquelas reflexões dolorosas, uma onda de raiva intensa inundou-me, o tipo de sentimento que eu já tivera muitas vezes antes. Mas, por algum motivo, dessa vez não me afoguei nela. Em vez disso, como que

45

observei-a passar, e alguma coisa dentro de mim disse: "Você não tem vitalidade? Olhe aí a sua vitalidade".

Chocada, percebi a ligação entre minha raiva e minha vontade de viver. Minha raiva era minha vontade de viver virada do avesso. Minha força vital era tão intensa e tão poderosa quanto minha raiva, mas pela primeira vez pude experimentá-la como algo diferente e senti-la diretamente. Naquele primeiro momento de surpresa, vislumbrei algo fundamental com respeito ao que sou: bem lá no fundo, eu tenho um amor intenso pela vida, um desejo de participar da vida plenamente e ajudar os outros a fazer o mesmo. De algum modo, isso crescera dentro de mim em conseqüência das próprias limitações que eu julgara estarem atrapalhando. Como a força de um rio represado. Eu antes ignorava isso. E sabia também que, em sua presente forma, na forma de raiva, aquela força estava contida. Minha raiva ajudara-me a sobreviver, a resistir à doença, até mesmo a continuar lutando, mas em forma de raiva eu não poderia usar minha força para construir o tipo de vida que eu ansiava por viver. E, então, eu soube que não precisava mais fazer assim. Soube com absoluta certeza que minha dor não era culpa de ninguém, que o mundo não devia ser criticado por isso. Aquele foi um momento de verdadeira libertação.

Aceitei o emprego. Quando as coisas ficavam difíceis, pedia ajuda aos outros. Eu era demasiado raivosa e amarga para fazer isso antes. Aquele foi um ano muito importante.

Muitos anos depois, em uma aula sobre medicina ayurvédica, fiquei conhecendo uma base teórica para aquele tipo de experiência. O Ayurveda supõe que existe uma diferença entre energia e padrão ou forma de energia, o canal por meio do qual a energia vital de uma pessoa está fluindo em determinado momento. A forma de sua energia, por assim dizer. A forma da energia é a raiva, a tristeza, a alegria, a decepção, mas a energia em si mesma é o *chi*, ou força vital. Em chinês, as palavras que expressam o ato de zangar-se, *shen qi*, significam "gerando o *chi*" ou aumentando a força vital.

Ainda hoje, sinto raiva às vezes, mas de um jeito comum. Minha raiva nem se compara à que fora a companheira de minha vida todos aqueles anos. Aquela raiva me foi útil. Ela defendeu minha integridade. Disse não às limitações de minha doença. Porém, seria preciso algo mais para dizer sim à minha vida.

II
JULGAMENTO

A vida em nós é reduzida, com muito mais freqüência, pelo julgamento do que pela doença. O julgamento que fazemos sobre nós mesmos ou sobre as outras pessoas pode sufocar nossa força vital, nossa espontaneidade e nossa expressão natural. Infelizmente, o julgamento é algo muito comum. É tão raro encontrar alguém que nos ame do jeito que somos quanto encontrar alguém que ame a si mesmo plenamente.

O julgamento não assume apenas a forma de crítica. A aprovação também é uma forma de julgamento. Quando aprovamos uma pessoa, fazemos um julgamento sobre ela, assim como quando a criticamos. O julgamento positivo magoa menos do que a crítica, mas não deixa de ser um julgamento, e somos prejudicados por ele de maneiras muito mais sutis. Buscar a aprovação é não ter um lugar de descanso, um santuário. Assim como todos os julgamentos, a aprovação instiga um empenho constante. Ela nos deixa incertos quanto a quem somos e qual o nosso valor real. Isso vale tanto para a aprovação que damos a nós mesmos quanto para a que oferecemos aos outros. Não se pode confiar na aprovação. Ela pode ser retirada em qualquer momento, não importa qual tenha sido nosso desempenho passado. É um nutriente tão benéfico para o verdadeiro crescimento quanto o algodão-doce. E, mesmo assim, muitos de nós passamos a vida em sua busca.

Algumas pessoas passam um tempo enorme pensando na impressão criada por suas palavras e seu comportamento, verificando como seu desempenho afetará os ouvintes, sempre representando em função da aprovação. Outras abrem um pequeno espaço entre seus pensamentos e suas palavras que lhes permite dizer apenas o que acham que agradará aos outros. Muita energia é gasta nesse processo de consertar e rever a nós mesmos. Podemos, inclusive, acabar admirando em nós o que é admirado, esperando o que é esperado e valorizando o que é valorizado pelos outros. Mudamos e nos transformamos em alguém que as pessoas que são importantes para nós possam amar. Às vezes deixamos de saber o que é verdadeiro para nós, em que direção está nossa integridade ou totalidade.

Abrimos mão de nossa integridade por várias razões. Entre as mais imperiosas estão nossas idéias quanto ao que é ser uma boa pessoa. Às vezes, não é a aprovação dos outros, mas a de uma escola ou de mentor espiritual que determinam que parte de nós conservamos e que parte escondemos. O eu natural, uma interação viva e complexa de características aparentemente opostas, vai diminuindo pouco a pouco, suplantado por algum padrão adquirido de aceitabilidade social e espiritual. Poucas pessoas são capazes de amar a si mesmas como realmente são. Talvez até tenhamos passado a sentir vergonha de nossa integridade.

Partes de nós que talvez tenhamos escondido durante toda a vida, por vergonha, com freqüência, são a fonte de nossa cura. Todos fomos ensinados que alguns de nossos modos de ser não condizem com o ponto de vista e os valores comuns da sociedade ou da família em que nascemos. Cada cul-

49

tura, cada família tem a sua Sombra. Quando nos dizem que "homem não chora", que "as damas nunca discordam de ninguém", aprendemos a evitar o julgamento renunciando aos nossos sentimentos e pontos de vista. Nós nos fazemos menos inteiros. É tipicamente humano trocar integridade por aprovação. Contudo, as partes que repudiamos não são perdidas, apenas esquecidas. Podemos lembrar nossa integridade a qualquer momento. Ao escondê-la, nós a mantivemos em segurança.

Uma das manifestações mais impressionantes da força da vida é encontrada no reino vegetal. Quando os tempos são difíceis e não é possível encontrar o necessário para florescer, certas plantas transformam-se em esporos. Essas plantas refreiam-se e isolam sua força vital para sobreviver. É uma estratégia eficaz. Esporos encontrados em múmias, esporos de milhares de anos, desenvolveram-se e se transformaram em plantas quando lhes foi dada a oportunidade de nutrir-se.

Quando ninguém ouve, as crianças formam esporos. Em um ambiente hostil ao seu caráter único, quando elas são julgadas, criticadas e remodeladas por meio da aprovação, transformando-se naquilo que é desejado em vez de receberem apoio e permissão para evoluírem naturalmente conforme o que são, as crianças isolam as partes de si mesmas que não são amadas. As pessoas podem tornar-se esporos quando jovens e assim permanecer a maior parte de suas vidas. Mas um esporo é uma estratégia de sobrevivência, não um modo de vida. Esporos não crescem. Eles perduram. O que você precisa fazer para sobreviver pode ser muito diferente daquilo que precisa fazer para viver.

Os esporos das plantas são oportunistas. A força da vida está à espera neles, sondando o ambiente, procurando a primeira oportunidade para florescer. Mas as pessoas podem esquecer-se de que tornar-se um esporo é apenas uma estratégia temporária. Poucas examinam o ambiente, como fazem os esporos das plantas, para ver se as condições mudaram e se elas podem encontrar o que precisam para florescer e recuperar sua integridade. Muitos de nós ainda escondemos aquelas partes que eram inaceitáveis para nossos pais e professores, muito embora os pais tenham deixado de existir há muito tempo e, com eles, seu mundo. No mundo de minha infância, os meninos nunca choravam. Os que o faziam eram maricas. Evidentemente, supunha-se que todas as meninas eram maricas. O mundo em que vivemos hoje proporciona muito mais oportunidades de expressão, mas podemos ainda viver nele como se fosse o terreno hostil de nossa infância. O mais triste é que talvez tenhamos nos esquecido como é ser inteiro. Como é sentir e chorar, como é tomar iniciativa e ter opinião própria.

Recuperar a nós mesmos em geral significa reconhecer e aceitar que temos em nós os dois lados de todas as coisas. Somos capazes de ter medo e coragem, de ser generosos e egoístas, vulneráveis e fortes. Essas coisas não se cancelam mutuamente, e nos oferecem todo um espectro de poder e resposta à vida. A vida é tão complexa quanto nós. Às vezes, nossa vulnerabilidade é nossa força; nosso medo transforma-se em coragem e nosso sofrimento é o caminho para a integridade. Não é um mundo em que uma coisa exclui a outra. É um mundo real. Ao nos considerarmos "cara" ou "coroa", podemos nunca possuir e gastar nossa moeda humana, o ouro puro de que ela é feita.

Mas o julgamento pode corrigir-se com o tempo. Uma das bênçãos de ficar mais velha é a descoberta de que muitas das coisas que eu antes acreditava serem meus pontos fracos transformaram-se, no longo prazo, em meus pontos fortes, e outras coisas das quais eu sentia um orgulho indevido acabaram por revelar-se pontos fracos. Coisas que durante anos escondi dos outros mostram-se para mim o esteio e a riqueza da meia-idade. Que bênção é durar mais que nossos autojulgamentos e colher nossos defeitos!

FAZENDO O QUE É CERTO

Conheci George quando ele estava no quarto ano da faculdade em Berkeley, o ano em que seu pai ficara sabendo que estava com câncer de próstata. Agora, em seu último ano de pós-graduação, ele voltara em razão de problemas que julgava não poder discutir em outro lugar. Quando seu pai estava doente, Michael, o colega com quem dividia a casa, fora seu maior apoio. Agora Michael estava em dificuldades, metera-se com uma turma que usava cocaína socialmente. George achava que Michael estava se tornando viciado. Todos os esforços muitíssimo diplomáticos que ele fizera para discutir essa possibilidade foram descartados. A inteligência brilhante de Michael mais do que compensava seu vício, e ele continuava a sair-se tão bem nos estudos que ninguém, exceto George, desconfiava daquele problema.

George era um fervoroso praticante do budismo. Pelo que ele entendia, o cerne desse ensinamento espiritual era a postura de não julgar e não interferir. Isso não era fácil para George. Em sua família as pessoas costumavam criticar e dizer umas às outras como deviam viver. Assumir o que ele julgava ser uma postura budista em relação a Michael ficava ainda mais difícil para ele à medida que Michael se tornava cada vez mais extravagante. George não sabia o que fazer, por isso viera até mim para pôr as idéias em ordem.

O relacionamento dos dois chegou a um ponto crítico certa noite em que George trouxe para casa uma jovem cuja opinião era muito importante para ele. Ao abrir a porta, George ficou estarrecido por ver Michael sem camisa, aturdido, esparramado no chão da sala. Tinha vomitado em si mesmo.

"Vi a expressão no rosto de Liz e fiquei furioso", contou-me George, arrependido. "Levantei Michael, empurrei-o para o banheiro, liguei o chuveiro e joguei-o lá embaixo. Lembro-me de ter ficado ali, em pé, com a água fria jorrando em cima de nós dois, batendo-o contra a parede e berrando coisas terríveis. Xinguei-o. Disse-lhe tudo o que vinha lutando para não pensar e não sentir fazia meses. E, depois, dei a ele um ultimato: largasse a droga ou caísse fora. Era duro demais vê-lo acabar-se, e eu não queria ver. Quando ele pareceu acordado, troquei de roupa e levei Liz para casa."

De manhã, George estava arrependido e abatido. Dez anos de prática budista e ele reagira exatamente como seu pai teria reagido. Não conseguira manter-se à altura de seus próprios critérios de compaixão. Julgara Michael com severidade, e estava amargamente decepcionado consigo mesmo. Temia voltar ao apartamento. Talvez Michael não estivesse lá.

Mas Michael *estava* lá. Pálido e obviamente indisposto, mas sóbrio, ele estava sentado no sofá, esperando. Conversaram. George ficou sabendo coisas que desconhecia. Que Michael, filho único em uma família socialmente destacada e rica, fora criado por empregados da casa e mandado para o colégio interno aos sete anos. Que era despachado para acampamentos de verão nas férias. Que lhe davam tudo o que ele queria, mas ninguém o julgava digno de tempo ou atenção. Ninguém jamais se importara com o que ele fazia consigo mesmo do modo como George parecera se importar na noite anterior.

No chuveiro, Michael entendera que sua vida era importante para George, que o que ele estava fazendo magoava o amigo. Sem alarde, ele disse a George que sabia estar em dificuldades, que sabia disso fazia meses, mas nunca pensou que alguém se desse ao trabalho de ajudar, que gastaria seu tempo ajudando. "Você me ajuda, George?", pediu ele, e começou a chorar.

Isso tudo aconteceu há alguns anos, e a história tem um final feliz. Durante um ano, os dois compareceram todas as noites a um programa para viciados em cocaína. Não foi fácil, mas juntos eles conseguiram. Michael hoje é um empresário bem-sucedido, tem uma esposa carinhosa e dois filhos pequenos. George, refletindo sobre aquela época, acredita que foi para ele uma experiência fundamental.

"Eu estava sempre tentando fazer o certo. Entre o budismo e a faculdade de administração de empresas, eu estava sempre me policiando, vigiando minhas reações e meus sentimentos, a fim de estar à altura de algum padrão de excelência. Não sei por que nunca me ocorreu que eu realmente poderia ser uma boa pessoa. Se Deus quisesse que Michael vivesse com Buda, teria dado Buda para ser seu colega de quarto. Em vez disso, deu-lhe um sujeito atencioso, de classe média, de uma família tradicional do meio-oeste, cujos pais nunca haviam ficado bêbados. Quando finalmente agi conforme minha integridade, foi o que bastou. No final, tudo o que eu tinha para dar a Michael era minha integridade. E ela foi suficiente."

ENCONTRO COM O HOMEM CERTO

Durante uma longa viagem ao Canadá, passei por um cemitério histórico e deparei-me com uma lápide na qual se lia: "Aqui jaz George Brown, homem ao nascer, gastroenterologista ao morrer". Eu não devia ter mais do que 12 ou 13 anos de idade, e lembro-me de ter ficado influenciada por aquilo. Como a especialidade médica era muito valorizada em minha família, achei que era um grande progresso. Hoje não fico mais tão impressionada pela alta especialização como antes. Penso que talvez o valor de toda uma vida seja medido mais por sua generosidade do que por sua competência.

Uma de minhas ex-pacientes é psicóloga, grande atleta, que toda manhã corria no parque próximo a sua casa antes de ir para o consultório. Ali, com freqüência, encontrava um colega, psiquiatra de renome. Sem combinação prévia, eles haviam corrido juntos mais ou menos à mesma hora durante muitos anos. Depois de diagnosticarem que ela estava com câncer, inexplicavelmente seu companheiro de corridas nunca mais apareceu por ali. Minha cliente, mulher forte e decidida, continuou a correr todos os dias, apesar de passar por um difícil processo de cirurgia e quimioterapia. Depois de alguns meses correndo sozinha, ela telefonou para o consultório do psiquiatra, mas ele não ligou de volta.

Passado cerca de um ano do término da quimioterapia, ela um dia mudou de caminho e viu logo à frente o psiquiatra, correndo. Como ela era vinte anos mais jovem, alcançou-o com facilidade. Enquanto corriam lado a lado, ela disse a seu ex-companheiro de corridas que ficara magoada por ele não ter retornado a ligação. A comunidade profissional a que ambos pertenciam era pequena demais, e quase todo o mundo sabia que ela estava com câncer. Ele sem dúvida ficara sabendo. A resposta do psiquiatra deixou-a pasma: "Desculpe. Eu não tinha idéia do que seria certo dizer".

Perguntei a ela o que gostaria de ter ouvido. Com um sorriso triste, ela respondeu: "Ora, algo como: 'Eu soube que este tem sido um ano difícil. Como vai você?' Alguma coisa assim, simples e humana".

DE VOLTA AO ELEMENTAR

Há alguns anos fui convidada para dar uma palestra sobre meu trabalho com pessoas que tinham câncer, para um grupo de médicas, em uma reunião local da Associação das Médicas Americanas. Na discussão, após a palestra, uma médica, clínica-geral, comentou que achava difícil esse trabalho. Evitava tratar de pessoas com câncer porque certa porcentagem delas morreria, e ela não se sentia bem tratando de pacientes à beira da morte. "É um horror para mim quando não tenho mais tratamentos a prescrever, quando não há mais nada que eu possa fazer", ela confessou. Outras do grupo concordaram, meneando a cabeça.

Perguntei a elas a respeito da primeira vez que haviam ficado aflitas em situações assim. Surpreenderam-se ao constatar que não se afligiam tanto antes de entrar para a faculdade de medicina. À medida que prosseguia a discussão, foi ficando claro que nos sentíamos mais inquietas nessas situações como médicas do que como mulheres. Como mulheres, sabíamos que havia algo simples e natural no fato de simplesmente estar ali, junto. Pouco a pouco, fomos discernindo algumas coisas. As mulheres têm sempre estado presentes nessas ocasiões, na morte e no nascimento, assim como em muitas das demais transições da vida. As mulheres se reúnem nessas transições para confortar e fazer companhia, para testemunhar e marcar a importância do momento.

Uma das médicas nos contou que, aos 19 anos, cuidara da mãe que estava à morte. Naquela época ela esperava muito menos de si mesma. De início, levava a mãe de carro para as consultas médicas, comprava a comida e saía para fazer pequenas tarefas. Depois que sua mãe ficou mais fraca, ela preparava refeições apetitosas e limpava a casa. Quando a mãe parou de comer, ela a escutava e lia para ela durante várias horas. Quando a mãe entrou em coma, ela trocava a roupa de cama, dava-lhe banho e massagea-va-lhe as costas com loção. Sempre parecia haver alguma coisa mais para fazer. Um modo de cuidar dela. Esses modos foram ficando cada vez mais simples. "No final, eu simplesmente a abraçava e cantava", disse ela.

Fez-se um longo silêncio, cheio de reflexões. E, então, uma das médi-cas mais velhas comentou que também tendia a evitar situações em que não havia mais tratamentos disponíveis. Sentia-se impotente. Mas percebia agora que, mesmo quando não havia mais nada a fazer no que diz respeito à *medicina*, havia ainda outras coisas que ela poderia dizer ou fazer que tal-vez fossem importantes. Palavras de carinho. Formas de ainda ser útil. Ela se esquecera completamente. Sua voz tinha um leve tremor.

Observei-a mais atentamente. Aquela cirurgiã enérgica e competente, de 64 anos, tinha lágrimas nos olhos. Era espantoso.

ALÉM DA PERFEIÇÃO

A integridade está além da perfeição. Perfeição é apenas uma idéia. Para a maioria dos especialistas e para todos nós, ela se tornou um objetivo de vida. A busca da perfeição pode, na verdade, ser perigosa para sua saúde. A personalidade do Tipo A, para quem o perfeccionismo é um modo de vida, está associada à doença cardíaca. O perfeccionismo pode partir seu coração e todos os corações à sua volta.

O perfeccionista vê a vida como se ela fosse uma daquelas figuras que outrora vinham no jornal com a legenda: "O que está errado nesta figura?". Olhando atentamente, víamos que a mesa tinha só três pernas ou que a casa não tinha porta. Recordo o "A-há!" que tais figuras evocavam em mim quando criança. Hoje em dia, fico pensando por que alguém desejaria sentir tanta satisfação por descobrir o que está faltando, o que está errado, o que está "quebrado".

A busca da perfeição transformou-se em um dos grandes vícios de nossa época. Felizmente, o perfeccionismo é aprendido. Ninguém nasce perfeccionista, e por isso é que é possível curar-se. Eu sou uma perfeccionista em processo de recuperação. Antes de começar a recuperar-me, achava que eu e todas as outras pessoas estávamos sempre em falta, que as pessoas que éramos e o que fazíamos nunca eram boas o bastante. Eu julgava a própria vida. O perfeccionismo é a convicção de que a vida está quebrada.

Há casos em que o perfeccionista teve um pai ou mãe perfeccionista, que concedia aprovação com base no desempenho e na conquista. As crianças podem aprender desde cedo que são amadas pelo que fazem e não simplesmente por quem são. Para um pai perfeccionista, o que você faz nunca parece tão bom quanto o que poderia fazer caso se empenhasse um pouquinho mais. A vida dessas crianças pode transformar-se em uma luta constante para merecer amor. Obviamente, o amor nunca é adquirido. É uma graça que concedemos uns aos outros. Qualquer coisa que precisemos adquirir não passa de aprovação. Poucos perfeccionistas são capazes de dizer a diferença entre amor e aprovação. O perfeccionismo é tão disseminado em nossa cultura que tivemos, de fato, de inventar uma outra palavra para "amor". "Amor incondicional", dizemos. No entanto, todo amor é incondicional. O resto não passa de aprovação.

A busca da perfeição está embutida em todo treinamento profissional. Muito antes de eu entrar para a faculdade de medicina, fui treinada por meu pai para ser perfeccionista. Quando criança, se trouxesse para casa uma nota 98 no exame, ele invariavelmente perguntaria: "O que aconteceu com os outros dois pontos?".

Eu adorava meu pai, e toda a minha infância concentrou-se na busca dos outros dois pontos. Quando cheguei à casa dos vinte, já me tornara tão perfeccionista quanto ele. Já não era mais preciso que ele me perguntasse sobre aqueles dois pontos: eu me encarregava disso pessoalmente. Muitos anos se passaram até eu descobrir que aqueles dois pontos não têm importância. Que eles não são o segredo de uma vida que vale a pena ser lembrada. Que eles não nos tornam dignos de amor. Nem inteiros.

A vida nos oferece muitos professores e muitos ensinamentos. Um dos meus foi David, um artista, meu primeiro amor. A prova viva de que os opostos se atraem. Na época em que estávamos juntos, minha licença de motorista venceu. Para renová-la eu precisava fazer uma prova escrita sobre a legislação de trânsito.

O Departamento de Trânsito enviara-me um folheto. Estudei-o por vários dias. O tempo todo em que eu procurava memorizar o significado do meio-fio branco e do meio-fio amarelo, David tentava persuadir-me a sair com ele para uma caminhada, uma festa, para jantar, dançar, ou mesmo só para conversar. Eu dizia que não tinha tempo. Claro que acertei 100% da prova. Triunfante, irrompi em seu estúdio gritando que acertara 100% no teste para motorista. David levantou os olhos de sua pintura com uma expressão imensamente carinhosa e perguntou: "Meu amor, mas por que você queria isso?".

Não era a reação que eu esperava. De repente, compreendi que sacrificara muito apenas para acertar 100% em um teste no qual eu só precisava ser aprovada para poder dirigir. Passara dias estudando para aquilo, dias que eu poderia ter passado de maneiras muito mais sábias. Eu tinha aprendido muitas coisas que nem sequer desejava saber. Parecera-me não ter escolha. Se meu pai não era capaz de aprovar-me com qualquer nota menor do que 100, eu também não podia aprovar-me com menos do que 100. Nem mesmo em uma prova escrita para tirar carta de motorista. Assim como a maioria dos viciados, eu estava fora de controle.

É claro que o problema não era dirigir. Nem mesmo notas de provas. Era a necessidade de merecer amor. Felizmente, David não jogava conforme essas regras. Ele nem sequer conhecia o jogo.

O HERÓI COMUM

Meu tio era um herói. Como todos os outros homens da família de minha mãe, ele era médico, trabalhou primeiro como clínico-geral e depois como patologista. Na Segunda Guerra Mundial, ele participou de uma ação pela qual recebeu uma medalha.

A história foi assim: meu tio fazia parte de um grupo de médicos que acompanhava a tropa. Agindo com base em informações falsas, os soldados avançaram, acreditando que a colina que escalavam estava livre do fogo inimigo. Quando saíram do abrigo, o inimigo, escondido, abriu fogo; em poucos segundos, o campo ficou coberto de feridos e moribundos. O inimigo continuou a abrir fogo sobre a área. Ninguém podia ficar totalmente em pé. Demorou mais de 12 horas para que reforços aéreos viessem enfraquecer a posição adversária. Todo esse tempo, meu tio, de rastos, com suprimentos atados nas costas, aplicou torniquetes, estancou sangramentos, apanhou mensagens escritas às vezes no verso de velhas fotografias e ministrou os últimos sacramentos. Quando os reforços chegaram e o inimigo foi afastado, ficou claro que ele havia salvo dezenas de vidas.

Foi condecorado por esse feito, e sua fotografia saiu na primeira página do jornal de nossa cidade, o *New York Daily Mirror*. Na época eu tinha uns sete anos de idade e, com um herói de verdade na família, tornei-me instantaneamente o tema das conversas na segunda série. O melhor de tudo era que ele recebera licença e viria nos visitar. Eu estava numa excitação tremenda.

Lá no fundo, eu estava surpresa com tudo aquilo. Meu tio era baixinho, careca e usava óculos. Tinha, inclusive, a barriga saliente. Talvez estivesse diferente agora. Mas não estava. Sempre tímido, ele parecia constrangido com todo o alvoroço e incomodado quando vizinho após vizinho chegava para cumprimentá-lo. Finalmente, consegui minha vez. Subindo em seu colo, eu lhe disse que o achava muito corajoso, que tinha certeza de que ele jamais sentira medo de coisa alguma. Sorrindo, ele respondeu que aquilo estava longe de ser verdade, que ele nunca antes sentira tanto medo na vida. Imensamente desapontada, deixei escapar: "Mas então por que lhe deram uma medalha?".

Delicadamente, ele me explicou que qualquer pessoa que não sentisse medo em situações como a guerra era tola, e que não se dá uma medalha às pessoas por serem tolas. Que ser corajoso não significa não ter medo. Muitas vezes, significa sentir medo e fazer o que deve ser feito mesmo assim.

Esse foi o primeiro de muitos ensinamentos sobre coragem que recebi em minha vida, e foi muito importante para mim. Na época, eu tinha medo de escuro e me envergonhava disso profundamente. Mas se meu tio, que era um herói, tinha medo também, talvez houvesse esperança para mim. Eu vinha sendo tolhida por meu medo, humilhada por ele, ferida na imagem que tinha de mim mesma. Falando-me sobre seu medo, meu tio me libertara. Seu heroísmo tornou-se parte de minha história, tanto quanto da história dele.

PROFISSIONAIS NÃO CHORAM

Uma das experiências mais comuns no exercício da medicina é a da perda e da decepção. Médicos sofrem muitas decepções toda semana, da leve cotovelada do exame de laboratório informando que a medicação não está fazendo efeito até a pancada da morte de um paciente. É um peso tremendo para ser carregado por uma pessoa que se importa com os outros. No entanto, boa parte dessa perda não é reconhecida, nem devidamente pranteada.

Atualmente, estou dando um curso para estudantes de primeiro e segundo anos na faculdade de medicina local. Em um dos seminários noturnos exploramos nossas atitudes com relação à perda, descobrimos algumas das crenças ligadas à perda que herdamos de nossas famílias, identificamos nossas estratégias habituais para lidar com a perda e refletimos sobre o que fazemos em vez de sentir tristeza. Essa é, com freqüência, uma experiência rica e profundamente tocante, que permite aos alunos conhecerem a si mesmos e uns aos outros de maneiras diferentes.

No final de uma dessas noites de aula, uma aluna levantou-se e contoume que sua classe já tivera duas aulas sobre a tristeza, dadas pelo departamento de psiquiatria. Eu não sabia, pedi desculpas e comentei que talvez houvesse sido melhor ter escolhido outro tema para a discussão daquela noite. "Ah, não, foi diferente", disse ela. "Eles nos ensinaram a teoria da tristeza e a reconhecer quando nossos pacientes estão tristes por alguma perda. E a respeitar isso. Não falaram nada sobre *nós* termos algum motivo para ficar tristes."

A expectativa de que sejamos capazes de viver imersos no sofrimento e na perda, diariamente, sem nos abalar com isso é tão irrealista quanto esperar poder andar na água sem se molhar. Esse tipo de negação não é insignificante. O modo como lidamos com a perda molda nossa capacidade de estar presentes para a vida mais do que qualquer outra coisa. O modo como nos protegemos da perda pode ser o modo como nos distanciamos da vida.

Proteger-nos da perda em vez de sofrer e curar a tristeza é uma das principais causas do embotamento. Pouquíssimos dentre os profissionais que tratei com problemas de apatia realmente me procuraram dizendo que estavam com embotamento. Acredito que a maioria deles não sabia disso. O que eu mais comumente ouvia era "Alguma coisa está errada comigo. Eu não me importo mais. Coisas terríveis acontecem à minha frente e eu não sinto nada".

Mas as pessoas que de fato não se importam raramente são vulneráveis ao embotamento. Psicopatas não são apáticos. Não existem tiranos ou ditadores apáticos. Somente as pessoas que se importam podem chegar a esse estado de insensibilidade. Caímos no embotamento não porque não nos importamos, mas porque não damos vazão à tristeza. Ficamos embotados porque permitimos que nossos corações se tornassem tão cheios com as perdas que não sobrou lugar para nos importarmos.

A literatura descreve os fatores que levam à cura desse problema: repouso, exercícios, brincadeiras, libertação de expectativas irrealistas. Segundo minha experiência, o embotamento só começa a curar-se quando a pessoa aprende a dar vazão à tristeza. Sentir tristeza é um modo de cuidar de si mesmo, um antídoto contra o profissionalismo. Os profissionais da área de saúde não choram. Infelizmente.

No segundo dia como interna na pediatria, fui com o residente-chefe informar um casal de jovens pais que o acidente de automóvel do qual haviam escapado sem um arranhão matara seu único filho. Sendo novata naquelas coisas de médico, quando eles choraram eu chorei junto. Depois de tudo terminado, o residente-chefe puxou-me de lado e disse que eu me comportara de maneira pouco profissional. "Aquelas pessoas estavam contando com a sua força", disse ele. Eu os decepcionara. Levei essa crítica muitíssimo a sério. Na época em que eu me tornei residente-chefe, já não chorava fazia anos.

Naquele período, um bebê de dois anos, deixado sozinho por um só instante, afogou-se na banheira. Lutamos para trazê-lo de volta, mas depois de uma hora tivemos de reconhecer a derrota. Levando o interno comigo, fui dizer aos pais que não conseguíramos salvar seu filho. Arrasados, os dois começaram a soluçar. Depois de algum tempo, o pai olhou para mim ali em pé, forte e calada em meu avental branco, e para o interno comovido ao meu lado. "Desculpe, doutora", disse ele. "Eu vou me recompor em um minuto." Recordo-me daquele homem, o rosto molhado com lágrimas de pai, e penso com vergonha em seu pedido de desculpas. Convencida na época de que minha tristeza era uma perda de tempo, inútil e comodista, eu me transformara no tipo de pessoa a quem alguém pedia desculpas por estar sofrendo. Lembro-me de um período no departamento pediátrico do Instituto do Câncer Memorial Sloan-Kettering, em Nova York. Naquela época estávamos perdendo praticamente uma criança por dia. Toda manhã começávamos a ronda pela sala de autópsia, conversando com o patologista sobre a criança que morrera no dia anterior ou que se fora durante a noite, e toda manhã eu saía da sala de autópsia e voltava para a enfermaria das crianças dizendo a mim mesma: "Bem, vamos ao próximo".

Essa atitude que tanto prevaleceu em meu treinamento também era, incidentalmente, a postura com respeito à perda que eu aprendera com minha família. Na tarde em que meu gatinho de dez semanas foi atropelado, minha mãe levou-me a uma loja de animais e me comprou outro. Ensinaram-me desde bem cedo que, se algo doloroso ocorresse, o melhor a fazer era não pensar a respeito e me ocupar de outra coisa qualquer. Infelizmente, na medicina a "outra coisa qualquer" com que eu me ocupava era, com freqüência, outra tragédia.

A conclusão é que sentir tristeza não se destina a ajudar algum paciente específico. Sentimos tristeza porque isso nos ajuda. Permite-nos seguir em frente depois da perda. Cura-nos para que sejamos capazes de amar novamente. "Vamos ao próximo" é uma negação da humanidade comum, uma afirmação de que alguém pode morrer diante de nós sem nos comover. É uma rejeição da integridade, de uma conexão humana que é fundamental. Não tem sentido nenhum quando dizemos isso em voz alta.

QUEM É ESSE MASCARADO?

Certa vez, tive como pacientes em meu consultório de aconselhamento dois cirurgiões que eram professores respeitados de uma faculdade de medicina em uma cidade próxima. Os dois tinham vindo em virtude de solidão, depressão e embotamento. Nenhum dos dois sabia que o outro também viera consultar-se comigo.

Com o passar do tempo, ambos me falaram sobre a profunda preocupação e interesse que sentiam por seus pacientes e que achavam não poder demonstrar a estes nem a outros médicos. Às vezes, quando as coisas não iam bem na sala de cirurgia, ou quando eles perdiam um paciente, comunicavam-me esses sentimentos. Assim como eu, aqueles dois homens foram treinados para considerar tal comportamento indigno de um profissional, até mesmo pouco masculino. Sentiam-se sozinhos com aquelas emoções e isolados dos outros médicos por causa delas.

Na segurança de meu consultório, eles também se permitiam a liberdade de refletir em voz alta sobre coisas que estavam além da capacidade de comprovação. Haveria algo mais misterioso, menos científico, que explicasse por que alguns cirurgiões obtinham melhores resultados do que outros? Haveria fatores desconhecidos que facilitavam a sobrevivência? Eles meditavam sobre a vontade de viver e se inquietavam ao operar um paciente que pensava que iria morrer. Compartilhavam comigo histórias sobre seus pacientes, maravilhando-se diante da força com que as pessoas se recuperavam ou aprendiam a viver bem a despeito de uma perda terrível.

Aqueles dois eram parceiros profissionais fazia mais de vinte anos. Tinham em comum uma recepcionista, uma equipe de enfermeiros, um escritório, mas não conheciam um ao outro. Também tinham em comum uma terapeuta, mas eu estava eticamente obrigada a não contar a nenhum dos dois sobre as visitas do outro, nem mesmo que eram ambos meus pacientes. Eu os encorajava a contar ao parceiro sobre essas coisas, mas toda vez ouvia a mesma resposta: "Ele? Deus me livre, ele iria morrer de rir".

Assim como as pessoas que têm câncer, os médicos muitas vezes sentem-se isolados devido à natureza de suas experiências. Também estão isolados uns dos outros pelas regras de profissionalismo. Nos *workshops* de treinamento médico que organizo, a solidão evidencia-se de muitas maneiras diferentes. Numa dessas sessões, um gastroenterologista falou sobre a morte inesperada de um de seus pacientes. Embora isso tivesse acontecido anos atrás, sua dor ainda era muito aguda, e ali, rodeado por médicos, ele se pôs a chorar. Os outros ficaram muito comovidos. Mais tarde, ele nos contou que nunca chorara por aquele motivo antes, e sentia-se bem melhor. Uma pessoa perguntou-lhe por que ele nunca tinha chorado. Ele respondeu que isso lhe parecia o tipo de coisa que só outro médico seria capaz de entender. "E quem é que iria querer chorar na frente de outro médico?" Todos nós entendemos imediatamente.

Muitas vezes a solidão também emerge simbolicamente nesses grupos. Quando pedi que criasse um trabalho na caixa de areia, ligado ao seu papel como médico, Jon, um cirurgião oncologista, construiu a seguinte cena na areia: no extremo da bandeja, longe de si, ele colocou a boca aberta de um tubarão. Entre essa boca e si mesmo, pôs um grupo de pequenas figuras de argila, em círculo. Entre as figuras havia um homem prostrado de desespero, uma mulher com apenas um seio, ajoelhada, os braços erguidos em prece, outra mulher tentando esconder com as mãos o grande buraco onde devia estar seu coração e um homem com os braços esticados à frente para afastar algum desastre invisível. No centro dessas figuras ele colocou um pedaço de incenso aceso, dizendo que sua fumaça representava a cura que estava acontecendo àquelas pessoas sofredoras porque elas tinham umas às outras.

Perto de si, ele colocou um boneco *kachina*, que na tradição dos índios americanos é uma representação em escultura de um aspecto do espírito da cura. É interessante que, ao longo do tempo, vários médicos, em diferentes grupos de estudo, escolheram essa mesma figura para representar a si mesmos. Centenas de pessoas com câncer têm usado esses mesmos objetos nas caixas de areia. Elas também escolhem essa figura, porém, mais comumente, usam-na para representar a cura. O fato de os médicos escolherem essa figura específica é particularmente significativo porque ela é rachada e quebrada.

Jon colocou uma máscara cirúrgica de papel sobre a areia, entre o *kachina* e o círculo de figuras, escondendo destas o boneco. Por trás da máscara, o boneco só via perfeitamente o tubarão. Fiquei pensando se ele tivera a intenção de nos mostrar tão vividamente sua posição ao trabalhar.

Quando ele confronta o câncer, seu eu sofredor mantém-se isolado e invisível; as pessoas a quem ele serve vêem apenas sua máscara cirúrgica. Sua única visão clara é a da doença. Era uma cena muito comovente.

Quando foi pedido que descrevesse o significado do que fizera, ele deu a seguinte interpretação: "Existe uma ameaça", disse ele, apontando para o tubarão. "Essas figuras são pessoas que sofrem. Meus pacientes. Em seu meio há um lugar de cura. E aqui estou eu. Por trás de minha máscara cirúrgica, eu também sofro. Não tenho a orelha esquerda. Por trás de minhas habilidades, de meu conhecimento, eu estou me escondendo. Só o tubarão pode me ver; ele sabe que estou aqui." Quando pedi que ele pensasse em uma palavra para sintetizar aquele trabalho na areia, ele respondeu: "Sozinho".

No final desse exercício, as pessoas têm a oportunidade de fazer as mudanças que desejarem em sua bandeja. Jon tirou o boneco *kachina* quebrado de trás da máscara cirúrgica e colocou-o no meio das outras figuras sofredoras. Seus olhos ficaram vermelhos, mas ele não chorou.

Os outros médicos, observando, ficaram visivelmente comovidos com a contribuição de Jon para o exercício na caixa de areia. Mais tarde, conversaram sobre isso durante horas. Outros haviam se sentido tão solitários quanto ele, mas não foram capazes de falar a respeito antes.

BEIJINHO NO DODÓI

Desde crianças fomos ensinados que a dor "não fica bem", e muitas vezes reagimos a ela como se fosse um desrespeito às boas maneiras. Em outras culturas, a dor e a perda não implicam tanta solidão. Enfrentar a perda sozinhos nos torna ainda mais vulneráveis e causa sofrimento desnecessário.

Uma nova paciente veio ao meu consultório depois de ter faltado a uma consulta, e contou que estivera no pronto-socorro na semana anterior, na hora que tinha marcado comigo. Eu não sabia disso e perguntei-lhe o que havia acontecido. Ela contou-me que tinha sofrido uma obstrução intestinal temporária, devido a aderências provocadas pela radiação do tratamento do câncer que havia feito anos atrás. A dor fora fortíssima e durara todo um dia, mas agora já tinha passado. Quando a dor começou, ela percebeu que a coisa era grave. Arrumou uma maleta, colocou o estojo de maquiagem, uma camisola e um livro de suspense que estava lendo. Depois, dirigiu quarenta quilômetros até o hospital.

Como eu já sofrera várias obstruções intestinais, sabia o quanto a dor podia ser intensa. Perguntei-lhe como ela conseguira dirigir. Ela contou-me que fora dirigindo até a dor chegar, parando no acostamento e esperando a dor passar. Lembrara de levar uma vasilha e uma toalha, e uma ou duas vezes ela vomitara. Sentira-se muito mal, mas chegara ao hospital. Fora muito demorado. Surpresa, perguntei por que ela não havia telefonado para algum amigo. Ela respondeu que no meio do dia todo mundo estava trabalhando.

Ela passara o dia seguinte sozinha no pronto-socorro. Perguntei por que nem assim ela tinha chamado alguém. "Por que eu iria chamar alguém?", ela replicou, irritada. "Nenhum de meus amigos sabe coisa alguma sobre obstrução intestinal."

"Então, por que não me telefonou?"

"Ora, essa não é exatamente a sua especialidade também."

"Jessie", falei, "até as crianças correm instintivamente para os outros quando caem". Bastante exasperada, ela respondeu: "Pois é, nunca entendi isso. Que bobagem. Dar beijinho no dodói não alivia a dor". Fiquei pasma. "Jessie, não alivia a dor, alivia a solidão", comentei.

Muitas pessoas lidam com a dor da mesma maneira que Jessie. Quando ela sentia dor, a única coisa de valor que outra pessoa podia lhe oferecer era seu conhecimento especializado. A mãe de Jessie morrera ao dar à luz. Nunca lhe ocorrera que alguma coisa poderia ser feita com respeito à solidão.

COMO FOI

Quando interna na pediatria, eu era secretamente uma beijadora de bebês. Isso era tão flagrantemente "não-profissional" que eu tomava cuidado para não ser descoberta. Tarde da noite, a pretexto de verificar um curativo cirúrgico ou uma aplicação intravenosa, eu fazia rondas solitárias pela enfermaria e dava um beijinho de boa-noite nas crianças. Se havia um brinquedo ou cobertor favorito, eu me certificava de que ele estava por perto, e se alguém estivesse chorando eu chegava até mesmo a cantar um pouco. Nunca mencionei a ninguém essa dimensão de meus serviços médicos. Achava que os outros residentes, em sua maioria homens, poderiam diminuir o conceito que tinham de mim por causa disso.

Certa noite, quando eu conversava com o pai de um paciente no corredor, vi de relance por sobre seu ombro meu residente-chefe, Stan, curvar-se sobre o berço de uma menininha com leucemia e dar-lhe um beijo na testa. Naquele momento, percebi que outros também talvez estivessem lutando para extrapolar um profissionalismo estabelecido a fim de expressar uma afeição natural. Talvez houvesse um modo de conversar sobre essas coisas, até mesmo de apoiarmos uns aos outros.

Uma noite, enquanto esperava ser chamada à sala de cirurgia para uma cesariana, falei a Stan o que vira e disse que aquilo fora importante para mim. Embora estivéssemos a sós na sala de estar dos médicos, Stan negou tudo.

Constrangidos, abandonamos o assunto. Durante o resto do ano trabalhamos juntos, 36 horas de plantão e 12 horas de folga. Tornamo-nos colegas de confiança, bons amigos e até parceiros ocasionais para tomar um drinque, porém nunca mais tornamos a mencionar o incidente.

A integridade de Stan era quase lendária. Ele nunca deturpava um dado de laboratório ou dizia ter lido um artigo que não lera. Mas ele teria de pôr de lado toda a nossa imagem e treinamento profissional para admitir aquela reação espontânea com a menininha. Era impossível na época. É quase impossível ainda hoje. É contra uma severa ética médica expressar atenção diretamente, em vez de por intermédio da disposição para trabalhar 36 horas direto, ou passar longas noites pondo em dia a literatura médica e atualizando-se sobre os tratamentos mais recentes. Não era absolutamente um comportamento médico. Parei então de beijar os bebês. Parecia não compensar o risco.

De certo modo, um treinamento médico é como uma doença. Muitos anos passariam antes de eu me recuperar por completo da minha.

O DOM DE CURAR

O Commonweal Cancer Help Program (Programa de Assistência Comunitária para Pessoas com Câncer) é um retiro no norte da Califórnia para pessoas que têm câncer. Desde o início do programa, em 1984, organizamos 75 temporadas de uma semana. Toda manhã, durante cada temporada, realiza-se uma sessão de conversas que normalmente começa com um breve período de meditação. Em uma das primeiras temporadas, Dieter foi quem abriu a discussão depois do silêncio. Com sua voz serena e grave, ele nos contou que era muito importante para ele estar com outras pessoas que tinham câncer, pessoas capazes de entender o que ele estava passando. Fez um breve silêncio e então começou a falar sobre seu médico, um oncologista, que o tratava com quimioterapia havia algum tempo.

Toda semana ele ia ao consultório para tomar a injeção. Depois disso, ele e o médico sentavam-se e conversavam calmamente por algum tempo. Quinze minutos, não mais. Até ele vir para o Programa Comunitário, seu médico fora a única pessoa com quem podia falar abertamente, que compreendia o que ele estava vivenciando.

O câncer mudara sua vida. Ele agora levava uma vida tão distante da habitual, da normal, da vida comum, que muitas vezes sentia-se sozinho. Muitas pessoas não queriam saber sobre o que estava acontecendo com ele, ou não eram capazes de entender coisas que nunca haviam experimentado. Algumas ficavam tão transtornadas com o sofrimento daquilo tudo que ele sentia a necessidade de protegê-las com o silêncio. Mas seu médico entendia. Durante 15 minutos, toda semana, ele podia falar com alguém que o escutava, que não requeria explicações, nem tinha medo.

A vida de Dieter tinha sido diferente mesmo antes do câncer. Nascido e criado na Alemanha Oriental, ele fugira atravessando a "terra de ninguém", deixando para trás tudo o que era familiar e estimado. Por muitos anos ele se sentira isolado e sem lar, um refugiado. Depois encontrara Lila, uma americana que o acolheu e com seu amor o ajudou a sentir-se em casa novamente. Pouco depois de casar-se com ela, diagnosticaram seu câncer no fígado. Já fazia algum tempo que Dieter desconfiava que a quimioterapia não o estava ajudando mais. Finalmente convencido disso, ele falou com seu médico e sugeriu que interrompessem os tratamentos. Perguntou se poderia ir ao consultório toda semana apenas para conversar. O médico respondeu com rispidez: "Se você recusa a quimioterapia, não há mais nada que eu possa fazer por você".

Dieter sentira-se rechaçado, como se lhe batessem a porta na cara. "Quando falo em deixar de fazer a quimioterapia, meu médico fica todo formal. Costumávamos ser amigos, mas quando menciono isso, sua amizade some. Ele é o único com quem converso. Sua amizade é muito importante para mim." E, por isso, Dieter continuou a tomar a injeção semanal, para ter aqueles poucos momentos de conexão e entendimento com seu médico.

O grupo de pessoas com câncer ouviu atentamente. Fez-se outro silêncio, e então Dieter comentou com brandura: "A afeição de meu médico é tão importante para mim quanto sua quimioterapia, mas ele não sabe disso".

A declaração de Dieter foi muito importante para mim. Eu também não sabia. Por muito tempo, carreguei comigo a convicção de que, como médica, minha afeição não significava nada e que as únicas coisas de valor que eu tinha a oferecer eram meu conhecimento e minha habilidade. A especialização médica convencera-me a repudiar minha verdade. A medicina está tão próxima do amor quanto da ciência, e seus relacionamentos são importantes até mesmo no momento extremo da própria vida.

Mas eu ainda tinha outra ligação com a história de Dieter: seu oncologista era um de meus pacientes. Semana após semana, das profundezas de uma depressão crônica, aquele médico contava-me que ninguém se importava com ele, que ele não significava nada para ninguém, que era apenas mais um avental branco no hospital, o pagamento da hipoteca para sua esposa, a prestação da escola para seu filho. Ninguém perceberia se ele desaparecesse, contanto que houvesse alguém para fazer as rondas ou levar o lixo para fora. E ali estava Dieter, levando a seu médico a mesma valorização, a mesma cura que levara a mim, mas o médico, tolhido pelo senso de fracasso por não poder curar o câncer, não era capaz de recebê-las.

74

SOBRE RÓTULOS E ASSOMBRO

Um rótulo é uma máscara que a vida usa. Usamos rótulos na vida o tempo todo. "Certo", "errado", "sucesso", "fracasso", "sorte", "azar" podem ser modos tão limitantes de ver as coisas quanto "diabético", "epiléptico", "maníaco-depressivo" ou mesmo "inválido". Colocar rótulos determina uma expectativa de vida muitas vezes tão imperiosa que não conseguimos mais ver as coisas como elas realmente são. Essa expectativa, com freqüência, nos dá um senso de familiaridade falso com relação a alguma coisa que, na verdade, é nova e sem precedentes. Estamos num relacionamento com nossas expectativas, e não com a própria vida.

E isso nos faz pensar que podemos ser tão prejudicados pelo modo como vemos uma doença quanto pela própria doença. A crença nos prende ou nos liberta. Os rótulos podem transformar-se em profecias que se cumprem só porque foram feitas. Estudos sobre mortes no vodu indicam que, em certas circunstâncias, a crença pode até matar.

Talvez precisemos levar muito menos a sério nossos rótulos e até mesmo nossos especialistas. Alguns anos atrás, fiz parte da banca examinadora da tese de uma mulher do meio-oeste que estava estudando a remissão espontânea do câncer. Entre os que responderam a seu anúncio no jornal procurando pessoas que achavam ter tido uma experiência de cura incomum, estava um agricultor que obtivera ótimos resultados apesar de um prognóstico muito sombrio. Uma noite, por telefone, ela me contou sobre esse homem. Julgava que os resultados que ele conseguira estivessem ligados à sua atitude. "Ele não aceitou", disse ela.

Confusa, perguntei se ele havia negado que tinha câncer. Não, ela respondeu, não negara. Simplesmente ele adotara quanto ao prognóstico do

75

médico a mesma atitude que tinha para com as palavras dos peritos do governo que analisavam o solo de seus campos. Como eram homens instruídos, ele os respeitava e ouvia atentamente enquanto lhe mostravam os resultados de seus testes e lhe diziam que o milho não cresceria naquele campo. Ele levava em conta as opiniões apresentadas. Porém, como contou à minha aluna, "boa parte do tempo o milho cresce mesmo assim".

Pela minha experiência, um diagnóstico é uma opinião, e não uma previsão. Como seria se mais pessoas aceitassem a presença do desconhecido e acolhessem as palavras de seus especialistas médicos da mesma maneira? O diagnóstico é câncer. O que isso irá significar ainda veremos.

Assim como um diagnóstico, um rótulo é uma tentativa de assegurar o controle e administrar a incerteza. Ele pode nos dar a segurança e o conforto de uma conclusão mental e nos encorajar a não pensar mais no assunto. Mas a vida nunca chega a uma conclusão; a vida é processo, até mesmo mistério. A vida só é conhecida por aqueles que encontraram um meio de estar à vontade com a mudança e com o desconhecido. Considerando a natureza da vida, pode não existir segurança, mas apenas aventura.

JUSTAMENTE O QUE SERVE

Um dos agentes literários responsável pela publicação de boa parte das obras de intelectuais inovadores nas áreas de psicologia e espiritualismo nas décadas de 60 e 70, muitos anos antes de qualquer outra pessoa ser capaz de vender esse tipo de livro, parecia ser um homem implacável e muito preocupado consigo mesmo. Na época em que o conheci, eu estava estudando caminhos espirituais, muitos dos quais salientavam a necessidade de corrigir nosso comportamento para servir a um fim universal. Contudo, lá estava um homem a quem a maioria dos mestres espirituais teria recomendado um milhão de anos de prática e que, apesar disso, fizera grande bem ao mundo, semeando idéias valorizadoras da vida na cultura, como um plantador de idéias. Mas muitas escolas espirituais teriam instigado pessoas com as mesmas características pessoais a passar a maior parte de seu tempo em meditação, preparando-se para servir. Eu não conseguia entender isso.

Com o passar dos anos, aprendi que "corrigir nosso comportamento" pode ser muito menos importante do que dedicar nossa vida. Tudo é passível de ser usado. Um homem implacável pode ser capaz de abrir portas em que uma pessoa mais branda e tradicionalmente espiritualizada ficaria batendo eternamente. Sem julgamentos, muitas coisas podem vir a ser veneráveis.

A FLORESTA DOS SEM-NOME

Pouco antes de encontrar os gêmeos Tweedledum e Tweedledee, Alice entra na floresta dos sem-nome e encontra um veadinho. Nem o animal nem Alice conseguem lembrar o próprio nome. Não importa. Passeiam juntos, "Alice abraçando carinhosamente o pescoço macio do veadinho", até se aproximarem da orla da floresta. Ali chegando, o veadinho subitamente lembra seu nome e olha para Alice horrorizado. "Sou um veadinho!", grita ele, "e, minha nossa, você é uma criança humana!" Aterrorizado, ele foge correndo.

Quando criança, passei muitos verões sozinha em uma praia deserta de Long Island, pegando conchas, cavando para procurar mariscos, uma vida muito diferente daquela da cidade, que eu tinha todo o resto do ano. Dia após dia eu observava tudo, aprendendo a discernir as mudanças em todas as suas sutilezas. O resto do ano, em Nova York, eu não olhava diretamente para ninguém que não conhecesse e não falava com estranhos.

Havia uma grande paz naqueles verões e uma nova capacidade de ficar sem gente por perto e, no entanto, não sozinha. Tenho muitas lembranças boas dessa época. Toda manhã o mar deixava novos tesouros — pedaços de madeira de barcos afundados, pedaços de vidro gastos e lisos como seda, uma ou outra água-viva. Certa vez até encontrei um par de óculos com uma só lente. Dessas recordações, algumas das mais vívidas são as de belos pássaros brancos que sobrevoavam constantemente a praia. Lembro-me como suas asas ficavam transparentes quando eles passavam entre mim e o sol. Asas de anjos. Lembro-me como meu coração os seguia e quanto eu desejava ter asas para voar.

Muitos anos depois, tive oportunidade de andar nessa mesma praia. Foi uma grande decepção. Pedaços de algas marinhas e lixo espalhavam-se à beira da praia, e havia gaivotas por toda a parte, dando gritos estridentes, lutando pelo lixo e pela criatura morta que às vezes o mar deixava.

Desalentada, voltei de carro para casa, e só no meio do caminho me dei conta de que as gaivotas eram os pássaros brancos de minha infância. A praia não tinha mudado. O sagrado mora além dos rótulos e dos julgamentos, na floresta dos sem-nome.

III
ARMADILHAS

Quem não ama a si mesmo tal como é também raramente ama a vida assim como ela é. A maioria das pessoas acaba por preferir certas experiências da vida, negando e rejeitando outras, ignorando o valor das coisas ocultas que podem vir embrulhadas em papel comum ou mesmo feio. Ao evitar todo sofrimento e buscar o conforto a todo custo, podemos ser privados de intimidade ou solidariedade; ao rejeitar a mudança e o risco, muitas vezes roubamos de nós mesmos a jornada; ao negar nosso sofrimento, podemos nunca ficar conhecendo nossa força e nossa grandeza. Ou, mesmo, ignorar que o amor que nos tem sido dado pode ser digno de confiança.

É natural, e até mesmo instintivo, preferir o conforto à dor, o familiar ao desconhecido. Mas às vezes nossos instintos não são sábios. A vida normalmente nos oferece muito mais do que nossas inclinações e preferências nos permitem ter. Além do conforto reside a graça, o mistério e a aventura. Podemos ter de abrir mão de nossas crenças e idéias sobre a vida a fim de ter vida.

A perda da integridade emocional ou espiritual pode ser a origem de nosso sofrimento. De um modo muito paradoxal, a dor pode indicar o caminho que leva à integridade maior e tornar-se uma força poderosa na cura desse sofrimento.

Uma mulher que sofria de doença cardíaca e angina crônica falou-me certa vez sobre o lado negativo da cirurgia que aliviara seus sintomas. Antes da cirurgia, ela sentia dores no peito freqüentes provocadas pela doença. Ao longo dos anos, ela modificara sua dieta, aprendera a meditar e conseguira manter sob controle grande parte da dor. Mas uma parte resistira a seus esforços. Prestando muita atenção a isso, ela ficou espantada ao perceber que sentia dor quando estava prestes a fazer alguma coisa a que faltava integridade, que não correspondia realmente a seus valores. Em geral, eram coisas insignificantes, como dizer ao marido algo que ele não parecia querer ouvir ou abrir mão um pouquinho de seus valores a fim de poder concordar com outra pessoa. Ocasiões em que ela permitia ficar invisível a pessoa que ela realmente era. Ainda mais surpreendente é que ela às vezes se dava conta de que isso estava acontecendo, mas outras vezes a dor no peito vinha primeiro e só então, examinando as circunstâncias que a haviam provocado, ela percebia que traíra sua integridade e ficava sabendo em que ela verdadeiramente acreditava. Dessa maneira, aprendera muito a respeito de quem ela era e, embora hoje se sentisse fisicamente mais confortável, tinha saudade de sua "conselheira íntima".

Na realidade, isso não é tão surpreendente. Sabe-se que o *stress* pode nos afetar no elo mais fraco de nossa constituição física. Ele eleva a taxa de glicose no sangue dos diabéticos, precipita dores de cabeça nos que sofrem de enxaqueca e dores de estômago em quem tem úlcera. Faz os asmáticos terem chiado no peito e os artríticos sentirem dor. O que é novo nesta história, e em tantas outras que ouvi, é que o *stress* pode ser tanto uma questão de comprometimento de valores quanto de pressão externa e medo de falhar.

A dor sem explicação, às vezes, pode nos chamar a atenção para algo não percebido, algo que receamos saber ou sentir. Ela então nos faz manter nossa integridade, exigindo a atenção que desviamos. Aquilo que nos chama a atenção pode ser uma experiência reprimida ou alguma parte não expressa e importante de quem somos. O que quer que tenhamos negado pode nos tolher e represar o fluxo criativo de nossa vida. Evitando a dor podemos nos demorar nas vizinhanças de nosso sofrimento, às vezes durante anos, reunindo coragem para vivenciá-lo.

Sem recuperar aquilo que negamos, não podemos conhecer nossa integridade ou obter nossa cura. Como escreveu São Lucas em Atos dos Apóstolos 4:11, a pedra rejeitada pelos edificadores pode, com o tempo, revelarse a pedra fundamental da construção.

Aquilo que acreditamos sobre nós mesmos pode nos manter reféns. Com o passar dos anos, passei a respeitar o poder das crenças das pessoas. Admirei-me ao constatar que uma crença é mais do que apenas uma idéia — ela parece mudar o modo como realmente sentimos a nós mesmos e nossas vidas. Segundo os ensinamentos talmúdicos: "Não vemos as coisas como elas são. Nós as vemos como nós somos". Uma crença é como um par de óculos de sol. Quando usamos uma crença e enxergamos a vida por meio dela, é difícil nos convencermos de que o que vemos não é real. Com os óculos de sol, a vida nos parece verde. Para saber o que é real, precisamos nos lembrar de que estamos usando os óculos e tirá-los. Um dos grandes momentos da vida é aquele em que pela primeira vez reconhecemos que os estamos usando. A liberdade, então, fica bem perto de nós. É um momento de grande poder. Às vezes, devido às nossas crenças, podemos ainda não ter visto a nós mesmos ou a vida por inteiro. Não importa. Podemos reconhecer a vida mesmo assim. Nossa força vital pode não exigir que a fortaleçamos. Muitas vezes, só precisamos libertá-la nos pontos em que ela ficou tolhida por crenças, atitudes, julgamentos e vergonha.

CURANDO À DISTÂNCIA

Os médicos foram treinados para acreditar que é a objetividade científica que os torna mais eficazes em seus esforços para entender e remover a dor que outros lhes trazem, e que é a distância mental que os protege do sofrimento nesse trabalho difícil. É um treinamento que exige ao extremo. No entanto, a objetividade nos torna muito mais vulneráveis emocionalmente do que a compaixão ou um simples gesto humanitário. A objetividade nos separa da vida à nossa volta e dentro de nós. Somos feridos por essa vida mesmo assim; é somente a cura que não consegue nos atingir. Os médicos pagam um terrível preço pessoal por sua objetividade arduamente conquistada. A objetividade é incompleta. Com uma postura objetiva ninguém pode recorrer às suas forças humanas, ninguém pode chorar, aceitar consolo, encontrar sentido ou rezar. Quem fica impassível não é capaz de realmente compreender a vida ao seu redor.

Sir William Osler, um dos pais da medicina moderna, é amplamente citado por supostamente ter dito que a objetividade é a qualidade essencial do verdadeiro médico. O que ele realmente disse é diferente, e muito mais profundo. A citação original está em latim, e é a palavra *aequanimatas* que, em geral, se traduz por "objetividade". Mas *aequanimatas* significa "tranqüilidade da mente" ou "paz interior". A paz interior é, sem dúvida, o recurso supremo para quem lida diariamente com o sofrimento. Mas isso não é algo que uma pessoa consegue distanciando-se do sofrimento à sua volta. A paz interior é mais uma questão de cultivar perspectiva, o sentido e a sabedoria, mesmo quando a vida nos toca com seu sofrimento. É mais uma qualidade espiritual do que mental.

Anos atrás, Joseph Campbell organizou um *workshop* para médicos sobre a experiência do sagrado. Durante a apresentação, ele nos mostrou vários *slides* de imagens sagradas: pinturas, estátuas, cerâmica, tapeçaria e vitrais de diversos lugares e épocas. Recordo-me vividamente de um deles. Era um exemplar particularmente primoroso de Shiva Nata Raja, ou "Shiva Dançando", do Museu Lieden, de Zurique. Shiva é o nome hindu do aspecto masculino de Deus e, embora essas pequenas estatuetas de bronze sejam comuns na Índia, poucos de nós tinham visto aquela imagem encantadora. Shiva, o deus, dança em um círculo de chamas de bronze. As mãos de seus muitos braços seguram símbolos da abundância da vida espiritual. Enquanto ele dança, um de seus pés fica erguido bem no alto, e o outro é sustentado pelas costas nuas de um homenzinho agachado na terra, que tem toda a sua atenção voltada para uma folha que está em sua mão.

Os médicos são observadores treinados. Apesar da grande beleza do deus dançante, todos nós nos concentráramos no homenzinho e na folha, e perguntamos a Joseph Campbell sobre ele. Campbell começou a rir. Ainda em risos, ele explicou que o homenzinho é uma pessoa tão absorta no estudo do mundo material que nem mesmo sabe que o Deus vivo está dançando em suas costas. Existe um pouco desse homenzinho em todos nós, e certamente na maioria dos médicos. Relembrando essa cena, fico imaginando o que poderia estar passando pela mente de Campbell.

A vida é o mestre supremo, mas é em geral pela experiência e não pela pesquisa científica que descobrimos suas lições mais profundas. Certa porcentagem de pessoas que sobreviveram a experiências bem próximas da morte fala de uma percepção, comum a todas elas, que lhes permitiu vislumbrar o plano básico das lições da vida. Todos nós estamos aqui com um único objetivo: crescer em sabedoria e aprender a amar mais. Podemos conseguir isso por meio da perda ou do ganho, por ter ou não ter, por alcançar êxito ou falhar. Tudo o que precisamos fazer é comparecer às aulas com o coração aberto.

Assim, cumprir o objetivo da vida pode depender mais de como jogamos do que das cartas que nos couberam. Jack Kornfield, o mestre budista, descreve uma verdade espiritual que ele aprendeu em um jogo de bingo, na Flórida, onde estivera com seus pais idosos. Na parede, em letras gigantescas, havia um cartaz lembrando aos jogadores: "Você precisa estar presente para ganhar".

REFLEXO NO ESPELHO

Jess é um professor de história que tem um irmão gêmeo; os dois são tão parecidos que muitas vezes confundem os amigos, mesmo agora, aos 35 anos de idade. Por toda a infância usaram roupas iguais, e só os pais conseguiam distingui-los. Quando o irmão gêmeo de Jess ficou sabendo que estava com melanoma maligno, Jess teve certeza de que também teria esse mal. Demorou dois anos para seu câncer aparecer, quase no mesmo lugar que o de Jamie, porém, do lado oposto. Reflexo no espelho. Desde o princípio, Jess acreditou que tudo o que acontecesse ao irmão aconteceria com ele. Uma noite, um ano depois de seu diagnóstico, recebi um telefonema de Jess. Contou-me que Jamie descobrira um caroço na virilha. O câncer se disseminara. Sua voz tremeu ligeiramente. "Vamos morrer", ele disse.

De fato, a luta de Jamie contra o câncer intensificou-se, primeiro com a quimioterapia, depois, em seguida a outra recorrência, transplante de medula e, depois, ainda, de outra, mais quimioterapia. Todo esse tempo, a angústia de Jess por causa do irmão intensificava-se pela certeza de que sua vez chegaria.

Desde o diagnóstico de Jamie, Jess empenhara-se em fortalecer seu senso de identidade pessoal, mas, conforme o irmão piorava, os velhos modos de pensar foram reemergindo com toda a força. Ele não tinha certeza nenhuma de que conseguiria sobreviver à morte de Jamie. Eu fizera de tudo para ressaltar as diferenças entre os dois. "Temos corpo, mas não somos nosso corpo", disse-lhe. Ele e o irmão eram cada um uma alma. Podiam ter uma biologia em comum, mas não tinham um destino em comum. Jess compreendia isso intuitivamente, mas não mudou suas conclusões. "A alma não controla o corpo", respondeu. "Somos biologicamente a mesma pessoa, e biologia é destino. É só uma questão de tempo."

O lugar dentro de Jess que não podia ser alterado era aquele que guardava suas memórias mais antigas, mais inconscientes. Afinal, o irmão estivera com ele desde o início; a inviolabilidade que envolve a todos nós no útero envolvera a ambos. O que eram palavras ou fatos diante daquela união tão profunda? E, contudo, qual era o poder daquela crença para influenciar o corpo? Seria o destino intermediado pela biologia ou pela crença? Eu não sabia.

Comecei a torcer por algum sinal, alguma coisa que falasse em sua própria língua ao recôndito lugar da crença naquele homem altamente refinado e intelectual. Talvez um sonho? Ou um presságio?

No final, foi mais simples do que isso. No meio de uma sessão, Jess estava falando sobre sua experiência de ser gêmeo, a incapacidade dos outros para distingui-lo do irmão, a luta constante para ser ele mesmo. Seu irmão sempre tentara diminuir o espaço entre eles. Jess sempre se esforçara para estabelecer fronteiras. Sentia agora que isso fora inútil. Que esperança havia de ser ele mesmo quando o acaso o fizera um gêmeo idêntico? Não podia haver saída. Aflito, ele se virou na direção de uma estante atrás de sua cadeira, na qual eu guardava muitos objetos pequenos que ganhara de meus pacientes. Apanhando os dados que um outro paciente me dera, ele os sacudiu com força e jogou no chão. "Acaso!", disse com amargura.

Os dados pararam ali no chão, dois cubos perfeitamente idênticos. Um deles mostrava o número um; o outro, o número seis. Olhamos os dados em silêncio. E, então, pela primeira vez em meses, Jess começou a rir. Às vezes, tudo o que é preciso é a percepção das múltiplas possibilidades.

SORTE

Sempre que alguma coisa dava errado para a família, meu pai balançava a cabeça e dizia: "A sorte dos Remens". Aplicava a frase pródiga e indiscriminadamente a coisas como perder uma vaga no estacionamento ou a eventos mais importantes da vida como sua falência e a doença crônica de sua única filha. A sorte dos Remens certamente não era boa. Meu pai, que não acreditava em coisa alguma além da ação humana neste mundo, achava que a vida era um empreendimento aleatório e perigoso, e sentia-se esmagado por ela. A sorte dos Remens era invocada com freqüência. Por muitos anos, acreditei que éramos pessoas azaradas.

Em 1971, meu pai ganhou um prêmio na loteria do Estado de Nova York. Não era uma quantia descomunal pelos padrões das loterias, mas era mais dinheiro do que meu pai já vira na vida de uma vez só. Para ele, era a sorte grande. Foi a sorte grande para mim também, não pelo dinheiro, mas pelo que aconteceu depois.

Meu pai estava no hospital quando ganhou na loteria, recuperando-se da extração de um tumor que, no final, era benigno. Guardou o bilhete premiado junto ao peito, dizendo que não podia confiar em ninguém para resgatá-lo, nem mesmo em alguém da família ou seus amigos, nem mesmo em minha mãe. Estava convencido de que alguém ficaria com o bilhete, ele seria roubado ou os funcionários da casa lotérica não o registrariam honestamente quando ele fosse entregue. Por muito tempo, não foi possível persuadi-lo a entregar o bilhete. Quando o prazo para resgatá-lo estava terminando, ele exigiu que minha mãe e eu jurássemos segredo, dizendo que as pessoas tentariam aproveitar-se de nós de algum modo se soubessem. Acabou indo receber o dinheiro ele mesmo, mas nunca o gastou, pois temia que assim outros soubessem que ele o tinha.

Pouco a pouco, uma ansiedade muito familiar apoderou-se de nós. E então tirei minha sorte grande. Percebi que a sorte dos Remens era fabricada em casa. Não havia como meu pai pudesse ter sorte neste mundo. Ele era capaz até mesmo de transformar um prêmio de cinqüenta mil dólares em azar, em uma fonte de desgosto, ansiedade e tensão. Até então, eu acreditara que éramos realmente azarados. Uma coisa sombria que pairara sobre mim toda a vida dissipou-se. Tenho vivido de minha sorte grande nessa loteria desde então.

Tirei outras sortes grandes com base na vida de meu pai, outras lições sobre perder e ganhar. Na verdade, não existe uma só pessoa que não tenha passado pela experiência da perda. Começamos a aprender sobre a perda desde o momento em que nascemos. Com freqüência, adotamos em relação a ela as atitudes de nossa família. Essas lições a respeito da perda e do significado da perda estão entre as coisas mais importantes que podemos aprender. É uma sabedoria raramente compartilhada, pois quando perdemos muitas vezes sentimos vergonha.

Meu pai era filho de imigrantes. Trabalhou desde menino, e durante a maior parte de sua vida adulta, teve dois empregos. À noite, muitas vezes adormecia na poltrona, os pés numa bacia de água morna, exausto demais para conversar. Sempre trabalhara para outras pessoas, acatando as condições delas, em função dos objetivos delas. Uma das primeiras coisas de que me lembro é meu pai me dizendo o quanto é importante ser patrão de si mesmo, estar no controle da própria vida.

Cresci no sexto andar de um prédio de apartamentos em Manhattan. Havia um jogo que eu e meu pai jogamos durante toda a minha infância. Ele falava sobre sua casa, a casa que ele teria um dia. Haveria uma lava-louça na cozinha. E um jardim. Debatíamos se a sala deveria ser pintada de verde-claro ou creme. Eu preferia creme. Papai achava que era muito esnobe.

Eu estava com quase vinte anos quando ele e mamãe compraram uma casinha em Long Island e ele se aposentou. Por um momento, seu sonho parecia completo. Alguns meses depois de ele tomar posse da casa, fui fazer uma visita num domingo e o encontrei dormindo na poltrona, exausto. Uma visão familiar desde a infância para mim, mas eu estava pensando que as coisas tinham mudado. Minha mãe contou-me que ele acabara de arrumar um empreguinho, só para poderem manter o lugar em ordem. As coisas estavam sempre se deteriorando.

Na visita seguinte, ele estava de novo dormindo na poltrona. "Vocês estão se divertindo?", perguntei. "Bem", disse mamãe, "seu pai teme que alguém arrombe a casa e leve tudo o que trabalhamos para ter. Ele continua a trabalhar, pois quer instalar um sistema de alarme". Desanimei. Perguntei quanto aquilo custaria. Minha mãe fugiu do assunto e disse que o comprariam em breve. Meses depois, meu pai continuava a parecer esgotado. Preocupada, perguntei quando eles tirariam férias. Meu pai sacudiu a cabeça. "Não neste ano — não podemos deixar a casa sozinha." Sugeri um caseiro. Meu pai ficou horrorizado. "Ah, não", replicou. "Você sabe como são as pessoas. Nem nossos amigos cuidam das nossas coisas do mesmo jeito que cuidam das deles." Nunca mais meus pais tiraram férias.

No final, eles raramente saíam de casa juntos, nem para ir ao cinema. Podia haver um incêndio ou algum outro tipo de desastre vago e indefinido. E meu pai trabalhou fazendo bicos até morrer. A casa acabou tendo muito mais controle sobre ele do que qualquer um de seus ex-patrões jamais tivera.

Se temermos demais a perda, no final as coisas que possuímos acabarão por nos possuir.

GRAÇA

Meu paciente, um médico que tem câncer, chega para sua sessão imensamente satisfeito consigo mesmo. Conhecendo meu amor por histórias, diz que encontrou uma história perfeita e me conta a seguinte parábola:

Shiva e Shakti, o Divino Casal do hinduísmo, estão em sua morada celeste observando a terra. Comovem-se com os desafios da vida humana, a complexidade das reações dos homens e o onipresente lugar do sofrimento na experiência humana. Enquanto observam, Shakti avista um homem miserável andando por uma estrada. Ele tem as roupas surradas e as sandálias amarradas com uma corda. O coração de Shakti confrange-se de pena. Enternecida com a bondade e a luta do homem, ela se volta para seu divino esposo e implora-lhe que dê a ele um pouco de ouro. Shiva olha o homem por um longo momento. "Adorada esposa, não posso fazer isso", diz ele. Shakti se espanta. "Como assim, meu Marido? És Senhor do Universo. Por que não podes fazer essa coisa simples?"

"Não posso dar-lhe isso porque ele ainda não está pronto para recebê-lo", replica Shiva. Shakti zanga-se. "Estás dizendo que não és capaz de deixar um saco de ouro aos pés dele?"

"Claro que sou", responde Shiva. "Mas isso é muito diferente."

"Por favor, meu esposo", pede ela.

E, assim, Shiva deixa cair um saco de ouro no caminho do homem.

Enquanto isso, o homem caminha, matutando: "Será que encontrarei o que jantar hoje — ou passarei fome de novo?". Virando uma curva na estrada, ele vê alguma coisa no caminho à sua frente. "A-há!", diz ele. "Vejam só, uma pedra grande. Que sorte eu tê-la visto. Ela podia ter dilacerado ainda mais essas minhas pobres sandálias." E, passando com cuidado por sobre o saco de ouro, ele segue seu caminho.

Parece que a Vida deixa muitos sacos de ouro em nosso caminho. Raramente eles aparentam o que são. Perguntei a meu paciente se a Vida já lhe deixara algum saco de ouro que ele tivesse reconhecido e usado para enriquecer sua vida. Ele sorri para mim. "O câncer", diz, simplesmente. "Achei que você adivinharia."

PRESTIDIGITAÇÃO

Lembro-me de uma época em que eu estava claramente fazendo o papel do homenzinho que examinava a folha sem ver que Deus estava dançando em suas costas. Em meu último ano de especialização em pediatria, tive um paciente de 12 anos com anemia aplástica. Certa manhã, Carlos acordou queixando-se de sentir cansaço. Na manhã seguinte, não foi possível acordá-lo de modo algum. Quando foi levado para nosso pronto-socorro, seu nível de hemoglobina era 5, um terço do normal. Sua medula, súbita e inexplicavelmente, parara de produzir glóbulos vermelhos. Naquela época, uma afecção dessas era quase invariavelmente fatal.

Nós o internamos imediatamente e começamos a fazer transfusões de sangue. Fui encarregada de tratar daquele belo rapazinho durante sua hospitalização. Mesmo tão doente, era uma criança adorável, prestes a entrar na puberdade. Ele era um mágico talentoso, nos divertia, e também às crianças da enfermaria, com suas habilidades notáveis. Adorava lograr seus médicos; nossa cara de espanto arrancava-lhe risadinhas enquanto tirava um ás de espada de nossas orelhas e fazia nossas moedas desaparecerem. Era um mestre do ilusionismo e, por mais que tentássemos, não conseguíamos descobrir seus truques. Ele cativou todos nós. Sua morte era inconcebível.

Poucos meses antes, fora desenvolvido um conjunto experimental de procedimentos para os casos de anemia aplástica que dava uma tênue esperança de ativar a medula com um estímulo externo. Era necessário ministrar doses maciças de testosterona. Nós a empregamos. Ela provocou uma mudança enorme naquela bela criança. Ele se tornou peludo, com feições grosseiras, o rosto recoberto de acne, a voz grave e áspera. Seu sorriso sumiu e, com ele, sua mágica. Ele se tornou taciturno e irritadiço. Mas a vida estava em jogo, e por isso prosseguimos.

Depois que ele deixou o hospital, continuei a acompanhá-lo semanalmente no ambulatório. Ninguém mais quisera fazer isso. Na verdade, os residentes mais antigos tiraram a sorte; eu perdera. Semana após semana, eu mal conseguia obrigar-me a atendê-lo e enfrentar a esperança nos olhos de sua mãe. E mesmo assim eu o levava comigo por toda a parte, perseguida por seu sofrimento e lamentando o menino que desaparecera tão completamente. Li tudo o que fora escrito a respeito daquela doença misteriosa, e tudo o que li conduziu-me à mesma conclusão: o prognóstico era sem esperanças. No fundo, eu sabia que nada podíamos fazer. Carlos morreria.

O método que usávamos na época para testar a hemoglobina tinha uma margem de erro: qualquer que fosse o número apresentado pelo laboratório, o número verdadeiro era mais ou menos 0,2. Um valor informado de 6 significava que o valor real da hemoglobina do paciente estaria entre 5,8 e 6,2. Também significava que os resultados dos exames, 5,8, 6,0 e 6,2, podiam todos refletir a mesma hemoglobina verdadeira. Por esse motivo, cada papeleta do laboratório informava o valor obtido no exame mais recente e os resultados dos exames anteriores, para fins de comparação. Só um aumento de mais de 0,2 podia ser considerado prova de que a medula óssea estava reagindo e voltando a produzir sangue. Expliquei tudo isso a Carlos e sua família.

O primeiro valor da hemoglobina no ambulatório foi 6, o mesmo obtido no hospital. Enfrentei os olhos da mãe e balancei a cabeça. Na semana seguinte, 6 novamente. Tornei a balançar a cabeça. E na outra, 6,2. Dentro da margem de erro do método usado no exame, eu disse a eles, e vi sua esperança esvair-se. Seis semanas haviam se passado desde o início do tratamento. A cada semana parecia-me mais óbvio que o remédio não estava funcionando e que era só uma questão de tempo. Na semana seguinte, a hemoglobina de Carlos foi de 6,4. A papeleta do laboratório lembrava que o valor da semana anterior fora 6,2. Mais uma vez senti dor no coração e balancei a cabeça. "Seis vírgula quatro", disse à mãe. "Bem dentro da margem de erro do teste."

Minha certeza quanto à morte de Carlos e nossa incapacidade de impedi-la era tão forte que eu só conseguia lidar com ela uma vez por semana. Eu tinha vontade de fugir. Semana após semana, eu olhava a nova papeleta com o resultado do teste e consultava os resultados anteriores. A cada nova semana, os novos resultados ficavam dentro da margem de erro do método do exame. A hemoglobina de Carlos subira para 7,4 antes de eu me dar conta do que estava acontecendo. E mesmo assim foi só porque quando balancei a cabeça e dei à mãe a má notícia ela se inclinou e delicadamente tocou meu braço. "Doutora, meu menino está melhor, meu menino está ficando bom!", disse ela. E estava mesmo. Eu tinha tanta certeza de que ele estava morrendo que não fora capaz de ver. Nossas expectativas podem de fato nos cegar. Nunca mais tive tanta certeza de coisa alguma.

A ROUPA NOVA DO IMPERADOR

A vida humana tem estações assim como a terra tem estações, cada qual com sua beleza e poder específicos. E dádivas. Concentrando-nos na primavera e no verão, transformamos o processo natural da vida em um processo de perda em vez de em um processo de celebração e apreciação. A vida não é linear nem estagnada. É uma passagem de mistério a mistério. Assim como um ano inclui outono e inverno, a vida inclui a morte, não como um oposto, mas como parte integrante do modo como a vida é feita. A negação da morte é o modo com que habitualmente todos nós montamos nossa versão de vida. Apesar do poder da tecnologia para nos revelar a natureza desse mundo, a morte continua sendo a suprema desconhecida, inacessível ao olho explorador da ciência. Poderíamos até perguntar se uma coisa impossível de ser abordada em termos científicos é mesmo digna de nossa atenção. Porém, a maioria das coisas que dão profundidade, significado e valor à vida são inacessíveis à ciência.

Em 1974, quando me interessei pelo trabalho com pessoas que estavam frente a frente com a morte, pensei em estudar a morte do mesmo modo como estudara todas as outras áreas que já haviam atraído meu interesse profissional. Comecei em nossa biblioteca, fazendo um levantamento da literatura atual. A biblioteca presta serviço a uma importante faculdade de medicina e hospital, e é uma das maiores e melhores bibliotecas médicas dos Estados Unidos. Procurando uma bibliotecária, pedi-lhe que me indicasse os periódicos sobre o tema da morte. "Está se referindo a *Cancer Research* e ao *Journal of Oncology* ou ao *American Journal of Cardiology*?", perguntou ela. Fitamo-nos por um momento. "Morte", falei.

Confusa, ela baixou os olhos e começou a procurar em seu catálogo na letra "M", finalmente encontrando uma referência em uma prateleira de uma estante remota da biblioteca. Seguindo as instruções que ela me deu, fui descendo as escadas, passando por andares e mais andares de periódicos e livros médicos até o andar certo. Ali, procurando nas filas de prateleiras que alcançavam o teto, abarrotadas de revistas e periódicos, encontrei finalmente a sessão sobre a morte. Era uma única prateleira, quase vazia, contendo cinco números antigos do *Journal of Thanatology*, dois livros sobre aconselhamento religioso a pessoas de luto e uma cópia do Novo Testamento.

Depois do choque inicial, recordo-me de ter pensado estar face a face com a Sombra da medicina contemporânea. Sem dúvida, as centenas de milhares de periódicos e livros pelos quais eu acabara de passar para chegar até ali podiam ser considerados uma resposta portentosa à possibilidade da morte. E, no entanto, a própria morte estava oculta, quase sem ganhar um espaço nas prateleiras daquele vasto corpo de conhecimentos que representavam a medicina de ponta. Naquela época, toda biblioteca, em toda faculdade de medicina dos Estados Unidos, era organizada exatamente daquela maneira. Muitas ainda hoje são.

Na época de meu esbarrão com a morte nas prateleiras médicas, a morte ocupava em minha consciência a mesma posição que ocupava na biblioteca médica. Esta, de fato, podia ser a externalização de minha mente. Como acontece com a maioria dos médicos, eu estivera na presença da morte somente quando meus esforços frenéticos para esquivar-me dela haviam falhado. Eu tratava de esquecer aquelas mortes o mais rápido possível e ocupava minha mente com os inúmeros fatos concernentes à doença e à cura nos quais minhas habilidades se fundamentavam.

Minha primeira experiência da morte como algo mais do que um fracasso profissional ocorreu quando eu era diretora da divisão pediátrica de internação no Hospital Mount Zion, no centro de San Francisco. Na época eu não sabia que a morte pode ser uma ocasião de regeneração ou que, às vezes, pouco antes de uma pessoa morrer, é possível vislumbrá-la em sua totalidade.

Chegando ao trabalho certa manhã, assustei-me ao ouvir vozes zangadas saindo de dentro de minha sala, que estava de porta fechada. Lá dentro, várias enfermeiras e médicos residentes discutiam, em uma cena atipicamente exaltada. O motivo daquele bate-boca furioso era um dos pacientes, um menino de cinco anos que estava nos estágios finais da leucemia. Ao que parecia, naquela manhã o menino dissera à enfermeira que o acordara que iria para casa aquele dia. "Ajude-me a arrumar minhas coisas", exigiu, apontando todo animado para sua malinha no armário.

A enfermeira ficou horrorizada. Quem poderia ter prometido àquele menininho terrivelmente enfermo que ele iria para casa, quando ele não tinha plaquetas nem glóbulos brancos? Quando todo o mundo sabia que ele era tão frágil que poderia sangrar até a morte se sofresse a mais leve escoriação? Ela perguntou às outras enfermeiras de seu turno e do turno anterior se haviam dito ao menino que ele poderia ir para casa. Ninguém lhe dissera uma palavra.

As enfermeiras, indignadas, acusaram então os jovens médicos. Estes revoltaram-se com a insinuação de que um deles teria tido a atitude desumana de prometer algo tão impossível. A discussão esquentara, sendo então transferida para a privacidade de minha sala. "Ele não poderia ir para casa de ambulância, só por uma hora?", perguntaram-me, não querendo desapontá-lo e destruir suas esperanças. Parecia muito arriscado. "Alguém perguntou a ele quem havia dito que ele iria para casa?", indaguei. Obviamente, ninguém quisera conversar com ele sobre aquilo. De repente eu me senti cansada, mas disse: "Vou falar com ele".

Ele estava sentado na cabeceira da cama, de frente para a porta, colorindo um livro quando entrei em seu quarto. Espantei-me por vê-lo tão emaciado e doentio. Ele ergueu os olhos do desenho e encontrou os meus. Naquele momento, as coisas mudaram. O quarto ficou muito tranqüilo e parecia haver uma espécie de tom amarelado na luz. Tive a sensação de uma enorme presença, e lembro-me de ter pensado, insensatamente, que havíamos saído do tempo. Subitamente, me dei conta da culpa esmagadora que eu sentia com respeito àquele menininho. Por meses eu fizera com ele coisas que lhe causavam dor, e mesmo assim não conseguira curá-lo. Eu o evitara, então, e estava envergonhada. Quando nossos olhos se encontraram, pareceu que ele de algum modo entendeu isso e me perdoou. Imediatamente, consegui perdoar a mim mesma, não só por aquele menininho mas por todas as crianças que eu tratara e machucara e não pudera ajudar ao longo de toda a minha carreira. Foi uma espécie de cura.

Sua fragilidade e meu cansaço desapareceram, e parecemos reconhecer um ao outro. Naquele momento nos tornamos iguais, duas almas que haviam representado papéis difíceis em um drama com absoluta impecabilidade: ele como um menininho e eu como médica. O drama estava concluído. Servira a algum propósito desconhecido, e nada havia para perdoar ou ser perdoado. Existia apenas um profundo senso de aceitação e respeito mútuo. Tudo isso aconteceu em um instante muito fugaz.

Então, ele falou comigo. Com a voz cheia de júbilo, disse: "Doutora Remen, eu vou para casa". Àquela altura, eu emudecera. Murmurei alguma coisa como "Que bom!", e bati em retirada, fechando a porta ao sair.

Voltei a minha sala muito confusa e abalada pela experiência. "O que ele disse?", perguntaram enfermeiras e médicos. Respondi que não fizera a pergunta. "Por que simplesmente não esperamos um pouco para ver o que acontece?" Poucas horas depois, o menino disse que estava cansado. Deitou-se, puxou o lençol sobre a cabeça e se foi, serenamente.

A equipe médica ficou arrasada com sua morte. Ele fora um amor de criança, e haviam cuidado dele por muito tempo. No entanto, muitos comentaram comigo em particular que estavam aliviados por ele ter morrido antes de descobrir que alguém mentira para ele e que ele não poderia ir para casa.

A percepção pode exigir certa abertura. Vemos aquilo que nossa vida nos preparou para ver. Aquela criança sabia que iria para casa em um sentido muito mais profundo do que aquele que a equipe médica estava preparada para entender. Na época eu também não tinha como compreender essa experiência, por isso fiz o mais cômodo: esqueci.

Cerca de um ano depois de minha excursão à biblioteca para estudar a morte, comecei a ter uma série de sonhos vívidos, perturbadores. Via-me novamente na cabeceira de pacientes da pediatria que haviam morrido muitos anos atrás. Antes de adormecer eu não teria sido capaz de me lembrar os nomes daquelas crianças, mas nos sonhos eu voltava a saber todos os resultados de seus exames de laboratório, conseguia lembrar as fotografias em suas cabeceiras, os nomes de seus queridos bichos de pelúcia e até mesmo a estampa de seus pijamas.

Espontaneamente, eu via com clareza as muitas coisas que não vira plenamente quando de fato estivera lá. Ouvia de novo conversas inteiras, palavra por palavra, conversas cheias de esperança e medo, perda e amor. Via cada nuance de expressão nos rostos de pessoas nas quais eu não pensava fazia anos. Era como se eu houvesse guardado em algum lugar as experiências que me recusara a vivenciar antes. Mas o mais atemorizante naqueles sonhos era que, no fim, em cada um deles eu acabava por sentir o que não me permitira sentir, sentimentos de tristeza, dor, impotência e perda. Eu acordava soluçando, incontrolavelmente, às vezes por horas.

Esses sonhos ocorriam toda noite. Depois de cinco ou seis deles, telefonei a um amigo que era psiquiatra e dei vazão a toda a preocupação e medo. Eu estava ficando com medo de dormir. Estaria enlouquecendo? "Não acho", disse ele, e perguntou se eu estava disposta a continuar com aquilo para descobrir o que poderia significar. Eu não tinha certeza de que conseguiria. "Você me telefona toda manhã e me conta seu sonho", ofereceu ele. E assim fiz.

No final, tive uns vinte sonhos daqueles. E, pouco a pouco, alguma coisa mudou. Comecei a perceber o quanto eu me importava com aquelas crianças, o quanto suas vidas haviam sido significativas e insubstituíveis, e comecei a imaginar se suas mortes também teriam algum significado. Depois, passei a sentir o grande vazio deixado pela ausência delas, e então pude sinceramente refletir sobre aonde elas teriam ido.

Por fim, eu que me sentira tão responsável pela morte, já não a encarava como uma falha pessoal, e sim como um mistério universal. Comecei a recordar velhas experiências que tivera na infância, muito antes de a morte ser o inimigo. Também recordei o menininho que me dissera estar indo para casa. Alguma coisa dentro de mim que fechara os olhos e fugira correndo da morte durante anos voltara agora, e queria ver. Estar presente. Como uma preparação para meu trabalho com pessoas que estavam enfrentando doenças com risco de vida e a possibilidade da morte, aqueles sonhos acabaram sendo muito mais importantes do que os conhecimentos especializados que eu esperava encontrar na biblioteca.

DEFASAGEM

Trinta anos atrás, quando eu ainda estava exercendo medicina na cidade de Nova York, fui levada para assistir a um filme sobre medicina tibetana. O Tibete não estava muito em voga na época e, dadas as pressões de minha especialização, meu tempo livre era precioso, mas fui porque estava apaixonada pelo homem que me convidou. Nunca esqueci esse filme. Demorei trinta anos para começar a entender do que ele falava. O filme era um documentário, um dia em uma clínica médica do Tibete, dirigida por uma jovem médica. Diferentemente do meu consultório, no primeiro andar de um grande edifício de concreto, essa clínica ficava no alto da encosta de uma montanha e seu único acesso era por um caminho difícil e íngreme. Havia rodas de orações a cada cinco ou seis metros ao longo do caminho, grandes cilindros gravados com palavras sagradas que as pessoas tocavam ao passar, fazendo-os girar e zumbir, soprando no ar suas bênçãos, como perfume no silêncio da manhã.

Pelo que me lembro, o filme começa ao nascer do sol. A jovem médica está na clínica, sozinha. Começa o dia com orações e, em seguida, acende uma chama em uma tigela enorme, indicando a abertura da clínica. Começamos nosso dia quase à mesma hora, com uma rápida xícara de café, um pãozinho doce e alguns gracejos no refeitório do hospital. Enquanto assistia, senti que uma certa atitude passava a apoderar-se de mim, uma espécie de consciência de *National Geographic*. Uma distância intransponível começou a abrir-se entre mim e a médica que eu via no filme.

Então, as portas se abriram e uma enxurrada de pessoas inundou o local, os velhos, os feridos, os muito jovens, os moribundos, junto com os esperançosos e preocupados que os carregavam e apoiavam. E eu os conhecia. Aquelas eram as mesmas pessoas que eu via em meu consultório. Aquela mulher, naquele lugar remoto, com os instrumentos mais diferentes possíveis, estava lidando com os mesmos problemas que eu enfrentava todo dia. Talvez esses problemas fossem enfrentados por todo médico todos os dias. Fascinada, observei-a mover-se em seu trabalho, ouvindo, examinando, diagnosticando, tratando, oferecendo esperança quando havia esperança e consolo quando não havia. Era absoluta e completamente familiar, e eu não conseguia entender uma palavra do que estava sendo dito.

O filme termina no encerramento do dia na clínica, uma hora em que eu e meus colegas nos sentamos à mesa lutando para pôr em dia nossos gráficos e tabelas. Mas ali o dia terminava de modo muito diferente. No topo das montanhas, o sol está se pondo. Os pacientes foram embora; novamente há silêncio. Os auxiliares da médica, moços, descem rápido a estrada da clínica, tocando as rodas de orações ao passar. Um, e em seguida mais dois. E depois um quarto e um quinto. Eles se foram, e a médica mais uma vez está sozinha. Ao cair da noite, ela entoa uma oração em tibetano, suas palavras pousam uma a uma no vale lá embaixo. No silêncio que sobrevém, ela estende o braço e apaga a chama na tigela grande.

Pelas legendas, ficamos sabendo que ela estava rezando pelo fim do sofrimento, a *libertação de todos os seres conscientes*. Isso me desconcertou. Estaria ela rezando pela morte de toda aquela gente? Como alguém tão empenhado em curar podia terminar seu dia daquela maneira? E, se ela não estava rezando pela morte, então pelo que estava rezando? Libertação, para mim, não tinha sentido algum. Hoje, trinta anos mais tarde, parece-me que existe um lugar onde cura e liberdade são uma coisa só. Vejo que eu também passei a esperar por uma medicina cujo máximo empenho é a libertação de nós todos, uma medicina da liberdade humana.

IV
LIBERDADE

Os budistas falam sobre o *samsara*, o mundo da ilusão. É o lugar onde vive a maioria de nós. Dizem que confundir a ilusão com a realidade é a causa fundamental de nossos sofrimentos. Porém, de algum modo imensamente elegante, o próprio sofrimento pode nos libertar da ilusão. Com freqüência, em momentos de crise, quando procuramos o que consideramos nossa força, deparamo-nos com nossa integridade e com nosso verdadeiro poder. Como éramos antes de nos consertarmos para ganhar aprovação. O que foi consertado sempre é menos forte do que é inteiro. Em momentos de verdadeira necessidade, podemos lembrar e nos libertar.

A integridade geralmente vem devagar para as pessoas e as pega de surpresa, como parte de um processo natural de amadurecimento ou devido à necessidade de ajudar alguém que delas precisa. Mas a integridade pode surgir plenamente desenvolvida em tempos de crise ou perda. Em meu trabalho, tenho visto muitas pessoas recobrarem uma integridade maior porque perderam alguma coisa ou alguém que lhes era muito querido.

Lembro-me de andar por muitos corredores de clínicas, uma jovem impaciente, crítica e irritada, e abrir a porta de uma sala de exames. Esperando ali havia uma mãe aflita e seu filho doente. Fechando a porta, eu me tornava naquele momento muito parecida com a pessoa que sou hoje. Mas, aos trinta anos, esse não era meu modo de ser habitual. No cenário de meu trabalho, eu era muito mais inteira. Quando entrava naquela sala de exames, eu tinha acesso a uma sabedoria, solidariedade e perspectiva maiores do que as que eram as minhas apenas alguns momentos antes. Era como se eu pudesse fazer uma prega no tempo para encurtá-lo. Tais ocorrências são muito comuns. São com freqüência evocadas pelas necessidades de outras pessoas.

Com certas pessoas, podemos acabar experimentando uma integridade maior por algum tempo, sentir, de fato, que somos mais. Essas experiências são uma espécie de graça. Elas nos ajudam a conhecer não só a direção de nossa própria integridade, mas também como ela é sentida e até mesmo que gosto tem. A integridade de cada pessoa é única, e mesmo as pessoas que são mais comumente consideradas modelos, como Eleanor Roosevelt e o médico missionário Albert Schweitzer, podem estar longe do que somos. Nossa integridade parecerá diferente da deles. Ela nos cai melhor que a deles. Nossa integridade é muito mais acessível para nós do que a deles jamais será.

Em geral, procuramos fora de nós mesmos por heróis e mestres. Não ocorreu à maioria das pessoas que elas próprias já podem ser o modelo que procuram. A integridade que estão buscando pode estar dentro delas, bloqueada por crenças, atitudes e dúvidas de si próprias. Mas nossa integridade existe dentro de nós agora. Embora possa estar presa, ela pode ser invocada para nos orientar, dirigir e, mais fundamentalmente, confor-

105

tar. Ela pode ser lembrada. E podemos, finalmente, acabar por viver segundo ela.

Todos nós lemos histórias sobre pessoas que vencem limitações que tiveram toda a vida em resposta a situações extremas. Uma experiência assim pode acontecer a toda uma nação simultaneamente. As histórias que emergiram da Inglaterra durante a Segunda Guerra Mundial indicam que muitos ingleses tiveram a experiência da integridade quando bombardeados pelos alemães. Porém, com mais freqüência, a experiência da integridade é vivenciada em ocasiões e modos bem comuns. Muitas vezes, nem a notamos.

Um de meus pacientes, jovem empresário, com linfoma de Hodgkin, preocupou-se desde o momento de seu diagnóstico com o modo como sua esposa conseguiria lidar com a doença e a possibilidade de sua morte. Ele a descreveu como uma pessoa dolorosamente acanhada, retraída, até mesmo frágil. Tinham fugido para se casar porque ela não quis enfrentar uma cerimônia pública. Ele não conseguia imaginar como ela poderia lidar sozinha com os filhos e com o negócio muito próspero que ele administrava.

Na primeira vez que a vi, ela era bem parecida com a descrição que o marido havia feito. Porém, durante a luta do marido com a difícil quimioterapia, quando ele perdeu as forças, quando decepção após decepção levaram-no à morte prematura, ela passou por uma mudança marcante. Foi ela quem o incentivou a correr riscos, ela quem procurou médicos e outros especialistas por todo o país, quem assumiu uma parte cada vez maior da direção da empresa do marido, aprendendo enquanto fazia, quem sustentou e consolou os filhos. Sua coragem, tanto na vida pessoal como profissional, foi tão espantosa quanto inesperada. Quando ele morreu, ela estava dirigindo a empresa, e depois disso continuou a fazê-lo sozinha e com sucesso.

Poucos anos depois de ele morrer, ela veio para uma consulta. Queria discutir algumas decisões a respeito da educação dos filhos e me perguntou se ele havia mencionado alguma opinião que poderia servir-lhe de orientação agora. A pessoa que me procurou não era a mulher que eu conhecera apenas três anos antes. Comentei sobre as mudanças e sobre a força notável que ela mostrara para lidar com a doença e a morte do marido e conduzir sua própria vida. Ela sabia que seria capaz de fazer tudo o que fizera naqueles três anos?

"Ah, não", ela respondeu. Sempre fora tímida e rotulada de tímida pelos outros desde menina. Por isso, ninguém jamais lhe apresentara desafios, e ela própria nunca se desafiara. No entanto, sua coragem e capacidade de correr riscos vieram com grande naturalidade. Ela se surpreendera a princípio, mas depois refletiu que sua coragem tinha como causa sua timidez. Ela sorriu. "Rachel, eu era tão acanhada que precisava tomar coragem para dizer olá para alguém, precisava de coragem para ir ao supermercado e à lavanderia; parecia arriscado para mim toda vez que eu atendia ao telefone. Era preciso muita coragem simplesmente para viver, para fazer as coisas que outras pessoas fazem sem pensar todos os dias. Acho que com o passar dos anos minha coragem acabou crescendo de tanto ser usada o tempo todo daquela maneira. E, quando chegou a hora e Jim precisou muito de mim, quando eu não podia mais ajudá-lo se fosse tímida, bem, acho que eu estava preparada."

Alguns anos atrás, um jovem psiquiatra, residente do Instituto Langley Porter do Centro Médico da Universidade da Califórnia, em San Francisco, procurando aprender mais sobre pessoas nos limites da vida, veio observar minhas sessões. Um ex-membro de gangue que tinha as mãos recobertas de tatuagens falava sobre o amor imenso que agora sentia por sua jovem esposa, que estava morrendo de câncer, o modo como aquela capacidade de amar pegara-o de surpresa e, com isso, o curara. Enquanto ele nos comunicava percepções a respeito de si mesmo e experiências de intensa intimidade e carinho com sua esposa, olhei de relance para o jovem psiquiatra freudiano. Ele tinha parado de tomar notas. Seus olhos estavam marejados. Depois que o paciente saiu, perguntei a ele se aprendera algo útil com aquela sessão. Ele sorriu com tristeza. "Todos nós somos mais do que aparentamos", respondeu.

Na verdade, todos nós somos mais do que sabemos. A nossa inteireza nunca é perdida, apenas esquecida. Inteireza raramente significa que precisamos acrescentar alguma coisa a nós mesmos: ela é mais um desfazer do que um fazer, uma libertação das crenças que temos com respeito ao que somos e dos modos como fomos persuadidos a nos "consertar" para saber quem verdadeiramente somos. Mesmo depois de muitos anos vendo, pensando e vivendo de um jeito, somos capazes de ir buscar além de tudo isso a nossa inteireza e viver de um modo que nunca tínhamos esperado viver. Estar com a pessoa nessas ocasiões é como vê-la apalpar os bolsos para lembrar onde é que guardou sua alma.

Dois meses depois do diagnóstico de câncer na mama, uma mulher veio contar-me um sonho. Ela estava no zoológico de Chicago, olhando uma gaiola na qual uma águia dormia no poleiro. A gaiola era feita de um material que parecia tela de arame, só que muito mais pesado e mais forte.

Enquanto a mulher olhava, a águia acordou. Estendendo as asas magníficas, voou pela parede da gaiola. A mulher ficou olhando até a águia tornar-se um pontinho minúsculo no céu. Quando a ave finalmente desapareceu, a mulher não teve uma sensação de perda; em vez disso, sentiu o coração leve. Foi então que ela notou que não havia buraco na parede da gaiola.

"Um sonho maravilhoso", pensei, e perguntei a ela como o interpretara. Ela hesitou, e depois disse que temia o que o sonho teria significado. Eu achava que aquele sonho significava que ela iria morrer? Respondi que não sabia, mas que certamente era um sonho sobre libertação. Desconfiava que ele poderia igualmente significar que ela iria viver.

Três anos depois, essa mesma mulher, admirada com as mudanças íntimas e o despertar que ela vivenciara desde seu diagnóstico, disse-me: "Quem iria pensar que eu poderia encontrar tanta alegria na vida tendo câncer? Quem iria imaginar ser possível uma coisa dessas?".

Muitas vezes, recobrando a liberdade de ser quem somos, recordamos alguma qualidade humana básica, uma capacidade insuspeitada de amor, solidariedade ou alguma outra parte de nosso direito inato comum como seres humanos. O que encontramos é quase sempre uma surpresa, mas também é familiar; como algo que guardamos no fundo de uma gaveta muito tempo atrás: assim que o vemos, sabemos que é nosso.

O LONGO CAMINHO PARA CASA

Freqüentemente, um período de crise é um período de descobertas, um tempo em que não conseguimos manter o antigo modo de fazer as coisas e entramos em uma acentuada curva de aprendizado. Às vezes é preciso uma crise para iniciar o crescimento. Tive uma paciente que estava no oitavo ano de recuperação de um câncer cervical. Ela viera toda semana na época em que estava fazendo o tratamento contra o câncer, mas agora nos víamos apenas para "reavivar a memória", quando ela se sentia pressionada e tensa. Helene era uma mulher deslumbrante, que passava muitas horas cuidando da aparência. Mesmo durante a pior fase de sua quimioterapia e doença, suas unhas eram perfeitas; suas perucas, primorosas. Ninguém vira seu rosto sem maquiagem desde que ela era menina. Permanecera solteira por muitos anos. Quando se casou, sempre acordava trinta minutos antes do marido para estar totalmente maquiada e vestida quando ele abrisse os olhos.

O Índice de Stress de Holmes-Rahe atribui o mesmo grau de *stress* para uma promoção e uma perda do emprego, para um casamento e um divórcio. Talvez seja a mudança em si que provoque em nós o *stress*, seja ela uma perda seja um ganho. Helene veio me procurar para um de seus "retoques" porque ficara noiva. Ela descreveu o noivo como uma pessoa maravilhosa — gentil, leal, inteligente e com grande senso de humor. Ele era um homem de negócios muito bem-sucedido e criativo. Estavam morando juntos fazia algum tempo e davam-se otimamente. Ela o descreveu como "perfeito", exceto em uma coisa: faltava-lhe paixão. A vida romântica dos dois era "agradável, mas tediosa". Ele lhe pedia permissão toda vez que a beijava. Ela não tinha certeza de ser isso o que desejava em um homem.

Tudo isso mudou abruptamente, no dia 17 de outubro de 1989, às 17h04. Naquela tarde, Helene estava em uma das lojas de departamento mais finas do centro de San Francisco, procurando o traje perfeito para um jantar de negócios em honra a seu noivo. Na companhia de uma vendedora, ela estava em um provador experimentando um vestido de seda fúcsia que acabara de decidir ser perfeito. As duas mulheres estavam admirando o vestido quando a vendedora sugeriu que Helene fosse vestida com ele até o sétimo andar para experimentar um par de sapatos que combinasse. Deixando todos os seus pertences no provador trancado, ela foi até a seção de calçados. Acabara de calçar um par de sapatos de salto alto, de tom perfeito, quando aconteceu o terremoto.

Todas as luzes se apagaram. O prédio tremeu violentamente e Helene foi atirada ao chão. No escuro, ouviu coisas caindo à sua volta. Quando o tremor passou, ela, algumas vendedoras e vários outros clientes deram um jeito de descer as escadas no escuro até a porta de saída. Vidros quebrados espalhavam-se por toda a parte.

Helene viu-se na rua com um vestido caríssimo e sapatos com salto de dez centímetros que combinavam perfeitamente. Pessoas assustadas e atarantadas passavam rápido por ela. Todas as suas roupas e sua bolsa estavam em algum lugar no caos escuro de um prédio no qual possivelmente não era mais seguro entrar. Seu dinheiro estava na bolsa. As chaves do carro também. Andando até a esquina, ela tentou fazer uma ligação no telefone público. Não funcionava.

Helene era uma pessoa que nunca fora capaz de pedir ajuda, e não conseguiu pedir ajuda naquela situação. Começou a andar em direção ao norte, para sua casa em San Rafael, a muitos quilômetros dali.

Ela demorou quase oito horas para chegar. Depois de algum tempo, seus pés começaram a doer, por isso ela tirou os sapatos de salto e jogou-os fora. Continuando a andar, as meias de náilon rasgaram e seus pés começaram a sangrar. Ela passou por prédios que tinham desabado, tropeçou em detritos, chapinhou em ruas cobertas de água imunda devido às tentativas de apagar o fogo. Suja, suada e despenteada, ela seguiu pela Marina até a ponte Golden Gate, atravessou-a até o condado vizinho. Chegou a casa pouco depois da meia-noite e bateu à porta. O noivo abriu, ele que nunca antes a tinha visto com os cabelos desalinhados. Sem uma palavra, ele a tomou nos braços, fechou a porta com um chute, cobriu seu rosto sujo e manchado de lágrimas com beijos e fez amor com ela ali mesmo no chão.

Helene é uma pessoa muito inteligente, mas não conseguiu entender por que nunca encontrara aquele amante ardoroso antes. Quando lhe perguntou, ele respondeu simplesmente: "Eu estava sempre com medo de borrar seu batom".

Ela me contou que hoje, quando começa a ter uma recaída do seu antigo perfeccionismo, lembra o olhar de amor no rosto do noivo quando ele

110

abriu a porta. Toda a sua vida ela fora alvo dos olhares dos homens, mas nunca vira aquela expressão em um deles antes.

No âmago de toda verdadeira intimidade está uma certa vulnerabilidade. É difícil confiar a alguém nossa vulnerabilidade se não vemos na pessoa uma vulnerabilidade equivalente e sabemos que não seremos julgados. De algum modo fundamental, nossas imperfeições, e até mesmo nossa dor, atraem os outros para perto de nós.

O RECIPIENTE

Muitas vezes a raiva é um sinal de comprometimento com a vida. As pessoas zangadas são profundamente afetadas pelos acontecimentos de suas vidas e têm sentimentos fortes quanto a eles. Como emoção, a raiva tem suas limitações e, certamente, é muito mal-afamada, mas minha experiência com pessoas enfermas indica que existe algo de saudável nela. Sem dúvida, os estudos sobre o câncer feitos por Levy, Temoshak e Greer mostram que muitas pessoas que se recuperam ficam zangadas primeiro. A raiva é apenas uma demanda por mudança, uma ânsia arrebatada de que as coisas sejam diferentes. Ela pode ser um modo de restabelecer fronteiras importantes e afirmar a integridade pessoal em face de uma doença que modifica o corpo e a vida. E, como aconteceu comigo, ela pode ser a primeira expressão da vontade de viver. A raiva torna-se um problema para as pessoas apenas quando elas a adotam como um modo de vida.

Uma das pessoas mais raivosas com quem já trabalhei foi um jovem com sarcoma osteogênico na perna direita. Ele fora atleta no curso primário e secundário e, até à época do diagnóstico, levara uma boa vida. Belas mulheres, carros velozes, reconhecimento pessoal. Duas semanas depois de seu diagnóstico, sua perna foi amputada acima do joelho. Essa cirurgia, que lhe salvou a vida, também pôs um fim à sua vida. Jogar bola tornou-se coisa do passado.

Hoje, existem muitos tipos de comportamentos autodestrutivos disponíveis a um jovem raivoso como esse. Ele se recusou a retomar os estudos. Começou a beber muito, usar drogas, afastar seus antigos admiradores e amigos e chegou a sofrer um acidente de automóvel após outro. Depois do segundo desses acidentes, seu ex-treinador telefonou-me e o encaminhou a mim.

Ele era um jovem de constituição forte, bem-apessoado, imensamente concentrado em si mesmo e isolado. No princípio, ele tinha o tipo de raiva que me era familiar. Mergulhado em um senso de injustiça e autopiedade, odiava todas as pessoas sadias. Em nosso segundo encontro, esperando incentivá-lo a revelar seus sentimentos sobre si mesmo, dei-lhe um bloco de desenho e pedi-lhe que fizesse um desenho de seu corpo. Ele fez um esboço mal-acabado de um vaso, só o contorno. O centro era atravessado por uma funda rachadura. Ele riscou muitas vezes a fenda com lápis preto, cerrando os dentes e rasgando o papel. Tinha lágrimas nos olhos. Eram lágrimas de raiva. Parecia-me que ele estava desenhando uma veemente declaração de sua dor e do caráter definitivo de sua perda. Estava claro que aquele vaso quebrado nunca conteria água, nunca mais poderia voltar a funcionar como um vaso. Era triste de se ver. Depois que ele saiu, dobrei o desenho e guardei-o. Parecia importante demais para ser jogado fora.

Com o tempo, a zanga do rapaz começou a mudar de maneiras sutis. Uma das sessões ele começou entregando-me um recorte que tirara de nosso jornal local. Era um artigo sobre um acidente de motocicleta no qual um jovem perdera a perna. Seus médicos eram citados por extenso. Terminei de ler e olhei para ele. "Esses idiotas não sabem coisa nenhuma sobre isso", disse ele com fúria. Ao longo do mês seguinte ele me trouxe mais artigos como aquele, alguns de jornais, outros de revistas: uma moça que sofrera queimaduras graves em um incêndio em casa, um menino que tivera a mão parcialmente destruída na explosão de seu jogo de química. Suas reações eram sempre as mesmas: um julgamento severo sobre os bem-intencionados esforços de médicos e pais. Sua raiva em nome daqueles jovens começou a ocupar cada vez mais tempo de nossas sessões. Ninguém os compreendia, ninguém os apoiava, ninguém sabia realmente como ajudá-los. Ele continuava irado, mas me parecia que, por trás da raiva, estava crescendo uma preocupação com as outras pessoas. Animada, perguntei se ele gostaria de fazer alguma coisa a respeito daquilo. Pego de surpresa, ele a princípio respondeu que não. Porém, pouco antes de sair, perguntou se eu achava possível ele conhecer alguns daqueles outros jovens que haviam sofrido lesões como a sua.

Pessoas de todas as partes do mundo procuravam nosso hospital-escola, sendo grande a chance de haver ali algumas com o tipo de lesão com as quais ele se preocupava. Respondi que achava bem possível e que procuraria saber. Isso acabou sendo fácil. Em poucas semanas, ele começou a visitar nos pavilhões cirúrgicos outros jovens cujos problemas eram semelhantes ao seu.

Voltava daquelas visitas cheio de histórias, maravilhado por descobrir que era capaz de comunicar-se com os jovens. Muitas vezes ele conseguia ajudar quando ninguém mais era capaz. Depois de algum tempo, ele se sentiu apto para falar com os pais e os parentes, ajudando-os a compreender

113

melhor e a saber o que era preciso. Os cirurgiões, encantados com os resultados daquelas visitas, indicavam a ele cada vez mais pessoas. Alguns dos médicos lembravam-se dele dos tempos de atleta e começaram a passar algum tempo com ele. À medida que foi conhecendo os médicos, seu respeito por eles cresceu. Gradualmente, sua raiva dissipou-se e ele passou a exercer uma espécie de sacerdócio. Eu só observava, ouvia e apreciava.

De todas as suas histórias, minha favorita era uma visita a uma jovem que tinha uma trágica história familiar: o câncer de mama tirara a vida de sua mãe, sua irmã e sua prima. Outra irmã estava fazendo quimioterapia. Este último evento a impelira a tomar providências. Aos 21 anos de idade, ela optou por uma das únicas escolhas disponíveis na época: a remoção cirúrgica das mamas.

Ele a visitou em um dia quente de verão, de *short*, com a perna artificial completamente à mostra. Ela, profundamente deprimida, estava na cama, de olhos fechados, e se recusou a olhar para ele. O rapaz tentou tudo o que sabia para fazer contato com ela, mas sem sucesso. Disse-lhe coisas que só outra pessoa com o corpo alterado ousaria dizer. Fez piadas. Até se zangou. Ela não reagiu. O tempo todo, tocava no rádio um *rock* suave. Finalmente, frustrado, ele se levantou e, num último esforço para conseguir atenção, soltou as tiras que prendiam sua perna artificial e a deixou cair no chão com estrondo. Sobressaltada, ela abriu os olhos e o viu pela primeira vez. Encorajado, ele começou a pular pelo quarto, acompanhando a música com estalos dos dedos e rindo alto. Depois de um momento, ela também deu uma gargalhada. "Parceiro, se você pode dançar, talvez eu possa cantar", disse ela.

Aquela jovem tornou-se sua amiga e começou a visitar pessoas no hospital junto com ele. Ela estava na faculdade e o incentivou a retomar os estudos, cursar psicologia e sonhar em levar adiante seu trabalho. Acabou se tornando sua esposa, uma pessoa muito diferente das modelos e animadoras de torcida que ele namorara no passado. Porém, muito antes disso, encerramos nossas sessões juntos. Em nosso último encontro, recordamos o modo como ele chegara, os impasses, os momentos críticos. Abri sua ficha e encontrei o desenho do vaso quebrado que ele fizera dois anos antes. Desdobrei o desenho e perguntei se ele se lembrava do retrato que fizera de seu corpo. Ele o pegou e olhou-o durante algum tempo. "Sabe, não está terminado", disse ele. Surpresa, entreguei-lhe o cesto de lápis de cor. Pegando um lápis amarelo, ele começou a desenhar linhas que irradiavam da rachadura do vaso em direção aos cantos do papel. Fortes linhas amarelas. Eu observava, intrigada. Ele sorria. Finalmente, ele pôs o dedo na rachadura, olhou para mim e disse com brandura: "É por onde a luz passa".

O sofrimento está intimamente ligado à inteireza. O poder do sofrimento para desenvolver a nossa inteireza não é apenas uma crença cristã; tem sido parte de quase todas as tradições religiosas. Porém, vinte anos de trabalho com pessoas que têm câncer, em um contexto de perda e sofrimento inimagináveis, mostram que isso pode não ser absolutamente um ensinamento ou crença religiosa, e, sim, algum tipo de lei natural. Ou seja, podemos aprendê-lo não por revelação divina, mas simplesmente por uma observação atenta e paciente da natureza do mundo. O sofrimento molda a força vital, às vezes em raiva, às vezes em censura e autopiedade. Pode acabar nos mostrando a liberdade de amar e servir à vida.

OUTRO TIPO DE SILÊNCIO

No primeiro ano em que exerci a medicina, uma de minhas pacientes foi uma garota de 15 anos com leucemia, filha única de pais em idade avançada. Na época, a leucemia não era a doença tratável que é hoje. A quimioterapia disponível era bastante tóxica, e muitas vezes uma criança precisava ficar hospitalizada por longos períodos. Aquela garota fora internada e ficara em tratamento várias vezes, mas sua doença continuava a fugir de controle. Nosso tempo estava quase se esgotando. Sua quimioterapia era por via intravenosa, administrada religiosamente a cada quatro horas. Embora tivesse sido prescrita por seu médico particular, nós, os residentes, éramos os únicos médicos presentes 24 horas por dia no hospital, e, portanto, administrávamos o tratamento. Faltando 15 minutos para a hora marcada, eu ia à sala de tratamento e preparava uma solução salina intravenosa. Como a droga usada na quimioterapia era extremamente cáustica em sua forma não-diluída, eu colocava um avental, óculos, máscara e luvas de proteção. Trajada como um cavaleiro em armadura completa, eu pegava o frasquinho com a droga anticâncer de seu armário trancado, tirava uma seringa nova da embalagem, extraía com cuidado a quantidade exata necessária, verificava duas vezes se ela estava correta e, então, a injetava no frasco de soro fisiológico. Tirando o avental protetor, a máscara e os óculos, mas ainda de luvas, eu levava a medicação diluída para a cabeceira de Gloria, encontrava uma veia em seu braço e dava início à infusão que lentamente injetava o veneno direto em sua corrente sanguínea. Eu detestava fazer isso.

Os momentos que eu passava com Gloria ficavam ainda mais difíceis porque a política do hospital na época era não conversar sobre a doença ou a possibilidade de morte com uma criança sem a permissão dos pais. Os pais de Gloria haviam negado veementemente essa permissão. Tinham colocado um cartaz na sala das enfermeiras alertando-nos para não falar com sua filha sobre a doença ou o prognóstico. Havia outro lembrete na frente da ficha médica de Gloria. O desejo dos pais estava claro. Eu, tendo acabado de fazer 24 anos, era apenas oito anos mais velha que minha paciente. Éramos duas jovens reunidas pela perda e pela possibilidade da morte, mas separadas por um muro de silêncio palpável como uma lâmina espessa de vidro. Eu podia ver Gloria, falar com ela, e quando injetava a quimioterapia podia, inclusive, tocá-la, mas cada uma de nós estava terrivelmente sozinha. À noite, o tratamento de Gloria tinha de ser aplicado às 2 horas e, pela manhã, às 6 horas, e esses horários eram especialmente difíceis para mim. Talvez devido à escuridão ou ao eco de meus passos enquanto eu andava pelo pavilhão adormecido, a solidão parecia quase insuportável. Eu tinha horror a ir lá.

O muro caiu uma noite, de um modo muito natural. Ao levar a dose das 2 horas para Gloria, entrei em seu quarto, acendi a pequena lâmpada sobre sua cama e a acordei. Ela, deitada em um círculo de luz, observava enquanto eu preparava sua injeção. A agulha entrou com facilidade; prendi-a com esparadrapo e abri a válvula reguladora. Com delicadeza, acomodei seu braço sob o cobertor e perguntei se ela precisava de alguma coisa. Nossos olhos se encontraram. "Doutora Remen", ela perguntou, "eu estou morrendo?"

Muitas coisas passaram pela minha cabeça com enorme rapidez. Eu sabia o que me haviam instruído para dizer, mas quando procurei as palavras profissionais de negação elas não quiseram sair. Em vez disso, eu disse a Gloria que estávamos fazendo tudo o que sabíamos, mas a doença continuava progredindo. Se aquilo continuasse, era bem possível que ela morresse. Seus olhos se fecharam por um momento, e então ela me disse que já sabia. Pediu que não contasse a seus pais. Achava que eles não seriam capazes de suportar aquilo.

Perguntei se ela estivera pensando muito a respeito de morrer. Ela fez que sim com a cabeça. "Qual é a parte mais difícil disso para você?" Ela respondeu que era não saber como era morrer. Indagou se eu já vira alguém morrer. Quando eu disse que sim, ela me pediu para contar-lhe.

Naquela época eu não presenciara muitas mortes, mas contei-lhe sobre as duas que vira pessoalmente. Ela não sabia que morrer não dói, e pareceu muito aliviada. Perguntei se lhe entristecia conversar daquela maneira, e ela disse que não, que estava triste já fazia muito tempo. Queria conversar mais. Já era quase de manhã. Prometendo que falaríamos de novo quando eu voltasse às 6 horas com sua dose seguinte do remédio, incentivei-a a dormir. Obediente, ela fechou os olhos. Deixei a luz acesa.

Às 6 horas começamos a primeira de uma série de conversas sobre a morte. Seus pais não eram religiosos, e o que ela deduzira com base na conduta deles quando o cachorro morrera era que a morte era o fim. Ela sentia muita saudade do cachorro. Eu achava que a morte era o fim? "Bem, nós não sabemos realmente", respondi, e lhe falei sobre a morte do modo como eu a via, um mistério, dizendo que ela poderia ser o fim da vida, mas também podia não ser.

Refletimos juntas: será que a vida poderia continuar de alguma outra forma? Falamos sobre o céu e outras idéias ligadas à possibilidade de vida após a morte. Ela ficou surpresa ao saber que a maioria das pessoas no mundo acredita que existe vida após a morte. Eu comentei que filósofos e outras pessoas sempre refletiram sobre o mistério da morte e escreveram sobre isso. Perguntei se ela gostaria que eu lhe trouxesse alguns daqueles textos. Ela aceitou o oferecimento.

Durante mais ou menos uma semana, lemos e conversamos. Às vezes um de seus amigos estava presente, e então conversávamos todos. A morte era um tema que nunca fora abordado em meu treinamento médico. Havíamos estudado os cuidados com o paciente à beira da morte, o que é diferente. Mas eu era bacharel em filosofia. Essa escolha quase me custara a admissão em várias faculdades de medicina importantes, mas, sem dúvida, agora estava sendo de grande valia para mim.

Descobri que ansiava por nossas conversas, por ouvir Gloria contar o que pensava e sentia. Uma noite ela me contou que também aguardava ansiosa nossas conversas e que sentia menos medo desde que tínhamos começado a falar. Eu na época não sabia muito sobre psicologia, e surpreendeu-me que simplesmente conversar com alguém sobre uma coisa que não tinha solução, que não tinha uma resposta possível de ser conhecida, poderia ter aquele efeito. Embora eu tivesse sido muito bem-treinada em diagnosticar psicopatologias, não me tinham ensinado isso sobre o medo.

Com o passar dos dias, ficou evidente que a quimioterapia não estava controlando a doença de Gloria. Suas contagens de células estavam aumentando, e ela se sentia mais fraca a cada dia. Eu não conhecia seus pais, pois eles se comunicavam apenas com seu médico particular e não com os médicos da equipe do hospital. Quando a situação começou a agravar-se demais, percebi que tinha de fazê-la conversar com eles. Eu estava um pouco nervosa com isso, pois violara o desejo expresso de seus pais ao falar com ela. Aquele não era absolutamente o modo como as coisas deveriam ser feitas, e eu achava que eles se zangariam, com razão. Eu também transgredira a política do hospital, não consultando seu médico particular nem contando a ele sobre nossas conversas. Se os pais se queixassem ao médico, aquilo poderia inclusive me custar o emprego. Mesmo assim, parecia que a única atitude correta era encorajá-la a falar com eles.

Perguntei a Gloria como ela se sentiria a respeito de conversar com os pais, dizendo que desconfiava que eles não sabiam que ela estava pensando na morte. Ela indagou se eles sabiam que ela estava morrendo, e eu respondi que sim, mas que não sabiam como conversar com ela sobre isso. Ela disse-me que agora sentia-se capaz de falar com eles.

Ela me contou que a primeira conversa tinha sido carregada de emoção. Pudera dizer-lhes que sentia tê-los decepcionado por ficar doente. Eles, pessoas boas que eram, contaram-lhe o quanto ela enriquecera suas vidas e disseram-lhe que, de modo algum, estavam desapontados. Ela sentira a intensidade do amor dos pais. Sabia o quanto a mãe a amava, mas o pai nunca demonstrara antes; agora ela sabia o quanto ele se importava com ela. "Ele até chorou", ela me disse.

Nos dias que se seguiram eles compartilharam muitas recordações de família. Gloria disse a eles coisas que tinham sido importantes para ela, coisas que ela apreciara. Muitas daquelas coisas eles nem mesmo sabiam. Ela fez um pequeno testamento e falou a eles a respeito disso. Falou até sobre seu funeral, e eles o planejaram juntos. A pedido de Gloria, o pai trouxe uma fotografia do lugar em que ela seria sepultada. Lembrou-a de que um dia ele e a mãe também iriam para lá. Era muito, muito triste, mas não era solitário.

Como os dias foram passando e ninguém veio me dizer nada, minha preocupação começou a diminuir. Embora eu não tivesse pedido a Gloria que mantivesse nossas conversas em segredo, aparentemente ela não contara aos pais. Senti um grande alívio.

Finalmente, Gloria entrou em coma e morreu serenamente, pouco antes do nascer do sol. Seus pais estavam com ela. Era minha noite de plantão naquela ala do hospital, e por isso fui chamada, estando lá quando seu médico particular chegou para assinar a certidão de óbito e conversar com eles. Consciente de sua responsabilidade de treinar os médicos da equipe do hospital, ele me convidou para irmos juntos à sala de aconselhamento e me apresentou aos pais de Gloria.

Estava evidente que os dois tinham chorado. O médico garantiu-lhes que tudo o que era possível, tudo o que era cientificamente conhecido fora feito, mas não bastara. Disse-lhes com sinceridade que sentia muitíssimo. Falou da coragem de Gloria e do quanto seus pais tinham sido bons para ela. Disse palavras de consolo. Ambos tinham estado com ela no final. Ela não morrera sozinha. E ela não sabia que estava morrendo, por isso não sentira medo.

Quando ele terminou, ficamos ali sentados por algum tempo. Então, o pai olhou para mim pela primeira vez.

"Obrigado", ele disse.

Ela não morrera sozinha, mas fora por muito pouco.

A CAMINHO DE CASA

Em 1972, fui convidada para ser cobaia em um projeto de pesquisa realizado no Instituto Esalen por dois educadores, Sukie e Stuart Miller. Na época, o movimento do potencial humanístico estava no auge, e Esalen era o centro de uma mudança de modelos que acabaria influenciando os próprios alicerces de nossa cultura: educação, política, teologia, direito e, evidentemente, medicina. A instituição acolheu intelectuais pioneiros como Gregory Bateson, Abraham Maslow, Aldous Huxley, Joseph Campbell, Alan Watts, Fritz Perls e muitos outros.

O projeto de pesquisa era uma bolsa de estudos de 24 meses oferecida a 12 médicos convencionais e bem estabelecidos. Teríamos a oportunidade de passar um fim de semana por mês com algum daqueles teóricos pioneiros discutindo novas perspectivas, experimentando novos métodos e tentando descobrir se aquelas novas idéias a respeito da natureza e da capacidade dos seres humanos tinham aplicação na prática da medicina.

Na época, eu era uma jovem catedrática, diretora-adjunta da clínica de pediatria em Stanford, e a saúde holística ainda estava a 12 anos no futuro. Eu estava segura quanto à minha orientação profissional. Era uma pediatra acadêmica, uma das poucas mulheres no corpo docente de Stanford, e minha ambição era tornar-me chefe do departamento de pediatria em uma importante faculdade de medicina. Eu aceitara participar do projeto não porque o reconhecesse como uma porta aberta para meu futuro, mas porque, aos 34 anos, ele me pareceu uma excelente maneira de travar conhecimento com homens.

Aquela se revelou uma das decisões mais importantes de minha vida, um momento crítico que levou a quase todas as coisas significativas que me aconteceram depois. Apesar de uma década e meia de treinamento científico, muito tempo atrás eu fizera o bacharelado em filosofia. Muitas das questões não respondidas de meus tempos de faculdade, postas de lado como irrelevantes para a tecnologia de minha profissão, reemergiram com toda a sua força e mistério em Esalen. Eu adorava aqueles fins de semana. Contudo, mais ou menos seis meses depois de dar início à minha participação no projeto, comecei a sofrer ataques de pânico. Depois do terceiro desses acessos, evidenciou-se um padrão: eles ocorriam poucos dias antes do fim de semana em que deveria ir para Esalen. Abalada com esses episódios, procurei Sukie Miller e tentei desistir.

Mas Sukie era sábia o bastante para não permitir isso. Mestre em terapia, conhecedora dos processos de crescimento e dos fenômenos psicológicos que ocorrem quando se perde o velho modo de ser e o novo ainda não começou, ela me perguntou se eu não tinha curiosidade em saber por que aquelas coisas estavam acontecendo. Eu ainda estava suficientemente ligada à minha objetividade para não conseguir admitir que tudo o que queria fazer era fugir. Quando respondi que gostaria de entender melhor, ela se ofereceu para ajudar-me a usar visualização, uma técnica básica dos novos ramos da psicologia que estávamos explorando no programa para descobrir o significado daqueles acessos.

Fizemos uma breve sessão. Ela pediu que eu fechasse os olhos e me encorajou a permitir que uma imagem relacionada a meu pânico me viesse à mente. Apesar de meu ceticismo quanto a esse novo método, encontrei uma imagem imediatamente: um retângulo branco, estreito e plano. Descrevi-o para ela e, com toda a autoridade de quem estava habituada a fazer um diagnóstico médico rápido, acrescentei: "É um cartão de visita". Sukie perguntou se eu tinha certeza. Horrorizada, percebi que não tinha certeza, que na verdade eu não sabia o que era aquela imagem. Ao perceber isso, comecei a sentir as temidas sensações de pânico. Abri os olhos depressa. Sukie sorriu, tranqüilizadora. Compreendia minha aflição e disse que eu poderia desistir do projeto, mas talvez fosse melhor eu esperar até que o significado daqueles episódios ficasse claro. Sugeriu que eu refletisse sobre o retângulo branco várias vezes por dia em minhas "horas de folga", que meditasse sobre ele enquanto esperava o sinal de trânsito abrir ou na fila do supermercado. Incentivou-me a mantê-lo na mente e, de um modo constante e sem exigências, estar receptiva para conhecer o que ele significava. Garantiu que seu significado se revelaria para mim no devido tempo.

Demorou quatro ou cinco semanas, durante as quais eu me senti frustrada e irritada, convencida de que era tudo uma manipulação astuta de Sukie para me manter no programa de pesquisa e conservar a integridade de seus dados. Mas não era verdade. Recordo-me exatamente onde eu estava e o que estava fazendo quando o mistério se resolveu. Estava subindo de carro pela Gough Street, uma das colinas mais íngremes de San Francisco, em um carro com embreagem manual. Toda a minha atenção concentrava-se

121

em mudar as marchas sem deixar o carro rolar sobre o carro que vinha atrás. De repente, o retângulo branco e plano reapareceu-me na mente, mas desta vez ele começou a mudar de forma, a inchar. Essa imagem foi acompanhada por todos os sentimentos caóticos de um ataque de pânico total. Molhada de suor, parei no acostamento. Apavorada, lembro-me de ter pensado: "Vou morrer aqui". E, então, eu soube o que tudo aquilo significava. A compreensão veio em forma de uma história. O retângulo branco não era um cartão de visita. Era um *marshmallow* que fora submetido a uma pressão externa constante por muitos e muitos anos. A pressão alterara sua forma natural e por isso ele ficara alongado e achatado. Mas agora a pressão fora eliminada. Sua forma estava mudando, e ele estava apavorado. Parecia estar morrendo. Mas o *marshmallow* não estava morrendo, e sim voltando a ser o que era. A forma que lhe fora mais familiar não era sua própria forma. Com o fim da pressão, alguma coisa bem lá dentro dele pôde lembrar sua integridade, sua verdadeira forma, e ele a estava recuperando agora. E em algum lugar havia outros *marshmallows* que agora poderiam reconhecê-lo e tornar-se seus amigos.

Com essa percepção, o pânico se foi e eu tive certeza de várias coisas. Essa história infantil não tinha relação nenhuma com *marshmallows*; era uma história a meu respeito. Minha família tinha em muito alta conta a erudição, a vida acadêmica, a pesquisa e o magistério e um desprezo significativo pelo não-racional. Meus colegas médicos sentiam o mesmo. Eu vivera sempre pressionada para adaptar-me a esse jeito de ser. Era o preço de ser aceita. Eu era capaz de fazer aquelas coisas muito bem e sempre seria, mas aquele não era meu jeito natural, era como escrever com a mão direita quando do se é canhoto. Eu fizera aquilo por tanto tempo e com tanto êxito que ignorava não serem do meu feitio, mas agora sabia com absoluta certeza.

As idéias do programa de Esalen eram transformadoras e as pessoas que eu conhecera ali eram radicalmente diferentes daquelas em meio às quais eu vivera durante anos. Pareciam-se mais com meu avô, e estar com elas trouxera a presença dele de volta à minha vida. A integridade de sua investigação do inefável, de sua disposição para dedicar-se a questões que eram mais amplas do que os instrumentos de estudo disponíveis, havia começado a diminuir a pressão que me mantivera em uma forma que não era a minha. Aquela forma estava morrendo e eu estava reassumindo um jeito de ser que se adequaria a mim perfeitamente. Embora eu fosse capaz de ser analítica e pragmática, por natureza eu era uma intuitiva, até mesmo mística. Era a neta de meu avô. Eu havia me lembrado, e estava indo para casa.

Os acessos de pânico nunca mais voltaram. Sukie não pareceu nem um pouco surpresa.

122

RECORDAÇÃO

O que fazemos para sobreviver muitas vezes é diferente do que podemos precisar fazer para viver. Meu trabalho como terapeuta de pessoas com câncer muitas vezes implica ajudar pessoas a reconhecer essa diferença, a sair da árdua rotina da sobrevivência e redirecionar suas vidas. Das numerosas pessoas que se viram diante desse problema, uma das mais marcantes foi uma mulher asiática, de beleza e elegância notáveis. Por meio de nosso trabalho juntas, percebi que algumas coisas que nunca podem ser reparadas ainda assim podem ser curadas.

Ela estava prestes a começar um ano de quimioterapia contra câncer no ovário, mas não foi sobre isso que falou em nossa primeira sessão. Deu início ao nosso trabalho em conjunto dizendo que era uma pessoa "má", impiedosa, sem consideração, egoísta e antipática. Fez essa auto-acusação com toda gravidade e certeza. Vi a luz salientar sua pele perfeita e o brilho de seus longos cabelos negros e pensei que não acreditava nela. As pessoas verdadeiramente egoístas que eu conhecia poucas vezes tinham consciência disso — apenas colocavam a si mesmas em primeiro lugar, sem dúvidas ou hesitações.

Com vergonha na voz, Ana começou a me dizer que não tinha coração e que seu fenomenal sucesso nos negócios era resultado direto daquela crueldade. O que era mais importante, ela não acreditava que poderia recuperar-se, pois contraíra o câncer em razão de seu comportamento. Questionou-se por ter vindo pedir ajuda. Houve um silêncio no qual nos avaliamos mutuamente. "Por que não começar do princípio?", sugeri.

Ela precisou de mais de oito meses para contar sua história. Não era nascida nos Estados Unidos. Viera com dez anos para o país, como órfã.

Fora adotada por uma boa família, que sabia pouco sobre seu passado. Com a ajuda deles, ela construiu uma vida para si mesma.

Num tom de voz que eu quase não conseguia escutar, ela começou a falar sobre o que passara quando criança no Vietnã durante a guerra. Começou pela morte de seus pais. Ela estava com quatro anos de idade na manhã em que os vietcongues chegaram; era pequena o suficiente para esconder-se no caixote de madeira onde se guardava o arroz, na cozinha. Os soldados não procuraram ali depois de matar os outros. Quando finalmente eles se foram e ela arriscou sair do esconderijo, viu que sua família fora decapitada. Aquele havia sido o começo. Fiquei horrorizada.

Ela prosseguiu. Fora uma época de selvageria, um mundo sem misericórdia. Ela estava sozinha. Passara fome. Fora brutalizada. Hesitante a princípio, depois com franqueza crescente, ela contou histórias e mais histórias. Entrara para um bando de crianças sem lar. Roubara, traíra, odiara, ajudara a matar. Ela havia presenciado coisas além do que um ser humano podia suportar e havia feito coisas inimagináveis. Como um esporo, ela se transformara no que era preciso para sobreviver.

Com o passar das semanas, havia pouco que eu pudesse dizer. Vezes sem conta ela me dizia que era uma pessoa má, uma "pessoa das trevas". Eu estava cheia de horror e pena, desejava aliviar sua angústia, oferecer consolo. Mas ela fizera aquelas coisas. Continuei a ouvir.

Muitas e muitas vezes um muro de silêncio e desespero ameaçou nos isolar uma da outra. Muitas e muitas vezes eu o derrubava, insistindo para que ela me contasse o pior. Ela chorava e dizia: "Não sei se consigo" e, esperando ser capaz de ouvir, eu afirmava que ela precisava contar. E ela começava outra história. Com freqüência, eu me vi sem saber o que responder, incapaz de fazer coisa alguma além de ficar ali com ela, com um pé naquele consultório tranqüilo e seguro e outro em um mundo além da imaginação. Eu nunca fora órfã, nunca fora perseguida, nunca deixara de fazer uma refeição, exceto por escolha própria, nunca fora violentamente atacada por ninguém. Mas em suas trevas eu podia reconhecer o sussurro de minhas próprias trevas, e eu permanecia naquele lugar dentro de mim para ouvi-la e tentar compreender. Eu queria entrar, queria dar-lhe alívio, queria entender, e, no entanto, nada disso era possível. Uma vez, eu mesmo desesperada, pensei: "Sou sua primeira testemunha".

Vezes sem conta ela bradava: "Tenho uma escuridão enorme dentro de mim". Nesses momentos me parecia que o câncer estava, na verdade, contribuindo para fazê-la entender sua vida, oferecendo-lhe o alívio de um castigo temido, mas há muito esperado.

No final de uma de suas histórias, eu estava estarrecida pelo fato de ela ter conseguido viver com aquelas lembranças. Disse isso a ela, e acrescentei: "Estou assombrada". Ficamos sentadas, olhando uma para a outra. "Você me ajuda dizendo isso. Eu me sinto menos sozinha." Assenti com a cabeça e permanecemos em silêncio. Eu *estava* assombrada com aquela mulher e sua capacidade de sobreviver. Em todos aqueles anos trabalhando com pessoas que tinham câncer, eu nunca encontrara uma pessoa como ela. Condoía-me dela. Como um animal apanhado em armadilha que arranca a própria perna a dentadas para fugir, ela sobrevivera — mas a um custo terrível.

Pouco a pouco ela começou a diminuir a moldura de suas histórias, falando sobre eventos mais recentes: sua conduta impiedosa nos negócios, como ela usava as pessoas, sempre pensando em seus próprios interesses. Começou a falar sobre seu desprezo, raiva, crueldade, a desconfiança que sentia das pessoas e sua competitividade. Parecia-me que ela estava completamente sozinha. "Nada mudou, na realidade", pensei. Toda a sua vida continuava organizada em torno da própria sobrevivência.

Uma vez, no final de uma sessão particularmente dolorosa, eu me vi repensando sobre meu dia, reparando que grande parte do tempo eu me concentrava em sobreviver, e não em viver. Fiquei imaginando se eu também caíra na armadilha da sobrevivência. Quanto eu deixara de viver hoje, a fim de fazer ou dizer o que era prático? Para conseguir o que eu pensava necessitar? Poderia a sobrevivência transformar-se em um hábito? Seria possível viver tão na defensiva que nunca se chegava a viver de verdade?

"Você sobreviveu, Ana", deixei escapar. "Certamente, pode parar agora." Ela me olhou intrigada. Mas eu nada mais tinha para dizer.

Um dia ela entrou e disse-me: "Não tenho mais histórias para contar". "Isso é um alívio?", perguntei. Para minha surpresa, ela respondeu: "Não. Sinto um vazio".

"Fale-me sobre isso." Ela desviou o olhar. "Tenho medo de não saber como sobreviver agora." E depois riu. "Mas eu nunca poderia esquecer", refletiu.

Poucas semanas depois, ela veio contar um sonho, um dos primeiros que conseguia lembrar. No sonho, ela se olhava no espelho, vendo seu próprio reflexo da cintura para cima. Tinha a impressão de conseguir enxergar através das roupas, da pele, das profundezas de seu ser. Viu que estava cheia de escuridão por dentro e sentiu uma vergonha bem conhecida, tão intensa quanto a que sentira no primeiro dia em que viera a meu consultório. Mas não conseguia desviar o olhar. E então pareceu que ela estava se movendo, como se tivesse passado pelo espelho e entrado em sua própria imagem, penetrando cada vez mais em suas trevas. Ela avançou às cegas por muito tempo. Quando ela teve a certeza de que não havia um fim, um fundo, que aquilo sem dúvida prosseguiria eternamente, ela teve a impressão de ver um minúsculo ponto à frente. Aproximando-se dele, ela conseguiu reconhecer o que era. Era uma rosa. Um único e perfeito botão de rosa, com um longo caule.

Pela primeira vez em oito meses ela começou a chorar baixinho, sem pesar. "É muito bonito", disse ela. "Posso vê-lo com muita clareza, o caule tem folhas e espinhos. Ela está começando a se abrir. E sua cor é indescritível: o mais suave, o mais delicado, o mais primoroso tom rosa." Perguntei-lhe o que o sonho significava para ela, e ela começou a soluçar. "É minha", ela disse. "Ainda está lá. Todo esse tempo ela continua lá. Tem esperado que eu volte para buscá-la."

A rosa é um dos mais antigos símbolos arquetípicos do coração. Ela aparece nas tradições cristã e hindu e em muitos contos de fadas. Surgia agora para Ana, mesmo sem que ela tivesse lido aqueles contos de fadas ou ouvido falar sobre aquelas tradições. Durante a maior parte de sua vida, ela mantivera sua escuridão próxima de si, usando-a como proteção, até mesmo definindo-se por meio dela. Agora, finalmente, ela fora capaz de se lembrar. Havia uma parte que ela escondera até de si mesma. Uma parte que mantivera em segurança. Uma parte que não fora tocada.

Mais do que as nossas experiências, nossas crenças tornam-se nossas prisões. Mas nossa capacidade de autocura prossegue conosco, mesmo na mais escura de nossas profundezas. O livro *A course in miracles* ensina: "Quando eu me houver perdoado e recordado quem sou, abençoarei todas as pessoas e todas as coisas que vir". O caminho para a liberdade muitas vezes passa pelo coração aberto.

V
ABRINDO O CORAÇÃO

Muitas pessoas que vêm conversar a respeito de seu câncer acabam dizendo que, fundamentalmente, elas se sentiram sozinhas ao longo de toda a sua vida.

Sentiram-se amadas e valorizadas pelos outros por aquilo que são capazes de fazer, mas não por quem são, e amaram e valorizaram a si próprias da mesma maneira. Tiveram relacionamentos, viveram no seio da família, tiveram vizinhos, trabalharam com outras pessoas e, no entanto, sentiram que nunca realmente conheceram as pessoas à sua volta, e que tampouco foram conhecidas por elas. O câncer as fez perceber isso pela primeira vez.

Paradoxalmente, para algumas, a vivência da doença, marcada pelo intenso isolamento, começou a curar essa sensação de solidão. Muitas vezes isso aconteceu lentamente e não em razão de alguma ação deliberada por parte delas; não porque leram um livro, fizeram um curso ou mesmo iniciaram uma prática de meditação. Algumas pessoas que descobriram o mais genuíno senso de conexão, de terem laços, de serem altruístas, descobriram isso absolutamente sem esperar.

Uma mulher contou-me que encontrara seu caminho para a suprema simplicidade de viver com o coração aberto rastejando uma longa distância no escuro. Durante o transplante de medula a que fora submetida, ela sentira muita raiva, inveja e ressentimento, chafurdara na autopiedade e sentira uma vulnerabilidade e um isolamento tão profundos que não havia palavras para descrevê-los. Nunca antes ela se permitira tal intensidade de sentimentos, e ficou esmagada por eles. Fora assustador e doloroso, mas no final aquilo deitara por terra os pensamentos e as crenças habituais que a separavam das outras pessoas, deixando-a com um inabalável senso de vínculo e união. Em meio a seu sofrimento e desamparo, um belo dia ela se deu conta de que todo sofrimento era igual ao seu e toda a felicidade era igual à sua. Disso proveio uma mudança íntima permanente, uma bondade que é quase involuntária.

Compartilhar muitas experiências desse tipo com as pessoas levou-me a refletir sobre a natureza do coração. Talvez o coração não seja apenas uma espécie de namorado. Mais do que um modo de amar, o coração pode ser uma forma de experienciar a vida, a capacidade de perceber uma conexão fundamental com os outros e vê-los por inteiro. Como aconteceu com essa mulher, a abertura do coração parece ir bem mais longe que o amor, chegando a uma experiência de vinculação com os outros que cura nossas feridas mais profundas. Quando uma pessoa olha as outras dessa maneira, a ligação que sentem torna mais simples perdoar, ter compaixão, servir e amar. Como disse minha paciente: "Quando consegui ligar-me honestamente a mim mesma, descobri que também estava ligada a todas as outras pessoas".

Talvez a cura do mundo resida exatamente nesse tipo de mudança de nosso modo de ver, na percepção de que, em nosso sofrimento e em nossa alegria, estamos vinculados uns aos outros com laços humanos indestrutíveis e imperiosos. Sabendo disso, todos nós passamos a ser menos vulneráveis e solitários. O coração, que é capaz de ver essas ligação, pode ser uma fonte de cura muito mais poderosa do que a mente.

UM MODO DE VIDA

Somos uma nação de comunicadores, mas comunicação nem sempre é conexão. Lembro-me de uma cena em um filme de Woody Allen na qual um grupo de nova-iorquinos solitários está sentado à mesa tomando cerveja, conversando freneticamente uns com os outros a fim de aliviar a solidão. Todo o mundo fala ao mesmo tempo. Aos poucos, eles vão elevando a voz e interrompendo uns aos outros na tentativa de se fazer ouvir. Por fim, ficam tão desesperados que acabam realmente cuspindo uns nos outros no esforço de fazer contato, o que eles nunca conseguem. Essa cena, em geral, provoca risos. Acho que cada vez mais a vida vem se assemelhando a isso. Nos dias de hoje, a desconexão é um hábito, um modo de vida. Eu não me dera conta do quanto vivia isolada até passar uma semana em Fiji. Chegando à noite, desfazendo as malas, peguei despreocupadamente o material de leitura deixado no quarto pela gerência do hotel. Sob o título: "Diferenças culturais", surpreendi-me ao descobrir que em Fiji é considerado "boas maneiras" cumprimentar pessoas totalmente estranhas na rua. O folheto era bem explícito, o que não era motivo de alarme ver-se cumprimentado por estranhos; na verdade, as pessoas achariam uma grosseria se eu não respondesse à altura. O modo correto era fazer contato visual e reconhecer a presença do outro com um meneio de cabeça ou um sorriso, ou ainda dizendo *Bu-la*. No lugar onde fui criada, a cidade de Nova York, uma coisa assim seria extremamente imprudente. Achando graça, decidi tentar.

O que isso significa na prática é o seguinte: você desce a rua até o correio, vai comprar selo para um cartão-postal. Pelo caminho pode cruzar com três ou quatro pessoas, saudando cada uma com um aceno de cabeça ou dizendo *Bu-la* e recebendo delas o cumprimento. Você compra o selo, uma transação que demora só um instante. No caminho de volta, passa exatamente pelas *mesmas* pessoas, e espera-se que você torne a cumprimentá-las, muito embora tenha cruzado com elas apenas alguns momentos antes. A princípio isso é irritante, mas no final de uma semana já se tornou uma segunda natureza.

Retornei então aos Estados Unidos. Saindo às pressas para abastecer a geladeira vazia, vi-me em uma rua movimentada da Califórnia. Absolutamente sozinha. Ninguém fazia contato visual. Ninguém me cumprimentava. Ninguém sorria. Bem no meu íntimo, senti-me invisível e diminuída. E, no entanto, a rua era perfeitamente conhecida. Era minha terra.

Os habitantes de Fiji têm consciência de uma lei humana básica. Todos influenciamos uns aos outros. Cada pessoa é parte da realidade dos outros. Não existe isso de passar por alguém e não reconhecer seu momento de conexão, de não deixar que os outros saibam o efeito que produzem em você e não ver o que você produz neles. Para os habitantes de Fiji, a conexão é natural, simplesmente o modo como o mundo é feito. Aqui passamos uns pelos outros com nossas luzes apagadas, como navios à noite.

APENAS OUÇA

Imagino que o modo mais básico e eficaz de conectar-se com outra pessoa seja ouvindo. Apenas ouvindo. Talvez a coisa mais importante que damos uns aos outros seja nossa atenção. E especialmente se ela for dada de coração. Quando as pessoas estão falando, não é preciso fazer nada além de recebê-las. Simplesmente as acolha. Ouça o que estão dizendo. Importe-se com isso. Na maioria das vezes, importar-se é até mais importante do que entender. Muitos de nós não nos valorizamos ou nos amamos o suficiente para fazer isso. Demorei muito tempo para crer no poder de dizer simplesmente "sinto muito" quando alguém está sofrendo. E dizer com sinceridade.

Uma de minhas pacientes comentou que, quando tentava contar sua história, as pessoas com freqüência a interrompiam para dizer que uma vez já lhes acontecera algo exatamente assim. De um modo sutil, a dor daquela mulher transformava-se em uma história a respeito de si mesma. Ela acabou parando de conversar com a maioria das pessoas. Era solitário demais. Nós nos ligamos aos outros ouvindo. Quando interrompemos o que alguém está dizendo para informar que compreendemos, deslocamos o foco da atenção para nós mesmos. Quando ouvimos, as pessoas ficam sabendo que nos importamos. Muitas pessoas com câncer mencionam o alívio de terem alguém para apenas ouvi-las.

Cheguei até mesmo a aprender a responder a alguém que chora simplesmente ouvindo. Antigamente eu costumava procurar lenços de papel, até o dia em que percebi que passar os lenços para alguém podia ser apenas mais um modo de fazer a pessoa fechar-se, de afastá-la de sua experiência de tristeza e dor. Agora eu só ouço. Depois de ela ter chorado tudo o que precisava chorar, encontra-me ali, com ela.

133

Essa coisa simples não foi assim tão fácil de aprender. Certamente, chocou-se contra tudo o que me fora ensinado desde criança. Eu pensava que as pessoas ouviam só porque eram tímidas demais para falar ou não sabiam a resposta. Um silêncio afetuoso muitas vezes tem maior poder de cura e de conexão do que as palavras mais bem-intencionadas.

NO AVIÃO

Os aeroportos, mesmo os conhecidos, são muito difíceis de percorrer sem companhia quando se perdeu boa parte da visão, como eu perdi. Embarcando recentemente em um avião em San Francisco, desabei na poltrona com alívio e ajustei o cinto de segurança. Eu estava na poltrona do corredor. A da janela era ocupada por um senhor elegante. Havia uma poltrona vazia entre nós dois. Procurando aliviar a tensão da meia hora anterior, coloquei ali minha bolsa, peguei um livro de mistério e comecei a ler. Quando o almoço foi servido, uma hora mais tarde, eu estava profundamente absorta, com o livro a alguns centímetros do nariz. Serviram-nos uma salada, um pão judeu típico, *o bagel*, e meio litro de iogurte. Os tempos mudaram.

Continuando a ler, pus-me a comer vorazmente, até que meu vizinho de poltrona soltou um arquejo consternado. Virando ligeiramente a cabeça, vi que ele tinha derrubado todo o iogurte no chão e havia sujado os sapatos, o tapete e parte de sua bagagem de bordo. Ele estava olhando pela janela. Esperei que tomasse alguma providência, mas nada aconteceu. Olhando para baixo de novo, vi que ele estava lentamente recuando o pé direito, com o sapato coberto de iogurte, até quase escondê-lo debaixo da poltrona. Pude então ver claramente seu pé esquerdo. Tinha o tornozelo inchado, e uma braçadeira de metal aparecia por cima do sapato. Sua perna esquerda estava paralítica.

O sinal para manter preso o cinto de segurança continuava aceso. Estendi o braço e acionei o sinal chamando a aeromoça. Ninguém respondeu. Algum tempo depois, quando chegou o carrinho das bebidas, mostrei o chão e pedi uma toalha molhada à aeromoça. Antes que eu pudesse dizer mais alguma coisa, ela disparou: "Há quatrocentos e cinqüenta e duas pessoas neste avião. Estou fazendo o melhor que posso, vocês terão de esperar". Sua postura defensiva desconcertou-me. Olhamos uma para a outra em silêncio. E, então, percebi que não lhe ocorrera que eu fosse participativa. "Se você me trouxer a toalha molhada, eu poderei cuidar disso", falei com calma. Ela hesitou, ficou pensando se ouvira bem. Depois ergueu as sobrancelhas, virou-se e me trouxe a toalha. Depois de o carrinho passar por nós, olhei de novo para meu vizinho de poltrona. Ele continuava a fitar a janela, o pé esquerdo imóvel, o direito escondido debaixo do assento.

"Eu antes adorava viajar de avião, mas tenho dificuldades agora", comentei; contei-lhe que nos últimos anos vinha tendo problemas para enxergar. Ainda olhando pela janela, ele disse que oito meses antes sofrera um derrame e agora não sentia os braços, da ponta dos dedos até os cotovelos. Mesmo assim, atravessara meio país de avião para passar algum tempo na casa do filho. Ele falava quase num sussurro, e inclinei-me para escutar. "Desde o derrame, tenho incontinência", disse ele, "preciso usar fralda". Assenti com a cabeça, maravilhada com a coreografia daquela fortuita disposição de nossas poltronas. "Tenho uma ileostomia", contei. Ele se virou para mim e perguntou o que era isso, e eu expliquei que meu intestino grosso fora removido cirurgicamente e que eu usava um dispositivo de plástico ajustado ao lado do abdômen para coletar o alimento parcialmente digerido. E acrescentei: "Mesmo depois de trinta anos, tenho receio de que haja um vazamento. Especialmente em um avião". Após um momento, sorrimos um para o outro. Depois ele olhou para a toalha que eu segurava, e eu olhei para seus pés. Enquanto conversávamos, ele tirara o pé direito de sob a poltrona. "O senhor permite?", perguntei, gesticulando com a toalha. De joelhos, comecei a limpar seus sapatos. Enquanto eu fazia isso, ele se inclinou para a frente e comentou: "Eu tocava violino...".

Quando fui devolver a toalha, duas comissárias de bordo agradeceram-me profusamente. Mais tarde, uma outra, que me serviu Coca-Cola, tornou a agradecer. Nada mais foi dito, mas, quando deixei o avião, o piloto estava em pé na saída. Sorri e fiz um aceno de cabeça como sempre, mas ele me deteve. "Obrigado", disse, e colocou algo em minha mão. No meio da rampa de desembarque, vi o que era: o pequeno brinde que as companhias aéreas muitas vezes dão às crianças depois de um vôo, um alfinete em forma de um par de asas.

A tripulação de um avião lida com centenas de milhares de americanos todo o ano. Sua reação de surpresa diante de um simples ato de gentileza é arrepiante. Talvez não sejamos mais um povo gentil. Cada vez mais parecemos ter-nos tornado insensíveis ao sofrimento dos outros e envergonhados do nosso próprio. No entanto, o sofrimento é uma das condições universais de estar vivo. Todos sofremos. Nós nos tornamos terrivelmente vulneráveis, não porque sofremos, mas porque nos separamos uns dos outros.

Certa vez, um paciente disse-me que tentara não dar atenção a seu próprio sofrimento e ao das outras pessoas porque desejava ser feliz. Contudo, tornar-se insensível ao sofrimento não nos faz felizes. A parte de nós que sente o sofrimento é a mesma que sente a felicidade.

SER VISTO PELO CORAÇÃO

Quando somos vistos pelo coração, somos vistos por aquilo que somos. Somos valorizados em nossa singularidade por aqueles capazes de nos ver desse modo e nos tornamos capazes de conhecer e valorizar a nós mesmos. A primeira vez em que fui vista desse modo eu era bem pequena, tinha talvez três anos de idade. Eu não conhecia ainda meu padrinho. Ele morava em outra cidade e, quando ficou evidente que ele estava à beira da morte, fui levada à sua casa para que ele pudesse me ver pela primeira vez. Minha mãe disse-me que eu estava indo ver meu padrinho e que ele estava morrendo. Eu era tão pequena que não entendi muito bem, ficando com a impressão de que estava prestes a ver alguém já morto. Esperei ansiosamente por isso durante vários dias.

Recordo-me com clareza os detalhes desse encontro, especialmente a cama de meu padrinho. Era muito alta, tanto que eu nem enxergava lá em cima, e feita de madeira escura esculpida. Minha mãe me ergueu. Deitado em meio aos travesseiros, de olhos fechados, havia um homem muito velho. Ele estava totalmente imóvel e era tão magro que as cobertas que o envolviam não se elevavam muito acima do nível do colchão. Ela me colocou perto dele, entre ele e a parede. Minha mãe falava baixinho comigo, mas eu não estava escutando. Eu o observava atentamente. Foi então que a filha de meu padrinho chamou minha mãe na cozinha, e minha mãe saiu por um instante, indo até o corredor para saber do que se tratava. Naqueles breves momentos, meu padrinho abriu os olhos e olhou para mim.

Lembro-me o quanto seus olhos eram azuis, e como eram amorosos. Com uma voz que mal passava de um sussurro, ele me chamou pelo nome. Parecia estar querendo dizer alguma coisa mais. Eu era bem nova, mas sabia

137

que sussurros significavam segredo, e por isso inclinei-me para ouvi-lo. Ele sorriu, um sorriso bonito, e disse-me: "Tenho estado à sua espera".

Na minha família, as pessoas eram intelectuais, formais, polidas, e não demonstravam seus sentimentos ou afeição abertamente. Os olhos de meu padrinho e seu sorriso estavam repletos de amor e apreço. Pela primeira vez tive uma sensação intensa de ser bem-vinda, de ter importância para alguém. Suas mãos estavam pousadas sobre as cobertas, e, ainda sorrindo, ele deslizou uma em minha direção. Em seguida, fechou os olhos. Depois de um breve instante, ele deu um suspiro profundo e ficou novamente imóvel. Continuei ali sentada recordando seu sorriso até minha mãe voltar. Ela observou atentamente meu padrinho e então arrancou-me da cama, saindo do quarto às pressas. Meu padrinho tinha morrido.

Meus pais ficaram consternados pelo fato de eu ter estado sozinha com meu padrinho quando ele morreu. Era a década de 40, e eles consultaram um psicólogo infantil para ajudar-me no "trauma" do que ocorrera. Porém, minha experiência tinha sido bem diferente. Muitos anos se passaram antes de eu poder dizer a meus pais o que realmente acontecera e como fora importante para mim.

TORNANDO VISÍVEL A SOLICITUDE

Uma das coisas mais comuns que as pessoas com câncer mencionam é que sua experiência de hospitalização e tratamento levam a um profundo isolamento. Creio que essa sensação de isolamento pode até minar a vontade de viver. Quando sentimos o apoio de outras pessoas, muitos de nós conseguimos enfrentar o desconhecido com mais força. Com freqüência, faço um ritual para ajudar as pessoas em momentos assim.

Por mais de vinte anos, tenho sugerido um ritual muito simples, porém muito poderoso, às pessoas prestes a submeter-se à radiação, quimioterapia ou cirurgia. Sugiro que se reúnam com alguns de seus amigos mais íntimos e parentes na véspera do tratamento. Não importa se o grupo é grande ou pequeno, mas é importante que seja composto daqueles que são ligados à pessoa por laços do coração.

Antes da reunião, sugiro que providenciem uma pedra comum, um pedaço de terra, do tamanho suficiente para caber na palma da mão, e que a levem para o encontro. O ritual tem início com todos sentando-se em círculo. Em qualquer ordem que desejem falar, cada pessoa conta a história de alguma ocasião em que também passou por uma crise. Talvez fale sobre a morte de pessoas importantes, sobre a perda de um emprego, de uma pessoa amada ou até mesmo sobre sua própria doença. A pessoa que fala segura a pedra que o paciente trouxe. Quando termina de contar sua história de sobrevivência, reflete por um momento sobre a qualidade pessoal que em sua opinião a ajudou a atravessar aquele período difícil. As pessoas dirão coisas tais como: "O que me sustentou foi a determinação"; "O que me sustentou foi a fé"; "O que me sustentou foi o humor". Depois de anunciarem o tipo de força que os ajudou, dizem diretamente à pessoa que se prepara

para a cirurgia ou tratamento: "Ponho determinação nesta pedra para você", ou "Ponho fé nesta pedra para você".

Muitas vezes, o que as pessoas dizem é surpreendente. Há as que falam sobre crises que ocorreram quando eram jovens, ou sobre o tempo da guerra, coisas que outros, até mesmo membros da família, talvez não soubessem; há quem atribua sua sobrevivência a qualidades que comumente não são vistas como forças. Em geral, é uma reunião comovente e íntima, e com freqüência todos os que participam afirmam que se sentiram fortalecidos e inspirados por ela. Depois de todos terem falado, a pedra é devolvida ao paciente, que a leva consigo para o hospital para mantê-la perto de si e segurá-la quando as coisas ficam difíceis.

Tive diversos pacientes que foram para a quimioterapia, a radiação ou mesmo para a cirurgia com a pedra colada com fita adesiva na palma da mão ou na sola do pé.

Ao longo dos anos, muitos dos oncologistas e cirurgiões de nossa comunidade ficaram sabendo sobre essas pedras por intermédio de seus pacientes, e têm muito cuidado com elas. Um dos cirurgiões chegou ao ponto de fazer a equipe do hospital vasculhar a lavanderia à procura de uma pedra que foi acidentalmente jogada fora junto com a roupa de cama na sala de recuperação. Perguntei por que ele fizera aquilo, e ele, rindo, disse-me: "Sabe, eu já vi pessoas passarem mal depois de uma cirurgia, e até mesmo morrerem quando não havia razão para isso, exceto pelo fato de acreditarem que não iriam conseguir. Preciso de toda ajuda que puder obter".

Na verdade, ninguém vai para a quimioterapia, radiação ou entra em uma sala de operação sem que pensamentos, esperanças e preces de muitas pessoas os acompanhem. A pedra parece tornar tudo isso um pouco mais evidente para as pessoas, lembrando-as da força e da beleza do que é natural. Em um ambiente altamente artificial e estéril, ela as põe em contato com a terra. O ritual é um dos modos mais antigos de mobilizar o poder da comunidade para a cura. Ele torna a solicitude da comunidade visível, tangível, real.

SEM PRAZO DE PRESCRIÇÃO

Yitzak era um sobrevivente. Libertado de um campo de concentração em 1945, ele foi para os Estados Unidos, trabalhou, estudou muito e tornou-se um respeitado físico e pesquisador. Suas primeiras palavras conquistaram minha afeição. Seu sotaque eslavo lembrava-me alguns dos membros mais velhos de minha família. Dois anos antes, ele ficou sabendo que estava com câncer. Agora ele procurava nosso retiro para pessoas com câncer para ver se conseguia lidar com esse inimigo e, possivelmente, derrotá-lo com a força da mente, o aspecto de seu ser no qual ele confiava mais profundamente.

No programa do Commonweal, tocamos nas pessoas muito mais do que ele estava habituado. A princípio desconcertado, ele perguntava: "O que é isto, todo esse abraça-abraça? O que é esse amor a estranhos? O que é isso?". Mas deixava que o abraçássemos mesmo assim. Depois de algum tempo, passou a abraçar-nos também.

Os retiros do Commouweal duram uma semana. No quarto dia, o silêncio interior gerado lentamente pela prática diária de ioga já é muito profundo, surgindo com freqüência *insights* espontâneos. Esse silêncio permite às pessoas encontrar pela primeira vez sua própria verdade.

Na meditação que dá início à sessão matinal, no quarto dia, Yitzak passou por uma experiência. Pareceu-lhe que pelas pálpebras fechadas ele podia ver uma intensa luz rosada, muito bonita e acolhedora. Espantado, percebeu que aquela luz o envolvia e saía de seu peito de algum modo misterioso. Quando nos contou a respeito mais tarde, disse que era como estar dentro de uma grande rosa — muito comovente, pois seu sobrenome significa "pequena rosa" em polonês.

Na hora, porém, ele teve medo. Tinha consciência de que a luz tinha uma direção, que estava jorrando de seu peito "como uma grande hemorragia". Parecia estar vindo de seu coração, e isso o fez sentir-se vulnerável. Yitzak sobrevivera aos campos de concentração. Vivera muitos anos, por assim dizer, em um mundo de estranhos. Pessoa imensamente afetuosa, depois de tudo o que passara quando menino ele se tornou muitíssismo cauteloso com respeito a seu coração, amando apenas as pessoas muito chegadas, apenas sua família. Esse modo de viver ajudara-o a sentir-se mais seguro, funcionara para ele até então. Mas, com freqüência, existe medo por trás desse estilo de vida desconfiado, e agora, pela primeira vez, ele começara a perceber um pouco isso. Era inquietante.

A equipe do retiro lidou com seu desconforto da mesma maneira que lida com tudo o mais; não procurou resolver, explicar minuciosamente a experiência ou interpretá-lo para ele. Em vez disso, ouviu com interesse e continuou a apoiá-lo enquanto ele procurava descobrir por si mesmo o significado. Ao longo dos poucos dias seguintes, ele pareceu ficar mais descontraído, mais aberto.

No domingo, na última sessão do retiro, tentei fazê-lo ver o sentido daquilo. Eu sabia que Yitzak ficara perturbado com sua experiência, por isso perguntei-lhe como iam as coisas. Ele riu. "Melhor", respondeu, e começou a nos contar sobre uma caminhada que fizera na praia no dia anterior. Em pensamento, ele conversara com Deus, perguntando o que significava tudo aquilo, e fora tranqüilizado. Comovida, perguntei-lhe o que Deus dissera. Ele tornou a rir. "Ah, Rachel, eu disse a Ele: 'Deus, é certo amar estranhos?' E Deus respondeu: 'Yitzak, o que é isso, *estranhos*? *Você* faz estranhos. *Eu* não faço estranhos.'"

Não existe prazo de prescrição para a cura. Quarenta anos antes, em face do que vivenciou, Yitzak fechara seu coração, do mesmo modo que Ana, a órfã do Vietnã. Agora, enquanto procurava um modo de curar seu corpo, ele começara a curar-se também em outros aspectos. Na luta para sobreviver às nossas feridas, podemos nos adaptar a uma estratégia de vida que nos permite salvar a pele. Doenças que ameaçam a vida podem nos levar a reexaminar as próprias premissas sobre as quais baseamos nossa vida, talvez nos libertando para viver mais plenamente pela primeira vez.

A TAREFA NOS SEPARA

O modo como perdemos uns aos outros pode ser bem simples. Um de meus pacientes descreveu como passava seu tempo com o filho antes do câncer. "Subíamos a pé uma montanha, uma escalada difícil, lado a lado, ambos concentrados em atingir o topo. Depois descíamos até o carro por um caminho diferente, um atrás do outro, e íamos para casa. Fizemos isso muitas vezes. Refletindo agora, tenho uma nítida lembrança de muitas daquelas escaladas, mas nenhuma de algo que meu filho tenha dito para mim ou que eu tenha dito a ele."

Em psicologia infantil, o que esse homem está descrevendo chama-se brincadeira paralela, e é normal nas crianças de dois e três anos. Nessa idade, as crianças usam a mesma caixa de areia e até os mesmos brinquedos, mas estão brincando sozinhas, perto umas das outras, mas não umas com as outras. Em vez de se relacionarem entre si, elas se relacionam com uma atividade comum que fazem paralelamente.

Meu paciente aponta um grande contraste entre aquele modo e a maneira como ele e seu filho se relacionam hoje em dia. "Não sou capaz de fazer muita coisa agora, por isso nos sentamos e conversamos. Pergunto a ele sobre sua vida e como ele se sente a respeito dela. Pela primeira vez, sei o que é importante para ele, que tipo de homem ele é, o que o motiva. E falo com ele também. Sei agora que sou importante para ele, que ele deseja passar seu tempo comigo, e não porque podemos fazer atividades físicas juntos. Às vezes simplesmente nos sentamos juntos, vivendo. A montanha estava em nosso caminho antes. Eu não sabia."

Muitas pessoas vivem dessa maneira, compartilhando o lar, o emprego e mesmo a família, mas sem fazer contato. É possível ser solitário no meio da família, na própria casa. Com demasiada freqüência, nós até mesmo exercemos a medicina desse modo. Lado a lado, paciente e médico concentrados na doença, nos sintomas, no tratamento, sem nunca ver ou conhecer o outro. O problema está no caminho, e cada um fica só.

SURPRESO PELO SIGNIFICADO

Harry, médico de pronto-socorro, conta sua história. Certa noite, durante seu turno num movimentado pronto-socorro, trouxeram uma mulher prestes a dar à luz. As enfermeiras levaram-na rapidamente para um quarto e contataram o médico pelo *pager*. Ele estava no quarto ao lado. Quando entrou, elas saíram em disparada para chamar o obstetra da mulher. Uma olhada bastou para Harry perceber que o chamado provavelmente não o traria a tempo. Se o obstetra não estivesse já em algum lugar do prédio, Harry teria de fazer o parto ele mesmo. Ele gosta de fazer partos, e estava satisfeito. As enfermeiras haviam voltado e estavam abrindo às pressas as embalagens dos artigos para parto. O marido também chegara, e as enfermeiras disseram-lhe para sentar-se na cabeceira da cama. Postaram-se em pé dos dois lados de Harry, segurando as pernas da mulher. O bebê nasceu quase de imediato.

Enquanto a menininha ainda estava ligada à mãe, Harry colocou-a em seu braço esquerdo. Segurando a parte posterior da cabeça com a mão esquerda, ele pegou com a direita um bulbo de sucção e começou a limpar o muco da boca e do nariz do bebê. De repente, a criança abriu os olhos e fitou-o diretamente. Naquele momento, Harry saiu de seu papel técnico e se deu conta de uma coisa muito simples: que ele era o primeiro ser humano que aquela menininha já vira. Sentiu que seu coração se abria em boas-vindas para ela, boas-vindas de todas as pessoas, de todas as partes; seus olhos ficaram marejados.

Harry fez o parto de centenas de bebês. Sempre gostou dos desafios do parto, da emoção de tomar decisões rápidas e sentir sua própria competência, mas afirma que nunca antes ele se permitira sentir o significado do que estava fazendo. Acha que, em certo sentido, aquele foi o primeiro bebê que ele ajudou a trazer ao mundo. Ele diz que no passado ficava tão absorto com os aspectos técnicos do parto, avaliando necessidades e perigos e reagindo aos mesmos, que duvida ter notado o bebê abrindo os olhos ou ter registrado na mente o que aquele olhar significava. Ele teria estado ali como médico, mas não como ser humano. Agora, era possível ser ambas as coisas. Fica pensando em quantos outros momentos de conexão como aquele ele terá perdido. Acredita que pode ter havido muitos.

O poder de um senso pessoal de significado para mudar a maneira como vivenciamos o trabalho, o relacionamento ou mesmo a vida não deve ser subestimado. Victor Frankl, em seu livro pioneiro sobre os campos de concentração, *The search for meaning*, relata que a própria sobrevivência pode depender de buscar e encontrar significado. Nos campos, aqueles que conseguiram manter um senso de significado e propósito em seus sofrimentos foram mais capazes de sobreviver às privações e atrocidades de sua vida diária do que os outros para quem o sofrimento não tinha sentido.

O significado pode tornar-se uma questão muito prática para aqueles dentre nós que executam um trabalho difícil ou levam uma vida difícil. Significado é força. Os médicos, com freqüência, buscam sua força na competência. De fato, competência e conhecimentos especializados estão entre as qualidades mais respeitadas na subcultura médica, tanto quanto em nossa sociedade. Porém, por mais importantes que sejam, eles não são suficientes para nos sustentar plenamente.

Um grande psiquiatra italiano, Roberto Assagioli, escreveu uma parábola a respeito de uma entrevista com três operários de cantaria que construíam uma catedral no século 14. O efeito de sua noção de significado pessoal sobre o modo como vivenciavam seu trabalho é o mesmo que o significado produz em nós hoje. Quando ele pergunta ao primeiro operário o que está fazendo, o homem responde com amargura que está talhando pedras em forma de blocos que medem um pé de altura, um pé de comprimento e três quartos de pé de profundidade. Frustrado, ele descreve uma vida na qual tem feito isso invariavelmente e continuará fazendo até morrer. O segundo operário também está talhando a pedra em blocos, de um pé de altura, um pé de comprimento e três quartos de pé de profundidade, mas responde de um jeito um pouco diferente. Com afabilidade, diz ao entrevistador que está ganhando a vida para sua querida família; graças a seu trabalho, seus filhos têm roupas e comida para crescer fortes, ele e sua esposa têm um lar que supriram com amor. Mas é a resposta do terceiro homem que nos faz refletir. Com voz jubilosa, ele nos fala sobre o privilégio de participar da construção daquela grandiosa catedral, tão forte que se manterá como um farol santo por mil anos.

O importante nesta parábola é que esses três operários qualificados estão executando a mesma tarefa física repetitiva. Talhando pedras. Da mesma maneira, Harry vinha fazendo partos, um bebê após outro. A competência pode nos trazer satisfação. Encontrar significado em uma tarefa familiar muitas vezes nos permite ir além e descobrir na mais rotineira das tarefas um profundo senso de alegria e até mesmo de gratidão.

LINHAGEM

Nós não apenas perdemos uns aos outros, mas também nos isolamos do passado.

Passei uma tarde conversando com um amigo tibetano a respeito da gratidão do praticante do budismo aos seus mestres, sua consciência da cadeia viva de serviços por meio da qual a sabedoria tem sido transmitida desde que Buda viveu, há dois mil e quinhentos anos. Fiquei comovida com o modo como esse amigo percebia a continuidade de sua linhagem, seu senso intuitivo da presença daqueles que lhe transmitiram a luz dos ensinamentos. Impressionou-me, especialmente, uma coisa que ele disse quando a conversa chegava ao fim. "Rachel, nossa linhagem é nossa força."

Isso não é algo em que eu tenha pensado muito como médica. Tamanho é o orgulho pelo poder que temos no presente, pelas arduamente conquistadas ferramentas de diagnose e tratamento, que as tendências passadas tendem a ser vistas como primitivas e ultrapassadas. Uma espécie de mentalidade da era dos computadores, de obsolescência quase instantânea.

No dia seguinte, fui dar aula na faculdade de medicina, um grupo interligado de sólidos prédios brancos construídos no topo de uma colina. Em meio a uma acalorada discussão acerca do futuro da medicina, das ansiedades ligadas ao advento da medicina empresarial, dos temores da pressão do tempo e das considerações financeiras que solapam a excelência da assistência médica, da paranóia do controle governamental e da intervenção das grandes empresas, dei-me conta de que meu pensamento retornava à idéia da linhagem e comecei a apresentar essa idéia a meus alunos. Falei sobre meu amigo tibetano, o modo como ele presenciou a destruição do Tibete pelos comunistas chineses e sua crença na importância da linhagem em épocas de caos e crise.

Lembrei-lhes de que nosso centro médico, com seu empenho em educação, pesquisa e serviços, encontra-se em linhagem direta com os templos de Esculápio, o pai da medicina. Esse primeiro centro médico também se situava no topo de uma colina, e as pessoas lá chegavam de todas as partes do mundo para estudar, desvendar os segredos ocultos da cura e serem curadas. Não existem textos preservados desse período, e a mais antiga descrição conhecida daqueles templos encontra-se nas obras de Cícero; esse autor menciona que no átrio central dos templos havia uma estátua de Vênus, a deusa do amor. Lembro aos alunos que, apesar de todo o seu poder tecnológico, a medicina não é um empreendimento tecnológico. A prática da medicina é um tipo especial de amor. Digo a eles que nossa linhagem pode tornar-se nossa força. E nossa cura.

CERTAS COISAS SÃO NOSSAS PARA SEMPRE

Mais de dez anos atrás, um viúvo de 85 anos procurou-me para discutir seus sentimentos a respeito de submeter-se ou não a uma cirurgia para um câncer restrito a um lobo do pulmão. Depois de um sofrido período examinando suas opções, ele dediciu que, apesar dos riscos, preferia a operação. Em paz com sua decisão, ele me perguntou se havia alguma coisa que ele pudesse fazer para ajudar na cura depois da cirurgia. Conversamos sobre exercícios, dieta e a possibilidade do uso de ervas e acupuntura chinesa. Curiosa, perguntei-lhe como encontrara forças para levar adiante aquela decisão difícil. Ele me falou sobre um devaneio que tivera algumas semanas antes. Estava sentado em sua poltrona à noite, lendo jornal, e quase cochilou. Pareceu-lhe que sua esposa viera sentar-se ali com ele. Ela estava muito parecida com a pessoa que fora nos primeiros tempos do longo relacionamento entre os dois e, quando o fitou, ele ficou impressionado com o amor que podia perceber em seu olhar. Enquanto se sentavam juntos, ele pôde perceber certo alívio do medo, e então notou que um de seus amigos mais antigos também viera para a sala, postando-se em pé, atrás da poltrona onde estava sua esposa. Também o rosto daquele amigo refletia a afeição que alicerçara a amizade de toda uma vida. Meu paciente estava sorrindo para o amigo quando viu seu irmão em pé ao seu lado, também com o olhar cheio de afeto.

Um por um, chegaram outros cujas vidas haviam cruzado com a dele de modo afetuoso, parentes e amigos, professores e alunos, filhos e netos, até mesmo os animais de estimação da família. Fora uma longa vida, e no fim havia ali mais de cinqüenta ou sessenta pessoas, abarrotando a sala de visitas e chegando ao corredor. Dessa maneira, ele ficara sabendo que sua vida fora valiosa para muitos outros, e descobrira que ainda era valiosa. Já não mais sozinho com sua decisão, ele sentiu que o medo o libertava, e soube que a cirurgia era a coisa certa a fazer, independentemente de ele sobreviver ou não. Senti que me vinham lágrimas aos olhos. Olhando para aquele senhor afetuoso e distinto, eu podia facilmente perceber que sua vida significara muito para aqueles que dela haviam compartilhado. "Que coisa linda", falei. "Sim", disse ele, "e a maioria dessas pessoas já morreu". Sorriu ao ver meu ar de surpresa. "Acho que todas as coisas boas que nos foram dadas são nossas para sempre." Ele assentiu com a cabeça e permaneceu sentado, sereno, sorrindo para si mesmo.

Todas as vidas influenciam muitas outras. Às vezes essa rede é bem grande, às vezes é pequena, mas em alguma parte dela certa qualidade de amor é necessária para podermos ser capazes de sobreviver. Não é uma questão de números. Pode ser dado por uma só pessoa. Pergunto com freqüência a meus pacientes de onde veio o amor que os sustentou. Para um homem, filho de pais alcoólatras que o maltratavam, veio de seu cachorro.

VI
ACOLHENDO A VIDA

Durante toda a minha infância, meus pais mantiveram um quebra-cabeça gigante em cima de uma determinada mesa na sala de estar. Meu pai, que tinha dado início a esse hábito, sempre escondia a tampa da caixa. A idéia era encaixar as peças sem saber de antemão qual seria a figura final. Diferentes membros da família e amigos que vinham nos visitar trabalhavam no quebra-cabeça, às vezes apenas por alguns minutos, até que, depois de várias semanas, centenas e centenas de peças acabavam encontrando seu lugar.

Ao longo dos anos, montamos dúzias desses quebra-cabeças. No final acabei adquirindo grande habilidade nisso, e me agradava ser a primeira a descobrir onde se encaixava uma peça ou como dois grupos de peças se juntavam. Eu adorava, em especial, o momento em que surgia a primeira insinuação de uma figura e eu conseguia perceber o que tinha estado ali, escondido, o tempo todo.

A mesa do quebra-cabeça foi presente de aniversário de meu pai para minha mãe. Recordo-me dele montando-a e, todo feliz, despejando sobre ela as peças daquele primeiro quebra-cabeça. Eu tinha uns três ou quatro anos e não entendi a alegria de minha mãe. Eles não me haviam explicado aquele jogo, sem dúvida, achando que eu era nova demais para participar. Mas, mesmo assim, eu queria tomar parte.

Sozinha na sala, certa manhã, subi na cadeira e espalhei as centenas de peças soltas que estavam sobre a mesa. As peças eram bem pequenas; algumas de cores vivas, outras escuras e sombrias. As escuras pareciam aranhas ou besouros, eram feias e um pouco assustadoras. Elas me inquietavam. Juntando algumas delas, desci da cadeira e as escondi debaixo de uma almofada do sofá. Por várias semanas, sempre que eu me pegava sozinha na sala, subia na cadeira, pegava mais algumas peças escuras e as acrescentava a meu esconderijo na almofada.

Assim, aquele primeiro quebra-cabeça precisou de muito tempo para ser montado pela família. Frustrada, minha mãe contou as peças e percebeu que estavam faltando mais de cem. Perguntou-me se eu as vira. Contei a ela que tinha dado sumiço nas peças de que não gostava, e ela as resgatou e completou o quebra-cabeça. Recordo-me de vê-la fazer isso. Quando peça escura após peça escura foi sendo posta no lugar certo e a figura emergiu, fiquei pasma. Eu não sabia que haveria uma figura. Era muito bonita, uma cena tranqüila em uma praia deserta. Sem as peças que eu escondera, o jogo não tinha sentido.

Talvez ganhar exija que amemos o jogo incondicionalmente. A vida fornece todas as peças. Quando eu aceitava certas partes da vida, negando e menosprezando todo o resto, eu só podia ver minha vida uma peça por vez — a alegria de um êxito ou um momento de celebração, ou a feiúra e a dor de uma perda ou um fracasso que eu estava fazendo tudo para esquecer. Porém, assim como as peças escuras do quebra-cabeça, aqueles eventos mais tristes, por mais dolorosos que fossem, revelaram-se parte de algo maior. Os breves vislumbres que tive de algo oculto, aparentemente, requereram a aceitação como um presente de toda e qualquer peça. Estamos sempre encaixando as peças sem conhecer a figura de antemão. Estive com muitas pessoas em períodos de grande perda e pesar quando um significado insuspeitado começou a emergir dos fragmentos de suas vidas. Com o tempo, esse significado revelou-se durável e digno de confiança, até mesmo transformador. É um tipo de força que nunca surge naqueles que negam sua dor.

Ao longo dos anos, tenho visto o poder de assumir uma relação incondicional com a vida. Surpreendo-me por haver enncontrado uma espécie de disposição de enfrentar seja lá o que for que a vida possa oferecer, em vez de desejar modificar ou eliminar o inevitável. Muitos de meus pacientes também parecem ter encontrado seu caminho para essa postura em relação à vida.

Quando as pessoas começam a adotar essa atitude, parecem tornar-se mais vivas, intensamente presentes. Suas perdas e sofrimentos não as levaram a rejeitar a vida, não as lançaram em uma situação de ressentimento, sentimento de injustiça ou amargura. Como observou um amigo com HIV/Aids: "Abri mão de minhas preferências e estou vivendo com uma intensa consciência do milagre do momento". Ou, nas palavras de outro paciente: "Quando você está andando sobre gelo fino, é melhor dançar".

Com essas pessoas aprendi uma nova definição da palavra "alegria". Pensei que alegria fosse sinônimo de felicidade, mas ela agora me parece ser muito menos vulnerável do que esta última. A alegria parece ser uma parte de um desejo incondicional de viver, de não vacilar porque a vida pode não atender às nossas preferências e expectativas. A alegria parece ser uma função da disposição para aceitar o todo e estar pronto para enfrentar o que quer que esteja à nossa espera. Ela possui uma espécie de invencibilidade que o apego a algum resultado específico nos negará. Em vez do guerreiro que combate visando a um resultado específico e por isso mesmo é assombrado pelo espectro do fracasso e decepção, seria como o apaixonado inebriado diante da oportunidade de amar, apesar da possibilidade da perda, o jogador para quem o jogo tornou-se mais importante do que ganhar ou perder.

A disposição para ganhar ou perder nos conduz para fora de uma relação de oposição com a vida e em direção a um poderoso tipo de receptividade. Dessa posição, podemos entrar em um grande comprometimento com a vida. Não apenas a vida agradável ou confortável, ou nossa idéia de vida, mas toda a vida. A alegria parece estar mais estreitamente ligada a ter vida do que a ter felicidade.

A força que observo desenvolver-se em muitos de meus pacientes e em mim mesma depois de todos estes anos quase poderia ser chamada uma forma de curiosidade. O que um de meus colegas denomina intrepidez. Em certo nível, obviamente, receio uma conseqüência tanto quanto qualquer pessoa. Porém, cada vez mais, consigo entrar e sair desse sentimento e vivenciar um lugar além da preocupação com o resultado, uma vida além da vida e da morte. É um lugar de liberdade, até mesmo de antegozo. As decisões tomadas a partir dessa postura são uma afirmação de vida, e não guiadas pelo medo. É como uma graça.

Na medida em que somos capazes de abrir mão da preferência pessoal, nós nos libertamos do pensamento baseado em perder ou ganhar e do medo que dele se alimenta. É essa liberdade que ajuda um time a ir para as finais de um campeonato. A posição antagônica pode não ser a posição mais forte na vida. A liberdade pode ser uma posição mais forte do que o controle. Ela é, sem dúvida, uma posição mais forte e muito mais sábia do que o medo.

Existe aqui um paradoxo fundamental. Quanto menos somos apegados à vida, mais vivos podemos nos tornar. Quanto menos preferências temos em relação à vida, mais intensamente nós a podemos vivenciar e dela participar. Isso não quer dizer que eu deixo de preferir torradas com geléia a rosquinhas de chocolate. Quer dizer que não sou tão louca por torrada com geléia a ponto de não querer levantar da cama se não puder comê-las ou que a ausência de torrada com geléia vá arruinar todo o meu dia. Acolher a vida pode ter mais relação com experimentar do que com torrada e geléia ou rosquinha de chocolate. Mais relação com a capacidade de tirar prazer das novidades do dia e do que ele pode trazer. Mais relação com aventura do que com satisfação das próprias vontades.

FINALMENTE

Dois dias antes de minha mãe completar oitenta anos, perguntei a ela como desejava passar o dia. "Quero subir ao topo da Estátua da Liberdade", ela respondeu. "Não há um elevador?" Minha mãe olhou para mim. "Quero ir pelas escadas", disse. Ela morara em Nova York havia quase oitenta anos, mas nunca tivera essa experiência. Lembrava-se claramente a primeira vez em que vira a "Liberdade" ao entrar no porto de Nova York no navio vindo da Rússia. Tinha cinco anos. Agora, evidentemente, ela estava com uma grave doença cardíaca, e havia 342 degraus a subir. Sem me desencorajar, percebi que poderíamos fazer aquilo subindo três ou quatro degraus por vez, parando para descansar. Levaríamos sua nitroglicerina e tiraríamos o dia para fazer aquilo. Quando lhe propus isso, ela adorou.

Durante a subida de seis horas, tive muitos receios. Como eu fora me meter naquela maluquice, subir a Estátua da Liberdade com uma mulher de oitenta anos sofrendo gravemente do coração? Mas era a vontade dela, por isso continuamos, alguns degraus por vez. Ela podia ter angina, mas também tinha uma vontade férrea. Acho que metade de Nova York passou por nós naquelas escadas.

Por fim, inacreditavelmente, chegamos a seis ou sete degraus do topo. Ali, em pé, parando pelo que deve ter sido a tricentésima vez, minha mãe olhou os últimos degraus que a separavam de seu objetivo com ressentimento. "Puxa vida", disse, "não podíamos ter subido estes primeiro?"

Pensando agora nessa história, lembro-me de quantas vezes também eu me ressenti da escalada, da quantidade de vida necessária para adquirir a preciosa compreensão de como viver bem. E de como é importante, na luta para libertar-se do passado, não sermos limitados pelo estilo ou pelas expectativas em relação a nós mesmos ou não nos preocuparmos com o que os outros possam pensar. Estarmos dispostos a fazer as coisas realmente importantes do modo como bem entendemos, mesmo que sejam três degraus por vez.

EU NÃO LHE PROMETI
UM MAR DE ROSAS

Meu quintal na encosta do Monte Tamalpais, ao norte da Califórnia, é na verdade um minúsculo prado. Todo ano, no verão e no outono, um veado aparece ali ao nascer e ao pôr-do-sol. Isso é deslumbrante para alguém que cresceu em Manhattan. Este ano, seu chifre está com seis pontas. No ano passado, tinha cinco ou talvez quatro. Ele é de tirar o fôlego. Na verdade, eu não pretendia ter um veado, e sim um roseiral. No ano seguinte à minha mudança para cá, plantei 15 roseiras, presentes de amigos. Foi um trabalho duro, mas eu podia imaginar: igualzinho às da revista *Sunset*. As rosas floresciam depois do auge da primavera, e por um mês o jardim ficava esplêndido. Mas elas começaram a desaparecer. Intrigada, acabei percebendo que algo maior do que os pulgões as estava comendo, e decidi pegá-lo em flagrante. Um dia, acordando ao nascer do sol e olhando pela janela, fiquei estática ao ver o veado pela primeira vez. Ele parecia uma ilustração de um livro que tive quando criança. Enquanto eu observava assombrada, ele atravessou o quintal sem pressa, sondou por algum tempo minhas roseiras e depois, delicadamente, comeu uma de minhas Queen Elizabeths.

Desde então, todo ano sou obrigada a fazer uma escolha difícil: devo mandar colocar cercas mais altas e ter rosas ou ter um veado a dez metros de minha porta dos fundos? Todo ano, até agora, tenho escolhido o veado. Depois de dois anos olhando um para o outro pela vidraça, eu agora posso sentar-me do lado de fora enquanto ele almoça.

Quando conto isso às pessoas, há quem exclame, incrédulo: "Quer dizer que você está deixando o veado comer suas rosas!". Às vezes, convido uma pessoa dessas para vir à minha casa e assistir à cena. Um amigo, boquiaberto com a visão, disse simplesmente: "Bem, acho que estamos sempre fazendo as coisas certas pelos motivos errados". Eu pensava estar plantando roseiras a fim de ter rosas. Agora, parece que plantei roseiras a fim de ter meia hora de silêncio com aquele animal mágico, toda manhã e toda noite.

Uma de minhas pacientes, que tem câncer no ovário, fez o seguinte comentário: "Antes de ficar doente, eu tinha certeza de tudo. Sabia o que queria e quando queria. Na maior parte das vezes, sabia também o que eu tinha de fazer para conseguir. Andava com a mão estendida dizendo: 'Quero uma maçã'. Muitas vezes a vida me deu uma romã em vez de maçã. Eu sempre ficava tão desapontada que nem olhava para ver o que era. Na verdade, acho que não teria sido capaz de ver o que era. Eu dividia o mundo em duas categorias: 'maçã' e 'não-maçã'. Se não fosse maçã, era não-maçã. Eu tinha 'olhos de maçã'".

Acolher a vida é de fato uma escolha. Quando lhe pedem que descreva seu marido, outra paciente minha, rindo, conta a seguinte história sobre uma visita ao Havaí que se tornou parte da mitologia de sua família: seu marido, homem organizado e frugal, fizera com meses de antecedência a reserva para o aluguel de carros pequenos em cada uma das quatro ilhas. Ao chegar à ilha principal e apresentar seu comprovante de reserva no balcão da locadora, ele foi informado de que o modelo econômico que haviam reservado não estava disponível. Alarmada, ela viu o rosto do marido ficar rubro enquanto ele se preparava para brigar. O funcionário não pareceu notar. "Sinto muito, senhor", disse ele. "O senhor aceitaria um substituto pelo mesmo preço? Temos um Mustang conversível." Ainda muito contrariado, o marido pôs as malas naquele belo carro esporte branco, e eles partiram.

O mesmo aconteceu durante toda a viagem. Eles devolviam o carro e seguiam de avião para a ilha seguinte, só para ficar sabendo que o carro que lhes havia sido prometido não estava disponível, sendo-lhes oferecido um substituto pelo mesmo preço. Foi espantoso, comentou ela. Depois do Mustang, tinham lhes dado um Mazda MR-10, um Lincoln Town Car e finalmente um Mercedes, com os mais sinceros pedidos de desculpas. As férias foram absolutamente maravilhosas e, no avião de volta para casa, ela se virou para o marido e agradeceu por tudo o que ele fizera para organizar aquela temporada memorável. "Sim", disse ele, satisfeito. "Foi mesmo ótimo. Que pena eles nunca terem o carro certo para nós." Ele estava falando absolutamente sério.

A VIDA É PARA OS QUE ESTÃO BEM

Uma de minhas pacientes, que sofria de síndrome de fadiga crônica, passou vários anos procurando ajuda para melhorar seus sintomas, passando de médico em médico, obcecada com os mínimos detalhes de seus problemas físicos, os quais registrava meticulosamente em um diário. Hoje ela já não faz mais isso. Ela pensava que era preciso não ter sintomas para desfrutar a vida, ir ao teatro, ter filhos, amar. Era como se a vida apenas fosse vivida pelos que estavam bem, só pudesse ser vivida pelos que estavam bem. Durante a meditação, ocorreu-lhe que sua doença crônica não a estava impedindo de participar da vida, mas que o significado que ela atribuíra à doença, ou seja, que ela não era capaz de participar da vida por ser doente, era muito mais limitador do que a própria moléstia. Ela ficou surpresa ao perceber que, mesmo sentindo-se fraca ou sofrendo alguma dor, não havia razão para ela não poder ir ao teatro. Talvez demorasse mais para alcançar sua poltrona. Lá chegando, se passasse muito mal, ela talvez tivesse de sair mais cedo. Quem sabe até tivesse de perder o último ato. Era uma incógnita. Mas o significado que ela atribuíra a seus sintomas estava fazendo com que ela perdesse a peça inteira.

Ela parou de buscar a saúde perfeita que tinha antes, e faz o possível para fortalecer seu corpo de maneira simples e natural. Em vez de procurar quatro ou cinco médicos por semana, ela agora só os procura em casos graves. Descobriu que, estando disposta a começar sem ter certeza do resultado, ela muitas vezes é capaz de fazer muito mais do que pensara. Rindo, afirma que fez uma substituição na amostra em ponto-cruz que tem pendurada nas paredes de sua vida interior. Onde estava escrito: "A vida é só para os que estão bem", agora se lê: "Tudo o que vale a pena fazer vale a pena fazer mal-e-mal".

UM QUARTO COM VISTA PANORÂMICA

Após completar o último tratamento em um ano de potente quimioterapia, uma de minhas clientes foi com o marido passar uma noite em San Francisco para comemorar. Seu oncologista tentara dissuadi-la de fazer isso. Parecia-lhe absolutamente sem sentido, uma vez que ela ainda estava fraca demais para ver os pontos turísticos, ir a um restaurante ou tomar parte em qualquer uma das célebres atividades daquela cidade rica e complexa. Ele não conseguia imaginar por que ela poderia querer ir não podendo ver aquelas coisas, e sugeriu que ela esperasse alguns meses até ficar mais forte. Mas ela e o marido tinham ido mesmo assim e se hospedado em um bom hotel.

Perguntei depois a ela como fora. "Maravilhoso", ela respondeu. "Primeiro, pedimos o almoço no quarto. Trouxeram em uma mesa com uma toalha de quase dois centímetros de espessura. Minha primeira refeição sem bandeja. Era tão elegante, os copos de vinho e a manteiga esculpida em forma de florzinhas. E a comida! Sentamo-nos naquela sala deliciosa com vista para um pequeno parque e comemos comida de verdade, que eu podia realmente saborear. Nus. Depois fizemos amor. Depois tomamos longos banhos quentes e usamos todas as toalhas que encontramos no banheiro. Toalhas grandes e grossas — havia 12 delas. E usamos até o fim todas aquelas coisas cheirosas dos frasquinhos. E assistimos aos dois filmes. E comemos quase tudo o que estava na geladeira. E nos sentamos no terraço, de roupão, e vimos a lua erguer-se sobre a cidade. Descobrimos todos os travesseiros que eles escondem nas gavetas da cômoda e dormimos naquela cama *king-size,* com oito travesseiros. E vimos o sol nascer. Usamos tudo. Foi uma delícia!" Ela disse isso a mim, uma mulher que passa a maior parte do tempo dormindo em quartos de hotel.

TRÊS FÁBULAS SOBRE ABRIR MÃO

I.

Durante muitos anos tentei convencer meu pai a comprar um novo sofá para a sala. Ano após ano, o velho sofá verde foi ficando cada vez mais puído. Por fim, já não era mais seguro sentar-se nele. Embaraçada, eu disse a meu pai que havia encomendado um novo sofá por telefone à loja Macy's. Estava enviando uma fotografia para saber se eles aprovavam. Se gostassem, o sofá seria entregue na sexta-feira. Adoraram. No sábado, telefonei. Que tal? Encabulado, meu pai disse que tinha cancelado o pedido. Acontece que ele não sabia o que fazer com o sofá velho. Sugeri que ligassem para a Macy's e pedissem que o levassem embora. Meu pai disse que não fazem isso em Nova York.

"Então, que tal o Exército da Salvação?" Aparentemente, eles só levavam coisas que ainda pudessem vender. Quem iria querer nosso sofá? Desanimada, sugeri que procurassem nas páginas amarelas alguém que transportasse entulho. Papai não queria que um estranho soubesse como entrar em sua casa.

Por fim, tive de calar-me. Meu pai, desacostumado a abrir mão de qualquer coisa, não conseguiu encontrar um modo de aceitar meu presente. Vários anos mais tarde, durante a noite, o velho sofá desabou sozinho. Ficou na sala daquele jeito até o dia em que meu pai morreu e eu trouxe minha mãe para morar comigo na Califórnia.

II.

A casa em que moro é uma construção em forma de A, na encosta de uma montanha, nos arredores de San Francisco. Quando a comprei, era tão apertada e estava em tão mau estado que o primeiro amigo que eu trouxe para vê-la deixou escapar: "Nossa, Rachel, você comprou *isso?*". Comecei a jogar coisas fora no dia seguinte à mudança e, por alguns anos, descartei todo tipo de coisas: lustres, vasos sanitários, escadas, portas. Por fim, mandei tirar alguns tetos e algumas paredes.

A casa pertencera a um homem que se orgulhava de sua habilidade para consertar coisas. Se houvesse um buraco na parede, ele pegava a primeira tábua disponível e a pregava ali. Se a esposa quisesse uma prateleira, uma porta ou uma coberta, ele a colocava onde quer que ela pedisse. Joguei fora tudo aquilo.

Por estranho que pareça, quanto mais eu jogava fora, mais eu parecia ter. Com o passar do tempo, aluguei quatro grandes caixotes de granja e os enchi com tudo o que não combinava. Quando abria mão de uma daquelas coisas, eu podia imaginar meu pai dizendo: "Espere um minuto, isso ainda funciona, você nunca sabe quando vai precisar de um desses". Gradualmente, a casa foi ficando mais simples, mais vazia, e as belas linhas estruturais de sua forma básica começaram a emergir. Ela se tornou um recipiente para a luz. No final, o que sobrou foi o todo. Pintei-a de branco.

III.

O cachorro de Jane nunca se afastava mais de um metro dela. Manso, castanho e devotado, ele até dormia na cama dela à noite. Sua devoção era retribuída plenamente e, quando ele morreu de velhice, minha amiga disse-me que duvidava algum dia vir a ter outro cachorro. Não teve outro por vários anos.

Nessa época eu a visitei com freqüência na cidadezinha onde ela morava. Nas tardes de domingo, caminhávamos juntas pela praia. Naqueles poucos quarteirões, ela parava para afagar cães presos na coleira, e cachorros sem dono apareciam alegres para saudá-la. Cada um ganhava um instante de carinho e um biscoito de cachorro que ela trazia no bolso.

Certa vez eu lhe perguntei se ela sentia falta de seu cachorro. "Sim", ela respondeu. "Muito." Mas depois ela me disse uma coisa estranha. Quando possuía um cachorro, havia para ela dois tipos de cão: o seu e todos os demais. Agora, parecia-lhe que todo cachorro era seu cachorro.

FINS E COMEÇOS

Só aos 35 anos de idade fui compreender que não existe fim sem começo. Que começos e fins emendam-se uns nos outros. Nada termina sem que comece alguma outra coisa, ou começa sem que alguma outra coisa termine. Talvez isto fosse mais fácil de recordar se tivéssemos uma palavra para designá-lo. Alguma coisa como "fimcomeço" ou "começofim".

Por muito tempo vivi sem notar os começos. Essa foi uma das primeiras coisas a mudar para mim quando ingressei no Instituto de Estudos de Medicina Humanista, o programa de pesquisas de Miller em Esalen. Naquela época, eu tinha começado a aprender a fazer jóias e havia moldado um anel de prata. Seu desenho era o de uma cabeça de mulher cujos cabelos longos, enredados em estrelas, envolviam o dedo de quem o usava formando o corpo do anel. Tecnicamente, fora difícil fazê-lo, e eu estava orgulhosa do desenho. Terminei-o a tempo de usá-lo em uma das primeiras sessões de fim de semana em Esalen.

O anel foi alvo de muita admiração e atenção. Naquela época muitos artesãos residiam em Esalen, e vários deles sugeriram que eu fosse de carro até o litoral, a alguns quilômetros dali, e o mostrasse ao joalheiro na galeria à beira da estrada pela qual tínhamos passado.

Estava ameaçando chover, mas fiz a jornada mesmo assim e passei uma tarde muito agradável. O joalheiro, homem cortês e artista talentoso, ofereceu-me chá e passamos cerca de uma hora conversando sobre a beleza e o modo como a arte relembra as pessoas da alma. Conversa inebriante para uma jovem médica acadêmica. No final, deixei o anel com ele para ser refundido e vendido a outras pessoas. Fiz o caminho de volta pela Rota 1 com dificuldade. Começara uma chuva torrencial, e a ventania era forte o bastante para empurrar ligeiramente meu carro na estrada.

Durante a noite, a última de uma longa série de tempestades de inverno assolou a costa. No café da manhã, sem eletricidade e aquecimento, fiquei chocada ao saber que estávamos isolados. Um trecho da Rota 1, ao norte de Esalen, desabara no mar. Seria preciso dirigir muitos quilômetros para o sul e depois em direção ao interior para poder então tomar o rumo norte e voltar a San Francisco.

A galeria onde eu deixara meu anel era contígua ao trecho de estrada que desabara no Pacífico. O prédio sumira, e com ele meu anel. No entorpecimento em que eu estava, pude ouvir várias vozes interiores comentando a perda. A mais vociferante era a de meu pai, dizendo: "Isto jamais teria acontecido se você não tivesse deixado que uma pessoa totalmente estranha a explorasse para lucrar com o seu desenho. Como é que você pode ser tão boba, ainda por cima sendo médica?". E minha mãe: "Você é tão descuidada! Nunca se pode deixar com você nada de valor. Vive esquecendo e perdendo as coisas". Misturada a essas vozes estava a de uma parte muito jovem de mim que não parava de olhar para o lugar em minha mão onde o anel estivera no dia anterior, perguntando: "*Onde* está ele? Ele estava bem *aqui*".

Angustiada, fui até a beira do precipício e fiquei olhando o Pacífico, ainda turbulento com a tempestade do dia anterior. Ali embaixo, em algum lugar, estava meu anel. Enquanto olhava o oceano martelando o penhasco, comecei a me dar conta de que havia alguma coisa absolutamente natural, até mesmo inevitável no que acontecera. Pedaços de terra vinham caindo no oceano havia milhões de anos. Talvez todas aquelas vozes familiares que me censuravam estivessem erradas. Nada havia de pessoal naquilo, apenas um processo mais amplo em ação.

Olhei de novo para o lugar vazio em meu dedo. Desta vez, era realmente um lugar vazio. E silencioso. Era grande. Pela primeira vez, encarei uma perda com um sentimento de curiosidade.

O que viria para preencher aquele espaço? Eu faria outro anel? Ou encontraria algum em uma loja de artigos de segunda mão, ou até mesmo em outro país? Talvez algum dia alguém que eu ainda nem conhecia me desse um anel por estar apaixonado por mim.

Eu estava com 35 anos, e nunca antes confiara na vida. Nunca permitira lugares vazios. Assim como minha família, acreditara que os espaços vazios permaneciam vazios. A vida fora apegar-se ao que eu tinha, e os estudos de medicina haviam apenas reforçado a postura de evitar a perda a todo custo. Tudo o que eu deixara perder-se estava indelevelmente gravado em mim. E, no entanto, o espaço vazio do anel tornara-se diferente. Ele continha toda a excitação e antegozo de um presente de Natal embrulhado.

167

CAPITULAÇÃO

A histerectomia devido a um câncer cervical foi a quinta cirurgia de Joan. Pouco depois de completar 35 anos, ela começara uma batalha contra o tempo, tendo como aliado um cirurgião plástico. Com a habilidade deste, ela se livrara de alguns anos, recuperando os olhos, o queixo e até mesmo os seios e as nádegas de sua juventude. Avessa a envelhecer, ela examinava o rosto e o corpo constantemente, exercitava-se todos os dias e vivia em dieta permanente. Tínhamos a mesma idade, mas ela parecia 15 anos mais nova. "Ninguém precisa realmente ficar velho", ela me dissera. "Envelhecer é uma opção."

Sua batalha pela vida começou com um resultado positivo no exame de Papanicolau. O câncer foi diagnosticado cedo, e um ano de quimioterapia e radiação extenuantes permitiu a remissão. Foi um ano difícil. Seis meses após concluir o tratamento contra o câncer, terminamos nosso trabalho juntas. Na época, seus cabelos estavam apenas começando a voltar a crescer.

Vários anos depois, no mercado local, uma bela mulher grisalha que não reconheci veio falar comigo. Cumprimentou-me calorosamente. Percebendo que eu estava confusa, ela deu uma gargalhada. "Sou Joan", disse ela, ainda rindo. "Estou envelhecendo. Quem diria que alguém como eu poderia ficar tão feliz por ter rugas."

APEGO OU COMPROMETIMENTO

Há 35 anos tive um paciente, um jovem que se desgarrara de seu grupo de esquiadores, passara três dias sob uma temperatura abaixo de zero e mesmo assim conseguira sobreviver. Ele ficou hospitalizado vários dias no país em que estava esquiando, depois foi levado de avião para nosso centro médico em Nova York devido a ulcerações produzidas pelo frio e gangrena progressiva nos pés. Os cirurgiões daquele país haviam indicado a amputação, e esperava-se que nossa equipe de cirurgiões vasculares, mundialmente conhecida, pudesse evitar aquela escolha difícil. Realizou-se uma primeira cirurgia, e durante três semanas não foi possível ter certeza do resultado. Em seguida, seu pé esquerdo começou a melhorar, mas o pé direito piorava continuamente. Aproximando-se o momento da amputação, o jovem recusou-se terminantemente. Preferia manter o pé.

Gradualmente, sua condição foi se agravando, à medida que as toxinas geradas pelo pé doente passavam a inundar seu corpo. A família e os amigos estavam desesperados, mas ele se mostrava irredutível. Queria manter o pé. A situação ficou crítica certa noite quando, pela terceira ou quarta vez, um grupo de médicos analisou conjuntamente os exames de laboratório mais recentes do moço e discutiu com ele sua condição cada vez mais grave. No meio da discussão, sua noiva, arrasada com a possibilidade da morte do homem que amava, não pôde mais suportar e se descontrolou. Chorando, arrancou o anel de noivado e enfiou-o no dedinho inchado e enegrecido do pé direito do jovem. "Odeio esse pé maldito", soluçou ela. "Se você quer tanto esse pé, por que não se casa com ele? Você vai ter de escolher, não pode ficar com nós dois." Todos olhamos para o diamante pequenino e brilhante cercado pelos tecidos negros e podres do pé. Mesmo sob as luzes fluorescentes, a pedra cintilava de vida. O jovem nada disse e fechou os olhos, exte-

169

nuado. Também nós, extenuados, saímos para continuar nossa ronda pelo hospital. No dia seguinte, ele marcou a cirurgia. Continuei a acompanhá-lo durante a instalação do pé mecânico e a reabilitação. No final do ano, apenas uma ligeira claudicação lembrava sua difícil escolha. Duas semanas antes de seu casamento, relembrei com ele aquela última junta médica, perguntando o que o fizera mudar de idéia. Ele respondeu que ver o diamante no dedo o chocara. Jenny tinha razão. Ele estava casado com seu pé. O gesto dramático da moça ajudara-o a perceber pela primeira vez que ele estava mais apegado a manter o pé do que comprometido com a própria vida, com a vida em comum do casal. E, no entanto, fora a promessa daquela vida em comum a que ele se aferrara, que lhe permitira sobreviver três dias sozinho na neve.

Enquanto o apego tem origem na personalidade, naquilo que os budistas designam como "natureza do desejo", o comprometimento provém da alma. No relacionamento com a vida, assim como nos relacionamentos humanos, o apego exclui opções; o comprometimento as permite. A vida moderna nos transformou em pessoas de apego em vez de pessoas de comprometimento. De fato, muita gente descobriu que é difícil distinguir entre apego e comprometimento em sua própria vida. Contudo, o apego conduz cada vez mais ao aprisionamento. O comprometimento, embora por vezes provoque uma sensação de restrição, acaba conduzindo a graus maiores de liberdade. Ambos implicam no momento uma experiência de agüentar, às vezes contra o fluxo dos acontecimentos ou contra a tentação. Podemos distinguir entre os dois na maioria das situações observando ao longo do tempo se a pessoa, com essa atividade ou com esse relacionamento, ficou mais próxima da liberdade ou mais próxima da escravidão. O apego é um reflexo, uma reação automática que muitas vezes não reflete o que será essencialmente melhor para nós. O comprometimento é uma escolha consciente, é nos alinharmos com nossos mais genuínos valores e senso de propósito. A sobrevivência em um contexto de doença que ameaça a vida pode envolver a disposição para abrir mão de tudo, exceto da própria vida.

COMER O BISCOITO

Outro paciente meu, um empresário bem-sucedido, diz que, antes de ter câncer, ele ficava deprimido quando as coisas não aconteciam de determinado modo. Felicidade era "ter o biscoito". Se ele tivesse o biscoito, estava tudo bem. Se não o tivesse, a vida não valia um tostão furado. Infelizmente, o biscoito estava sempre mudando. Às vezes era dinheiro, às vezes poder, às vezes sexo. Em outras ocasiões, era o carro novo, o contrato mais vultoso, o endereço de mais prestígio.

Um ano e meio depois do diagnóstico de câncer na próstata, ele balança a cabeça com tristeza. "É como se eu tivesse parado de aprender a viver depois de criança. Quando dou um biscoito a meu filho, ele fica feliz. Se lhe tiro o biscoito ou se o biscoito se quebra, ele fica infeliz. Mas ele tem dois anos e meio; e eu, 43. Demorei todos esses anos para entender que o biscoito nunca irá me fazer feliz por muito tempo. No minuto em que você pega o biscoito ele começa a esfarelar ou você começa a se preocupar com a possibilidade de ele esfarelar ou de alguém tirá-lo de você. Sabe, é preciso abrir mão de uma porção de coisas para tomar conta do biscoito, impedi-lo de esfarelar e assegurar-se de que ninguém vai tirá-lo de você. Talvez você nem sequer tenha a chance de comê-lo, pois está ocupado demais tentando não perdê-lo. Ter o biscoito não é o sentido da vida."

Meu paciente ri e diz que o câncer o modificou. Pela primeira vez ele está feliz. Não importa se seus negócios estão indo bem ou não, não importa se ele ganha ou perde no golfe. "Dois anos atrás, o câncer me perguntou: 'Muito bem, o que é importante? O que é verdadeiramente importante?'. Ora, a vida é importante. A vida. A vida, qualquer que seja a forma que você possa tê-la. Vida com biscoito, vida sem biscoito. A felicidade não tem nada a ver com biscoito, tem a ver com estar vivo. Antes, quem regulava o tempo?" Ele faz uma pausa, pensativo. "Ora bolas, acho que a vida *é* o biscoito."

ESCOLHA A VIDA!

*Vês, aqui, hoje te tenho proposto o bem e o mal, a bênção
e a maldição, a vida e a morte: escolhe, pois, a vida!*

Deuteronômio

Às vezes, podemos precisar simplesmente escolher a vida. É possível
nos tornarmos de tal modo apegados a alguma coisa ou a alguém que perdemos que seguimos adiante às cegas, olhando por cima do ombro para o
passado em vez de olhar para a frente, para o que está diante de nós. A Bíblia
nos conta que, ao olhar para trás, a mulher de Lot transformou-se em uma
estátua de sal. Desconfio que isso aconteceu com muitos de nós sem termos
percebido que ficamos paralisados, aprisionados pelo passado. Nós nos
aferramos a algo perdido há muito tempo e, de mãos ocupadas, somos inca-
pazes de agarrar nossas oportunidades ou o que a vida está oferecendo.

Sete meses depois de acordar com uma tosse seca, Dan morreu de câncer pancreático, deixando um grupo numeroso de amigos atônitos e pesaro-
sos. A mulher que ele amava, em cuja casa ele acabou morrendo, ficou arrasada. Sentava-se no quarto dele durante horas e só usava as roupas que
haviam pertencido a ele. Afastou-se dos outros. Ia ao túmulo dele todos os
dias e ali se deitava, estendida no chão.

Embora essas sejam maneiras muito antigas e tradicionais de sofrer a
perda de alguém, com o passar dos meses esse comportamento continuou,
e a família começou a se preocupar. Eu a atendi pela primeira vez um ano
depois da morte de Dan. Na época, sua dor era tão viva quanto na manhã
seguinte à morte dele.

Eu me dispus a ouvi-la, mas ela quase não tinha o que dizer. Vivia como
um autômato, mal cuidando de si mesma. Embora fosse trabalhar todos os

172

dias, não conseguia raciocinar com clareza nem dar início a qualquer coisa nova. Afirmou que sua situação profissional estava precária, que sentia que em breve estaria liquidada. Não parecia capaz de preocupar-se com isso. Seu entorpecimento era contagioso. Sentada ali com ela, também eu tive uma sensação de peso e inércia, uma falta de vida que dificultava iniciar uma pergunta ou até mesmo pensar. Antes de me procurar, ela fizera tratamento com um dos psiquiatras mais competentes de nossa comunidade. Esse psiquiatra diagnosticara depressão reativa e lhe prescrevera uma série de medicamentos antidepressivos, progressivamente mais potentes. Nada ajudou.

De alguma forma, sua própria vida terminara quando morrera o homem que ela amava. Comecei a conversar a respeito daquele encerramento, pedindo-lhe que descrevesse como ela se sentia por dentro. Ao longo do tempo, ela me apresentou várias imagens de sua experiência interior. Certa vez, disse-me que "pusera os vagões em círculo, e eles continuavam a andar em círculos". Outra ocasião, disse-me que sentia ter engolido sua própria energia e, quando lhe dei papel e lápis de cor para desenhar isso, ela fez a figura de uma cobra que engoliu o rabo.

Na noite seguinte a essa sessão, surpreendi-me pensando naquela imagem repetidamente. Sentia que, de alguma forma, aquela era uma Pedra da Roseta, a chave para todo o problema, mas não sabia como poderia decifrá-la. Além disso, a imagem me parecia familiar, mas eu não conseguia lembrar-me onde a vira antes. Intrigada, procurei um dos livros de Joseph Campbell e descobri que se tratava do Uroboros, um símbolo associado à primeira energia dos chakras, a energia da sobrevivência. Comecei a pensar na possibilidade de, em uma época de perda, instintivamente reinvestirmos nossa energia em nós mesmos até termos certeza de sermos capazes de sobreviver às nossas feridas. Seria possível nos tornarmos de tal modo concentrados em nos manter que perderíamos o impulso de avançar e nos conectar com o mundo à nossa volta? Talvez essa fosse a situação daquela jovem. Sua aparente falta de vida e inércia podia não refletir uma ausência de energia, mas ser apenas um sinal de que toda a sua força vital estava andando em círculos dentro de si mesma, por medo de que ela não sobrevivesse à grande perda.

Se isso fosse verdade, ninguém conseguiria penetrar naquele sistema fechado e recolocá-la em contato com a vida, nem mesmo seu psiquiatra anterior, com todo o poder dos medicamentos psicotrópicos contemporâneos. Talvez um sistema assim somente pudesse ser aberto a partir de dentro, e ela poderia ser capaz de sair por onde ninguém fora capaz de entrar.

Na sessão seguinte, comecei a conversar com ela a respeito de sobrevivência. Ela sentia que tinha condição de sobreviver? Tencionando perguntar-lhe se ela seria ou não capaz de sobreviver em um mundo sem Dan, ouvi-me dizendo, em vez disso: "Você está *disposta* a sobreviver em um mundo sem Dan?". Sacudindo a cabeça em negativa, pela primeira vez ela começou a chorar.

Lentamente, ela se pôs a falar sobre sua perda, a perda de seu sonho, a perda do companheiro de sua vida, o vazio que parecia nunca se atenuar. Revelou sua relutância em viver sem ele e seus sentimentos de vergonha e fraqueza diante disso. Como ela podia não estar disposta a viver quando Dan quisera tanto viver? Pela primeira vez ela saiu do entorpecimento e começou a sofrer; assim, podia agora começar a curar-se. Ao longo das várias sessões que se seguiram, ouvi enquanto ela falava da dor que escondera até de si mesma.

Por fim, mencionei a possibilidade de que ela não tivesse escolhido parar sua vida, mas que esta simplesmente parara, da mesma forma que o choque de mergulhar em águas geladas nos faz automaticamente prender a respiração. Ela sofrera um grande choque. Talvez o importante, no caso, fosse estar ciente de sua capacidade de escolha. Ela podia escolher continuar a "deixar os vagões em círculo", ou podia escolher outro caminho.

Duas semanas depois, ela voltou toda animada, dizendo que tivera um sonho. Estava sentada no chão em círculo, em companhia de índios. Eram todos homens, e ela os designava por "anciões". Parecia saber que eles se haviam reunido para conversar com ela a respeito de parar sua vida, realizar um conselho, uma espécie de sessão para apurar os fatos. Sem falar, pediram a ela que contasse a história da morte de Dan, não em palavras mas em imagens mentais que eles seriam capazes de ver. Ela começou então a contar-lhes a história em imagens, e eles a acompanharam enquanto ela revivia a experiência íntima da morte de seu amado. Os anciões prestaram muito mais atenção às imagens e à experiência, momento por momento, do que ela fora capaz de fazer sozinha. Na companhia deles, ela foi capaz de descobrir o momento exato em que parara sua vida. Fora o momento em que os homens da funerária haviam levado o corpo de seu amado para longe dela e para fora de sua casa.

O grupo de índios permanecera sentado em silêncio, contemplando juntos aquele momento. Naquele silêncio ela percebeu que os homens da funerária o estavam levando para longe dela e que ela parara a vida naquele momento para impedir que eles o levassem embora.

O grupo contemplou essa nova verdade com paciência e solicitude. Ela podia sentir a compaixão por sua perda envolvendo-a, podia vê-la em cada rosto. E, então, soube que com a força terrível com que parara sua vida para impedir a perda de Dan, ela podia escolher deixá-lo ir. Que ela era forte o bastante para viver sua vida. Que já era hora de devolvê-lo.

No sonho, a cena mudou. Ela estava caminhando em direção à borda de um lugar alto levando nos braços o corpo sem vida de Dan, que parecia não ter peso algum. De alguma forma, ela sabia que o carregara por um longo caminho. Ao atingir a borda, ela o ergueu para deixá-lo ir. Ele pareceu transformar-se em um grande pássaro e, quando alçou vôo, ela pôde sentir um sopro de liberdade, como um vento que passava por ela.

A liberdade pode advir não de estar no controle da vida, mas da disposição de mover-se conforme os eventos da vida, de manter nossas lembranças, mas abrir mão do passado, de escolher, quando necessário, o inevitável. Podemos nos tornar livres em qualquer tempo.

APEGO OU COMPROMETIMENTO 2

Quando eu era estudante de medicina, uma senhora idosa veio consultar-se devido a uma massa do lado do maxilar. Nosso hospital era um dos mais importantes do mundo no tratamento de câncer, e a massa foi habilmente identificada, classificada em tipo e grau, sendo prescrita uma terapia moderníssima que englobava a quimioterapia e a total remoção do maxilar inferior.

Um dos médicos do hospital foi discutir com a família o que havíamos diagnosticado e marcar a data da cirurgia. Voltou indignado. A mulher recusara a cirurgia, e a família a apoiara na decisão. O médico explicara meticulosamente o resultado quase certamente fatal daquele tipo de câncer na ausência da cirurgia, descreveu a operação em detalhes e mencionou as estatísticas de sobrevivência no pós-operatório. A velha senhora agradeceu-lhe a preocupação e disse que desejava ir para casa. Todos os argumentos do médico fracassaram para convencê-la. Por fim, ele pediu a ela que assinasse um documento isentando o hospital e a equipe médica de toda a responsabilidade pelo resultado. Calmamente, com a família assistindo, ela assinara. Outros tinham ido conversar com ela e com seus parentes. Apesar da enorme pressão dos médicos, ela deixou o hospital. Nunca mais voltou.

Sua recusa em aceitar nossa ajuda deixou a equipe médica aborrecida por vários dias. Nossa atitude significava, efetivamente, querer tirar dela os direitos sobre sua própria vida, e no entanto qualquer um de nós teria defendido com veemência esse direito. Apesar da imensa dignidade daquela senhora e do manifesto amor de sua família, lembro-me de ter pensado que eram pessoas muito estranhas. Nunca descobri o que alicerçou sua escolha, o que a levou a tomar aquela decisão difícil com tanta calma e certeza.

Porém, 35 anos trouxeram certa mudança não só para mim, mas para a própria medicina. Recentemente, depois de apresentar essa história em uma aula de medicina, um aluno do segundo ano comentou que, a seu ver, o problema era que os médicos conheciam a doença da mulher, mas não a própria mulher. "Quem era ela?", perguntou. Ela era idosa. Teria alguém descoberto como ela se sustentara todo aquele tempo? O que era importante para ela? Seguiu-se uma discussão muito interessante a respeito da diferença entre defender uma pessoa da morte e empenhar-se por sua vida. Os alunos levantaram algumas questões dificílimas: Como servimos à vida? Podemos saber o que é "melhor" para as pessoas ou sabemos apenas o que é melhor para o tratamento de suas doenças? É possível melhorar a saúde física de alguém e no entanto diminuir sua integridade?

A classe dividiu-se exatamente na metade. Uma parte sentia-se de um modo muito semelhante àquele como meus colegas de classe tinham se sentido: frustrados, críticos e zangados. Mas a outra parte achava que os médicos de antigamente haviam diagnosticado, mas não haviam entendido. Tinham sido levados à impotência não pela recusa da cirurgia por parte da mulher, mas por sua própria recusa em ouvir e saber quem ela era. Este segundo grupo de alunos concebeu como tarefa dos médicos daquela senhora não prolongar sua vida a todo o custo, mas permitir-lhe viver sua vida segundo seus próprios valores. Dependendo de quem ela era, isso podia incluir prolongar-lhe a vida ou não.

Fico imaginando como esses comentários poderiam ter sido recebidos 35 anos atrás por meus colegas de classe e professores. Suponho que nada bem. Inquestionavelmente, perdêramos uma oportunidade de aprender a respeito de algo muito mais importante do que o diagnóstico e o tratamento do câncer, mas a capacidade de reconhecer que essa oportunidade encontrava-se à frente, no futuro.

TUDO OU NADA

É verdadeiramente difícil moldar a vida. Em especial no que diz respeito aos sentimentos. Não ser receptivo à raiva ou à tristeza, em geral, significa ser incapaz de ser receptivo ao amor e à alegria. As emoções parecem funcionar reguladas por um interruptor que permite tudo ou nada. Nunca deixo de me impressionar com a capacidade de algumas pessoas doentes para viver mais plenamente do que a maioria, para encontrar mais significado e mais profundidade, mais reverência pelo comum. Talvez seja porque elas permitiram que os eventos de suas vidas as conduzissem a alguns altos e baixos extraordinários. Encontrar as pessoas ali é uma escolha.

Uma das pessoas mais ousadas de quem tratei foi uma mulher com câncer no ovário. Aos sessenta e poucos anos, ela já tinha vivido uma vida extraordinária, aproveitando e criando oportunidades com entusiasmo. Houve um período em que ela tirou os três filhos pequenos da escola e viajou sozinha com eles pelo mundo. Uma espécie de Zorba, o Grego, em versão feminina.

O câncer e o tratamento não foram páreo para sua exuberância, e talvez até para seu senso de humor. De início, a quimioterapia levou-lhe apenas os cabelos, e ela apareceu no consultório rindo, totalmente careca, com brincos enormes e exóticos. No final eu ia visitá-la no quarto quando ela estava tão fraca que mal conseguia abrir os olhos.

Durante toda essa experiência terrível, ela usou um *walkman*, ouvindo o que denominava sua "música quimioterápica". A princípio, usou-o apenas nas horas do tratamento. Depois, passou a usá-lo constantemente. A experiência com o câncer era diferente de tudo o que ela já enfrentara na vida. Em suas palavras: "No começo eu me via no topo de uma pista de esqui. Uma pista infernal. O que eu não percebi foi que teria de percorrê-la de joelhos". Despojada da confiança que tinha em sua notável força e vitalidade física, ela encontrou uma confiança ainda maior em outras partes de si mesma, mais ocultas. E sobreviveu.

Cerca de um ano depois de concluir o tratamento, quando já haviam retornado seus cabelos, seu peso e seu riso, ela deu uma festa para as pessoas que a tinham ajudado na cura. Nós nos reunimos em sua sala, quase cem pessoas, para comer, beber e conhecer uns aos outros. Altas horas da noite, no meio da festa, ela pediu silêncio. De pé em uma cadeira, ela falou sobre os dois anos que haviam decorrido, sua dor, suas perdas, seu desamparo e aflição. Cada um de nós tinha estado a seu lado de alguma forma, e ela nos agradecia. Com um brilho nos olhos ela ergueu na mão uma fita cassete e nos lembrou de sua música quimioterápica. Contou que era uma única canção que ela ouvira repetidamente em todos aqueles meses. Queria que a ouvíssemos agora.

Um pouco surpresa, dei-me conta de que eu não tinha idéia do que continha aquela fita. Colocando-a no aparelho de som, ela aumentou o volume. Após alguns segundos de silêncio, uma voz cheia de emoção bradou: "Louvemos o Senhor, irmãos e irmãs!", e uma explosão de música gospel sacudiu a sala. Houve um instante de sobressalto. E então uma centena de pessoas — amigos e vizinhos, filhos, filhas, cabeleireiras, namorados, entregadores de mercearia, motoristas de táxi, massagistas, professores de ioga, enfermeiras, cozinheiras e faxineiras — começou a dançar. Dançamos por muito tempo. Foi uma das grandes celebrações da vida de que participei.

Como médica, fui treinada para andar em cima do muro, sem participar das decepções ou esperanças das pessoas enfermas. Para ser objetiva. Para postar-me ao lado da vida.

Com muita freqüência, o preço dessa postura é alto.

Quando ainda cursava medicina, fui ao jantar em comemoração da aposentadoria de um de nossos professores. Ganhador de numerosos prêmios profissionais, esse médico, bem avançado na casa dos setenta, era conhecido e respeitado internacionalmente por suas pesquisas e contribuições para a ciência médica. As pessoas tinham vindo de todas as partes do mundo para homenageá-lo. Foi uma noite memorável.

O discurso que ele fez foi também memorável. Com seu talento característico, ele resumiu o progresso da ciência médica nos cinqüenta anos em que exercera a medicina, integrando-a em uma síntese espantosa e indicando as direções das pesquisas futuras. Foi um *tour de force* intelectual, e nós o aplaudimos em pé por longo tempo.

Um pouco depois, naquela noite, um grupo de estudantes de medicina procurou-o para expressar nossas congratulações e admiração. Ele foi muito simpático. Um dos nossos perguntou-lhe se teria algumas palavras para nós, que estávamos no início da carreira, qualquer coisa que ele achasse que deveríamos saber. Ele hesitou. Mas em seguida disse que, apesar de seu sucesso e reconhecimento profissional, ele sentia que não conhecia coisa alguma a mais sobre a vida além do que já sabia no início. Que não estava mais sábio. Seu rosto tornou-se absorto, até mesmo triste. "Ela me escapou por entre os dedos", falou.

Nenhum de nós entendeu o que ele quis dizer. Conversando sobre o assunto depois, atribuí aquilo à modéstia. Alguns dos outros chegaram a pensar que talvez ele finalmente houvesse ficado senil. Hoje, quase 35 anos depois, eu me solidarizo com ele.

ACOLHENDO A VIDA

Antes eu supunha que um hospital era um ambiente propício para a cura. Os primeiros vinte anos que passei trabalhando com pessoas doentes em hospitais, e na época em que concluí minha especialização, já havia trabalhado em hospitais de todas as partes dos Estados Unidos. Todos os hospitais têm a mesma aparência, ambiente e cheiro. Depois de entrar em um hospital, você já não consegue distinguir se está no Maine ou no Mississipi. Eu pensei que isso fosse um exemplo de padrões elevados e controle de qualidade. Hoje em dia, sei que é o reflexo da falta de conexão entre a maioria dos ambientes hospitalares e o mundo natural à sua volta. Esse tipo de desconexão com o mundo natural enfraquece a todos.

Em 1988, durante a última cirurgia a que me submeti, todas as plantas que as pessoas me trouxeram no hospital morreram. Dia após dia, eu via aquelas plantas morrendo à minha volta e me preocupava: se as plantas pareciam não conseguir sobreviver ali, seria um bom lugar para mim?

Como médica, estou acostumada a trabalhar sem muita ajuda do ambiente natural. Este ano, quando fui convidada para dar palestras sobre psiquiatria no hospital do condado, isso veio à baila durante a discussão. As palestras foram instigantes, pois evidenciaram duas maneiras radicalmente diferentes de ajuda: a abordagem psiquiátrica, baseada em um modelo médico tradicional que salienta a terapia medicamentosa, a transferência e os conhecimentos especializados, minha abordagem de médica e ao mesmo tempo paciente, o tratamento de igual para igual que aprendi com pessoas acometidas pelo câncer cuja dor emocional e física estavam interligadas.

Depois das palestras, reuni-me com os 14 dedicados jovens médicos participantes do programa de treinamento para uma discussão de duas

181

horas. Eles ressaltaram de imediato que a abordagem que se revelou tão útil para as pessoas com câncer violava quase todas as regras de transferência que estavam aprendendo em seus estudos de especialização. Eu tocava os pacientes, até os abraçava. Meus pacientes sabiam sobre minha pessoa, minha doença e vulnerabilidade e muitos outros detalhes de minha vida. Comíamos juntos. Até chorávamos juntos. A distância interpessoal que haviam ensinado aos jovens médicos como sendo essencial para ajudar os outros simplesmente não existia entre mim e meus pacientes.

Ouvindo atentamente enquanto eles falavam sobre transferência, percebi que tinham sido treinados para criar para cada paciente um ambiente interpessoal meticuloso, um relacionamento cuidadosamente controlado que diferia de qualquer outro de maneira radical, no qual eles eram pessoalmente invisíveis, e seus comentários e comportamento eram calculados e reprimidos. Pude perceber a grande disciplina que aquele treinamento requeria, e senti neles o medo de inadvertidamente cometer um erro e causar algum mal. Contudo, segundo minha experiência, a maioria dos relacionamentos possui o que só posso designar por um valor poético natural. Com freqüência, não nos damos conta dos muitos níveis de simbolismo e significado em interações tão simples quanto dar de beber a uma pessoa com sede ou afastar-se um pouco no banco para dar lugar no assento a alguém. A mente inconsciente está sempre se intrometendo em nossos relacionamentos, e com freqüência não percebemos as mensagens e metamensagens que se traduzem para a outra pessoa em nossa presença. Às vezes, as mensagens que transmitimos inadvertidamente podem ser até mais coerentes e importantes para as necessidades dos outros do que as mensagens que concebemos conscientemente.

Da transferência, a discussão mudou para o ambiente de trabalho. Um médico residente comentou que provavelmente era impossível estabelecer relacionamentos terapêuticos genuínos sem o ambiente natural do Commonweal, situado nas colinas à beira do Pacífico, no Norte da Califórnia. Referiu-se ao lugar em que nos encontrávamos como um exemplo. Estávamos sentados em uma mesa comprida, em uma sala cujas janelas minúsculas eram tão próximas do teto de seis metros de altura que não se podia saber se era dia ou noite ou como estava o tempo lá fora. Os residentes riram, e alguém comentou que pelo menos havia janelas.

Naquele momento, uma médica sentada à minha frente, na cabeceira da longa mesa, falou pela primeira vez. Descreveu seu consultório, o qual, como todos os consultórios de residentes, era uma sala sem janelas. Nas primeiras semanas trabalhando ali, o ambiente começara a perturbá-la, e ela levara para lá uma planta. A planta morrera. Inconformada, levou outra, juntamente com algumas lâmpadas para cultivo de vegetais. Desta vez foi bem-sucedida e a planta vingou. De fato, o êxito foi tamanho que ela a replantou e levou mais duas. Estava agora com várias plantas, algumas grandes, crescendo em seu consultório.

Tudo isso produziu um efeito singular em muitos de seus pacientes, contou ela. Desde o início, as pessoas pareceram interessar-se muito pelas plantas, e várias ficaram aborrecidas quando a primeira morreu. O sucesso da nova planta despertou também grande interesse. Os pacientes olhavam para a planta assim que se sentavam, e muitos comentavam que ela estava crescendo bem. Depois de algum tempo, alguns pacientes paravam antes de sentar-se para tocar nas folhas ou no solo. Encorajada por aquele interesse, a médica levara algumas pequenas ferramentas de jardinagem e adubos e, com freqüência, passava os primeiros minutos de uma sessão conversando sobre as plantas e cuidando delas junto com o paciente.

Quando as plantas cresceram e o consultório se transformou em uma verdadeira floresta, muitos pacientes pareceram surpreendentemente gratificados. Alguns perguntaram se podiam levar mudas para casa. Isso a preocupou de início, mas depois ela pensou: "Por que não?". Hoje muitos pacientes têm suas mudas. Com evidente prazer, eles vinham contar a ela como as mudas estavam crescendo. Ela sabia que aquele era um procedimento bastante incomum, mas de algum modo lhe parecia correto.

Tradicionalmente falando, esse afastamento dos procedimentos psiquiátricos habituais era radical, mas a metáfora poética era primorosa. Olhei em volta e percebi que ninguém parecia ter reconhecido o poder que ela encerrava.

No entanto, cada paciente está ali porque, de alguma forma, ele vive em um ambiente psicológico que dificulta o crescimento. Emocionalmente, ele está procurando encontrar um modo de viver em uma sala sem janelas. Um consultório sem janelas é, em certo sentido, o local de encontro perfeito.

Todos os pacientes vêm com a mesma esperança: o médico poderá me ajudar? Aquela médica, com sua disposição para escapar às limitações da transferência, sem perceber organizara a transferência suprema. Seus pacientes descobriam-na cultivando uma planta em um local hostil ao crescimento. Semana após semana, viam a planta crescer. Começavam a ter esperança. Talvez houvesse um modo de cultivar a vida, um modo de crescer apesar das dificuldades e limitações. Talvez ela pudesse ajudá-los.

Depois de algum tempo, eles começavam a confiar-lhe sua dor e a permitir que ela cultivasse a vida que havia neles. Pouco a pouco, iam ganhando forças, tornando-se mais capazes de participar. Hesitantes a princípio, juntavam-se a ela no cultivo da vida. Em pouco tempo, sentiam-se dispostos a tentar levar para casa o que tinham aprendido ali. Levavam para casa um pedaço da vida que haviam cultivado juntos, e descobriam que eram capazes de sustentá-la. Por fim, talvez acabassem não precisando retornar ao consultório. Fiquei imensamente comovida pela sabedoria contida na história daquela médica.

Refletindo agora, lembro-me de que também eu tive certa vez uma planta como co-terapeuta. A paciente era uma mulher notável, que veio para tratar de depressão e ansiedade. Dona de uma firma de *design* de interiores, ela era bem-recebida na alta sociedade de três continentes e tinha amizade com algumas das pessoas mais extravagantes e criativas do mundo atual. No entanto, procurava-me devido a uma profunda solidão e a uma longa série de comportamentos e relacionamentos autodestrutivos com homens. Era uma mulher corpulenta, muito afável, com grande bom humor, e tinha uma das risadas mais esplêndidas que já ouvi.

Nascida na Irlanda em uma família católica socialmente importante, ela fora criada em um lar tradicional no qual se sentia segura e protegida. Quando menina, freqüentara escolas católicas e pertencera aos círculos mais conservadores e respeitáveis. Fora uma vida agradável e confortável. "Quando foi que tudo isso mudou?", perguntei-lhe. Penosamente, ela me contou sobre uma noite em que saiu do colégio interno para dar conta de uma pequena incumbência e foi estuprada sob a ameaça de uma faca. Seus pais, arrasados, e a igreja não lhe deram um verdadeiro apoio; lidaram com a vergonha que ela sentia encobrindo-a com o silêncio. Pouco tempo depois ela deixou a Irlanda e mudou-se para os Estados Unidos, indo morar com uma tia.

Embora houvesse acontecido há 25 anos, o estupro deixara-a profundamente vulnerável e envergonhada, incapaz de estabelecer fronteiras pessoais ou assumir o controle de sua vida. Ela aceitava tudo o que lhe cruzasse o caminho e tentava sobreviver a isso. Não acreditava poder mudar as coisas. Entretanto, no trabalho ela era poderosa e competente, tomando decisões sagazes e gerindo um negócio bem-sucedido em um campo altamente competitivo.

Durante um ano ou mais tratamos das velhas feridas, fazendo emergir e curando alguns sentimentos inconscientes, explorando as conclusões que ela tirara a respeito de si mesma e da vida. Depois de alguns meses nesse processo, passamos a examinar como ela vivia. Por muitos anos, ela dissipara sua vida sem reabastecê-la ou cultivá-la na companhia daqueles que faziam a mesma coisa. Dizendo a ela que meu palpite era de que ela possuía pouquíssima experiência em cuidar de si mesma, sugeri que iniciássemos uma prática para ajudá-la nesse aprendizado. Eu estava querendo dizer meditação? "Não exatamente", falei. "Compre uma planta." Ela deu sua risada esplêndida e replicou que não se achava capaz de manter viva uma planta. Mas era esse exatamente o "x" da questão. Não convencida, ela concordou em tentar.

Ao longo dos meses seguintes, Gert esforçou-se para manter um gerânio vivo. Sua tarefa era prestar atenção à planta todos os dias, notando suas necessidades e atendendo-as. No começo, foi na base de tentativa e erro. O gerânio, que na verdade era um pelargônio, sofreu por excesso de zelo seguido de períodos de negligência, de um modo muito semelhante ao que acontecia com a própria Gert. "Ouça com mais cuidado", encorajei-a. "Se você realmente prestar atenção, ele mostrará a você do que precisa." Os pelargônios são tenazes. Apesar das dificuldades, do modo característico aos de sua espécie, sua planta se recobrava e continuava a crescer. Gert começou a admirar sua capacidade de recuperação, a ver algo de si mesma naquela planta. Falou-me sobre a força de seu pelargônio. Pouco a pouco, ela passou a reconhecer melhor as necessidades dele. Impetuosa como sempre, Gert, que falava fluentemente quatro línguas, contou-me que estava aprendendo a falar pelargonês e perguntou se eu gostaria de ouvi-la dizer alguma coisa.

Passamos a tratar de outras coisas. Eu lhe perguntava periodicamente sobre o gerânio, e por fim Gert disse que precisara transplantá-lo para o chão, pois a planta ficara grande demais para o vaso. Ficamos ambas satisfeitas.

Mais ou menos nessa época, Gert começou a cogitar em fazer algumas mudanças em sua vida. As exigências de seu trabalho eram enormes, e ela dispunha de pouquíssimo tempo para si mesma. Alicerçando-se em uma nova confiança em seu discernimento e na capacidade de saber do que precisava, ela vendeu sua empresa e abriu uma escola de *design*. Por volta desse período ela conheceu um homem bom e gentil e começou a namorá-lo. Quando ingressou nessa nova vida e nesse novo relacionamento, ela deixou de sentir necessidade de vir às nossas sessões.

Poucos anos depois, recebi o convite para seu casamento, e um ano mais tarde ela apareceu para discutir comigo um modo de poder ajudar, da melhor forma possível, uma amiga que estava morrendo de câncer. Ela e o marido estão agora morando em Los Angeles, em seu primeiro lar. Com orgulho, ela me mostrou fotografias. O jardim, uma profusão de cores, era enorme. Quando comentei sobre aquela beleza, ela deu um sorriso rasgado. "Eu mesma plantei."

Carl Jung às vezes trabalhava com seus pacientes perguntando-lhes onde tinham estado imediatamente antes de irem para o consultório. Com freqüência, eles eram descobertos nas atividades mais corriqueiras, comprando comida, dirigindo o carro, comprando sapatos. Ouvindo atentamente o modo como eles haviam feito essas coisas, fazendo perguntas ponderadas e pondo a nu respostas automáticas e habituais, Jung trazia à luz todo o modo de viver da pessoa, suas forças e limitações.

Sou agora de opinião que o mundo subjetivo provavelmente é um holograma, e que o padrão de nossas crenças mais fundamentais reflete-se em nossos comportamentos mais insignificantes. Se isto for verdade, romper esse padrão em qualquer ponto pode acabar nos libertando dele. O modo como vamos à mercearia pode nos revelar tudo sobre a maneira como levamos nossa vida. O modo como cultivamos a força vital em uma planta pode ser o mesmo com que cultivamos nossa própria força vital. Somos primorosamente coerentes. Curar-se requer uma certa disposição para ouvir e responder às necessidades da vida. Gert nunca ouvira suas necessidades, não soubera como ouvir. O pelargônio foi um professor melhor do que eu.

VII
VIVA E AJUDE A VIVER

Todos nós podemos influenciar a força vital. As ferramentas e estratégias da cura são tão inatas, tão inerentes ao direito humano mais básico que nós, os adeptos da tecnologia, prestamos pouquíssima atenção a elas. Mas elas não perderam nada de seu poder.

As pessoas vêm curando umas às outras desde o princípio. Muito antes de existirem cirurgiões, psicólogos, oncologistas e clínicos-gerais, já cuidávamos uns dos outros. A cura de nossos males presentes pode estar em reconhecer e recuperar a capacidade que todos nós temos para curar uns aos outros, no poder imenso que há na mais simples das relações humanas: a força de um toque, a bênção do perdão, a graça de alguém aceitá-lo exatamente como você é e descobrir em você uma bondade insuspeitada.

Todo o mundo que está vivo sofreu. É a sabedoria adquirida com nossas feridas e com nossas experiências de sofrimento que nos capacita para curar. Tornar-me uma especialista revelou-se menos importante do que lembrar-me da integridade que há em mim mesma e em todas as outras pessoas e confiar nessa integridade. Os conhecimentos especializados curam, mas pessoas que sofrem são mais bem curadas por outras pessoas que sofrem. Somente outras pessoas sofredoras podem compreender o que é necessário, pois a cura para o sofrimento está na compaixão, não nos conhecimentos especializados.

Quando eu ainda pertencia ao corpo docente de Stanford, estive entre o pequeno grupo de médicos e psicólogos tradicionais convidados para a aula magna de um dia inteiro dada pelo doutor Carl Rogers, um pioneiro da psicoterapia humanista. Eu era jovem e orgulhava-me de ser uma especialista, procurada por minhas opiniões e avaliações. O método terapêutico de Rogers, denominado Consideração Positiva Incondicional, parecia-me um deplorável rebaixamento de padrões. No entanto, corria o boato de que seus resultados terapêuticos eram quase mágicos. Eu estava curiosa, e por isso fui.

Rogers era um homem imensamente intuitivo e, enquanto nos falava sobre o modo como trabalhava com seus pacientes, parava com freqüência para traduzir em palavras o que ele fazia de maneira intuitiva e natural. Muito diferente do estilo de exposição bem-articulada e peremptória com que eu estava acostumada no centro médico. Poderia alguém aparentemente tão hesitante possuir algum conhecimento especializado? Eu duvidava. Pelo que eu pudera concluir, a Consideração Positiva Incondicional resumia-se a sentar em silêncio e aceitar tudo o que o paciente dizia, sem julgamento ou interpretação. Eu não podia imaginar como isso seria capaz de ter utilidade.

Finalmente, o dr. Rogers propôs uma demonstração de seu método. Um dos médicos do grupo apresentou-se como voluntário para fazer as vezes do cliente, e os dois arrumaram as cadeiras para sentarem-se frente a frente. Quando Rogers se virou para ele, prestes a começar a sessão de demonstração, parou e olhou pensativamente para sua pequena audiência de especialistas, na qual eu me incluía. No breve silêncio, eu me mexi com impaciência na cadeira. E Rogers começou então a falar. "Antes de cada sessão, reservo um momento para lembrar minha condição humana", ele nos disse. "Não existe experiência alguma que esse homem tenha vivido que eu não possa compartilhar com ele, nenhum medo que eu não possa compreender, nenhum sofrimento com que eu não possa me preocupar, porque eu também sou humano. Não importa o quanto sua ferida seja profunda, ele não precisa envergonhar-se diante de mim. Eu também sou vulnerável. E, por causa disso, *eu sou suficiente*. Seja qual for sua história, ele não precisa mais estar sozinho com ela. É isto o que irá permitir que sua cura tenha início."

A sessão que se seguiu foi intensa. Rogers conduziu-a sem proferir uma única palavra, transmitindo a seu cliente simplesmente pela qualidade de sua atenção que o aceitava por completo exatamente do modo como ele era. O médico começou a falar, e a sessão logo se transformou em muito mais do que a demonstração de uma técnica. No clima seguro da aceitação total de Rogers, nosso colega começou a tirar suas máscaras, hesitante a princípio, e depois com facilidade cada vez maior. Quando cada máscara caía, Rogers acolhia a pessoa por trás dela incondicionalmente, até que por fim vislumbramos a beleza da face despida do médico. Duvido que até mesmo ele já a tivesse visto antes. Àquela altura, muitas de nossas faces também estavam despidas, e alguns de nós tinham lágrimas nos olhos. Recordo-me que desejei ter-me apresentado como voluntária, invejando a oportunidade daquele médico em ser recebido por alguém daquela maneira total. Exceto por aqueles breves momentos com meu padrinho, eu nunca vivenciara aquele tipo de acolhida.

Eu sempre me esforçara muito para ser boa o bastante; era o padrão áureo segundo o qual eu decidia o que ler, o que vestir, como passar meu tempo, onde morar e até o que dizer. Nem mesmo "boa o bastante" era realmente bom o bastante para mim. Eu passara a vida inteira tentando fazer-me perfeita. Mas se o que Rogers estava dizendo fosse verdade, perfeição era um prêmio de consolação. Era preciso simplesmente ser humano. Eu era humana. Toda a minha vida eu temera ser descoberta.

O que Rogers estava mostrando é, obviamente, um princípio muito sábio e fundamental do relacionamento que cura. Sejam quais forem os conhecimentos especializados que tenhamos adquirido, a maior dádiva que concedemos a alguém que sofre é nossa integridade.

Ouvir é o mais antigo e talvez o mais poderoso instrumento de cura. Com freqüência, é pela qualidade do modo como ouvimos e não pela sabedoria de nossas palavras que conseguimos efetuar as mudanças mais profundas nas pessoas que nos cercam. Quando ouvimos, oferecemos com nossa atenção uma oportunidade para a integridade. Nossa atenção cria um santuário para as partes sem lar que existem dentro da outra pessoa. As que foram negadas, desprezadas, desvalorizadas por ela mesma e pelos outros. As que estão ocultas. Nesta cultura, a alma e o coração com freqüência ficam sem lar. Ouvir cria um silêncio sagrado. Quando você escuta generosamente as pessoas, elas podem ouvir a verdade em si mesmas, mesmo que pela primeira vez. E no silêncio de ouvir você pode conhecer a si mesmo em toda pessoa. Por fim, você pode acabar sendo capaz de ouvir, em todas as pessoas e além de cada uma, o oculto cantando baixinho para si mesmo e para você.

Pouco tempo atrás, eu estava andando debaixo de chuva na cidade onde nasci, Nova York, pensando no lugar cheio de verde onde moro agora, grata pela facilidade com que as coisas crescem ali. Nem tudo tem espaço para crescer e realizar-se plenamente. A chuva deixou-me intensamente consciente do quanto é duro e cinzento aquele mundo de concreto e tijolos e da espantosa capacidade dos seres humanos para prevalecer sobre o que é natural e curvá-lo à sua vontade. Por muitos e muitos quilômetros não parecia existir coisa alguma viva que pudesse reagir à chuva. Mas o importante é que a chuva cai. A possibilidade de crescimento está ali, mesmo nas épocas mais difíceis. Ouvir é como a chuva.

SER HUMANO

No começo de dezembro do ano em que fiz 13 anos, meu pai foi à falência. Naquele ano, todos nós fizemos nossos presentes de Natal. Lembro-me de ter esperado pelo Natal com uma ansiedade mais do que habitual, louca para saber se o cachecol que eu tricotara em segredo para meu pai o agradaria e como o bracelete que eu criara e fabricara com arame de cobre ficaria em mamãe. Apesar da tensão na família, na manhã de Natal a sala de estar estava bem parecida com a dos anos anteriores, a decoração familiar no lugar e a mesa de café repleta de presentes, só que neste ano embrulhados nas folhas verdes da seção de esportes do jornal e amarrados com as fitas vermelhas do ano anterior. Entre eles havia uma caixinha de veludo.

Mesmo aos 13 anos eu sabia que uma caixa daquelas provavelmente não conteria alguma coisa feita em casa. Olhei-a desconfiada. Meu pai sorriu. "É para você, abra", ele me disse.

Lá dentro havia um par de brincos de ouro de 24 quilates. Eram magníficos. Fitei-os em silêncio, confusa, sentindo o peso de minha falta de graça, de minha timidez, de minha insuperável diferença com relação às minhas colegas de classe, que tão facilmente gracejavam, flertavam e riam. "Não vai experimentá-los?", lembrou meu pai, e assim, fui para o banheiro, fechei a porta, peguei-os e coloquei-os nas orelhas. Cautelosamente, olhei no espelho. Meu rosto pálido e espinhento, os cabelos escorridos, oleosos antes mesmo de secarem depois de um banho, estavam como sempre. Os brincos pareciam absurdos.

Arrancando os brincos, voltei correndo à sala e os atirei no chão. "Como é que o senhor pôde fazer isso?", bradei com voz esganiçada para meu pai. "Por que está me fazendo de boba? Pegue-os de volta. Eles parecem tolice. Sou feia demais para usá-los. Como é que o senhor teve coragem de desperdiçar todo esse dinheiro?" E desatei a chorar. Meu pai nada disse enquanto eu me debulhava em lágrimas. Depois que parei, ele me passou seu lenço limpo e dobrado. "Sei que eles não ficam bem agora", disse ele, sereno. "Comprei-os porque algum dia eles combinarão perfeitamente com você."

Sou verdadeiramente grata por ter sobrevivido à minha adolescência. Em alguns dos piores momentos daquela fase, eu pegava a caixinha e olhava os brincos. Meu pai gastara cem dólares que ele não tinha porque acreditava na pessoa que eu estava me tornando. Era algo para me sustentar.

Por trás do presente de meu pai estava o tipo de dupla visão que é a marca da pessoa que cura. Ele podia ter dito para eu não chorar, que algum dia eu seria uma mulher adorável. Mas isso teria sido um menosprezo à minha dor, teria invalidado minha experiência, a verdade do momento. O que ele fez foi muito mais poderoso. Ele reconheceu minha dor e sua validade, e ao mesmo tempo apoiou meu processo. Sua crença de que a mudança apareceria naturalmente no devido tempo fez toda a diferença. A integridade é apenas uma questão de tempo.

"Ser humano" é mais um verbo do que um nome. Cada um de nós é inacabado, uma obra em andamento. Talvez fosse mais acertado acrescentar a palavra "ainda" a todas as avaliações que fazemos de nós mesmos e dos outros. Jon não aprendeu a ter compaixão... ainda. Não ganhei coragem... ainda. Isso muda tudo. Já vi o "ainda" tornar-se real mesmo no extremo da vida. Se a vida é um processo, todo juízo de valor é provisório. Não podemos julgar uma coisa antes de ela estar terminada. Ninguém ganhou ou perdeu antes de a corrida acabar.

"Quebrado" pode ser apenas um estágio de um processo. Um botão não é uma rosa quebrada. Somente coisas sem vida estão quebradas. Talvez o processo único que é um ser humano jamais esteja acabado. Mesmo na morte.

Em nossos apegos instintivos, nosso medo de mudança e nosso desejo de certeza e permanência, podemos solapar a impermanência que é nossa maior força, nossa identidade mais fundamental. Sem impermanência não há processo. A natureza da vida é a mudança. Toda esperança tem por base um processo.

Na época do presente de meu pai, eu era profundamente crítica com respeito à maioria das coisas. O que estava faltando sempre me parecia muito evidente e coloria minhas reações a mim mesma e aos que me cercavam. Tenho lutado para libertar-me desse modo de ver, mas nunca fui capaz. Gradualmente, fui reconhecendo seu lado bom: aquilo que eu antes considerava deficiência é apenas a parte das coisas que está em crescimento, os lugares onde precisamos uns dos outros e podemos nos unir no processo de nos tornarmos mais íntegros.

Precisei de mais tempo para perceber que um diagnóstico é simplesmente uma outra forma de julgamento. Dar nome a uma doença tem uma utilidade limitada. Não captura a vida, nem mesmo a reflete com exatidão. A doença, por outro lado, é um processo, tal qual a vida.

Boa parte da concepção de diagnose e cura diz respeito a consertar, e um enfoque limitado ao conserto dos problemas das pessoas pode conduzir à negação do poder de seus processos. Anos atrás, eu me dava todo o crédito pela recuperação dos pacientes; seu restabelecimento era testemunha de minha habilidade e conhecimento médico. Eu não reconhecia que sem a existência de um processo biológico, emocional e espiritual das pessoas capaz de reagir às minhas intervenções absolutamente nada poderia mudar. Todo o tempo eu achava que estava reparando, que estava colaborando.

Como pediatra, fiz certa vez uma palestra sobre saúde para um grupo de escolares. Fora lá disposta a falar sobre a importância de escovar os dentes e não comer o que fazia mal à saúde, mas as crianças queriam fazer perguntas que eram mais importantes para elas. Coisas como: "Para onde vou quando estou dormindo?" e "Os mortos viram anjos?". Elas não tardaram a descobrir os limites de minha sabedoria e, então, obviamente, perderam o interesse em mim.

Estávamos reunidos ao ar livre, no gramado da escola. Um garotinho, apontando para uma flor amarela que crescia na grama, perguntou-me: "O que é isto?". Um coro de vozes respondeu: "Dente-de-leão!". Apontando para um punhado de folhas, ele inquiriu: "E isto?".

"Dente-de-leão também", gritaram as vozes. Uma criança mais velha levantou-se e apanhou uma das muitas bolas felpudas que pontilhavam a grama. "Então o que é isto?", perguntou, rindo, e soprou até fazê-la sumir no ar.

"Dente-de-leão!", gritaram as vozes com satisfação. Uma esplêndida discussão existencial veio à tona e logo ficou acalorada. Qual era *realmente* o dente-de-leão? Após alguns minutos de debate, a questão foi elegantemente resolvida por uma das crianças mais velhas, uma adolescente. Com um tom de voz superior e entediado, ela repreendeu os demais por serem bobos. "Tudo é dente-de-leão", disse ela. "Um dente-de-leão é simplesmente uma coisa que está acontecendo em um lugar do mundo."

E, suponho, todos nós também somos.

Ver a força vital nos seres humanos torna a medicina mais próxima da jardinagem que da marcenaria. Eu não conserto uma roseira. Uma roseira é um processo vivo e, como estudiosa desse processo, posso aprender a podar, a nutrir e cooperar com ela de maneiras que melhor lhe permitam "acontecer", maximizar a força vital que existe nela, inclusive na presença de doença.

Simplesmente confiar no processo encerra um grande poder. Uma de minhas colegas estava me contando sobre o nascimento de sua neta. Em certo momento do parto longo e difícil, sua filha pedira-lhe ajuda. Minha colega sentiu isso como um momento de impotência, julgando que não havia coisa alguma que ela pudesse fazer para consertar as coisas. Sentara-se ali segurando a mão da filha, confiando no processo do nascimento e sentindo que aquilo não era suficiente. Mas talvez seja. A confiança no processo que provém do conhecimento e experiência pessoal é o verdadeiro alicerce da ajuda e conforto que damos uns aos outros. Sem ela, todas as nossas ações são guiadas pelo medo. O medo é o atrito em todos os processos de transição.

VIVA E AJUDE A VIVER

Muitos anos atrás, quando eu era pediatra e docente em uma importante faculdade de medicina, tratei de seis adolescentes com diabetes juvenil. Quase todos apresentavam os mesmos sintomas desde bem pequenos e haviam observado dietas rigorosas e aplicado em si mesmos injeções de insulina desde o jardim-de-infância. Porém, quando se viram arrastados pelo turbilhão da adolescência, desesperados para ser como os demais de seu grupo, a doença transformara-se em um fardo terrível, uma marca de diferença. Jovens que haviam observado o controle do diabetes desde a infância, agora se rebelavam contra a autoridade de sua doença como se ela fosse um segundo pai. Esqueciam-se de tomar as injeções, comiam tudo o que sua turma comia e eram levados para o pronto-socorro, vezes sem conta, em estado de coma ou choque. Era atemorizante e frustrante, perigoso para os jovens e extenuante para seus pais e para toda a equipe da pediatria.

Como diretora associada da clínica médica, o problema foi levado à minha porta, e eu decidi tentar algo simples. Formei dois grupos de discussão, cada um composto de três jovens e dos pais dos três adolescentes do outro grupo. Cada grupo se reunia para conversar uma vez por semana.

Esses grupos revelaram-se muito eficazes. Jovens que não conseguiam conversar com os pais expressavam-se com muita clareza sobre suas necessidades e perspectivas falando aos pais de outros jovens. Pais que não conseguiam ouvir os próprios filhos escutavam atentamente cada palavra dos filhos de outras pessoas. E os filhos de outras pessoas podiam ouvi-los quando não eram capazes de ouvir seus próprios pais. As pessoas, pela primeira vez percebendo que eram compreendidas, sentiram-se seguras o bastante para chorar, descobrindo que outros se importavam e podiam consolá-las. Pessoas de todas as idades ofereciam umas às outras percepções e

196

apoio, e os comportamentos começaram a mudar. Os pais e seus próprios filhos passaram a conversar e a ouvir uns aos outros de novas maneiras. Estávamos fazendo um grande progresso na qualidade de todos os relacionamentos familiares, e o número de idas ao pronto-socorro estava diminuindo, quando o diretor da clínica ficou sabendo sobre os grupos.

Sua indignação foi dolorosa. O que é que eu estava pensando, infringindo descaradamente as limitações de minha especialidade? Por acaso eu era psiquiatra? E se alguma daquelas pessoas tivesse sido prejudicada por alguma coisa que fosse dita ou tivesse se tornado emocionalmente perturbada? O que é que eu iria fazer, então? Apesar dos bons resultados, os grupos foram desfeitos.

Ainda hoje existe uma concepção muito limitada do que seja um provedor de saúde. Lembrando daquelas pessoas e da sabedoria, generosidade e compreensão que ofereceram umas às outras, sinto tristeza. Não eram especialistas de segunda classe. E, tendo sido uma pessoa doente desde a adolescência, eu também não era. Nossa experiência de vida era tão valiosa quanto qualquer credencial.

Não acredito que sejamos capazes de alcançar a saúde para todos antes de entender que somos todos provedores de saúde uns para os outros, e valorizar o que temos a oferecer uns aos outros tanto quanto valorizamos o que os especialistas têm a nos oferecer. Nos anos que decorreram desde então, grupos como esse vêm demonstrando inquestionavelmente que problemas impossíveis de ser tratados com as técnicas médicas mais especializadas podem ser resolvidos em comunidade pelas próprias pessoas que deles sofrem e que, por isso mesmo, os entendem. Nessas comunidades, o conceito de sofrimento fragmenta-se, e somos todos sofredores que curam uns aos outros. Adquirimos a sabedoria para curar e a capacidade de cuidar.

Em uma palestra recente, Bill Moyers comentou que um dos valores mais tradicionais do estilo de vida americano — viva e deixe viver — jamais poderá levar a uma boa saúde para todos. A saúde requer que nós, como indivíduos e como povo, avancemos um passo além disso. Que vivamos e *ajudemos* a viver.

COMO VEMOS UNS AOS OUTROS

Quando adolescente eu era alta, cheia de espinhas no rosto e inapelavelmente sem graça. Venho de uma família de mulheres elegantes, e uma prima, bem mais velha do que eu, resolveu incumbir-se de me ajudar nas graças que meus pais intelectuais consideravam desimportantes. Um sábado por mês ela me levava para fazer compras e depois almoçar no Russian Tea Room, um lugar formal e encantador em Nova York. Aqueles passeios eram para mim uma agonia. Todas as roupas que eu experimentava ficavam penduradas em mim. Eu tinha crescido rápido, e era desajeitada de dar dó. Certa vez tropecei em meus próprios pés e caí esparramada na rua, esfolando os joelhos, o queixo e ensopando o vestido. Minha prima era uma mulher muito amável, não demonstrava censura ou vergonha de mim. Ajudou-me a levantar e me levou para o chá, de queixo sangrando, vestido sujo e tudo.

Alguns anos depois desse incidente, ela se casou. Enredada nas exigências de minha formação universitária e depois na especialização médica, perdi contato com ela. Depois de vários anos, quando seus filhos já estavam na escola e eu era uma jovem médica, retomamos nossos almoços e compras. Agora, quando entrávamos juntas no Russian Tea Room, as conversas paravam. Ambas muito altas e de aparência exótica, causávamos sensação. Isso poderia ser muito divertido, exceto pelo fato de minha prima nunca ter atualizado a imagem íntima que tinha de mim. Apesar das evidentes mudanças em minha aparência e capacidades, ela ainda me via como uma adolescente irremediavelmente desajeitada. E eu não conseguia escapar às suas expectativas mudas.

Nós nos sentávamos para almoçar e, no decorrer da tarde, eu ia regredindo. Derramava o vinho tinto na toalha impecavelmente branca ou deixava cair molho no vestido. Uma ocasião, a correia de minha bolsa ficou presa, fez a bolsa virar, espalhando batons, chaves, carteiras e absorventes no assoalho do salão de chá. Minha prima suportava esses incidentes misericordiosamente sem comentários. Totalmente ignorante de seu papel naquelas ocorrências e do poder da imagem íntima que tinha de mim, ela sorria com compaixão e aceitação e me ajudava a arrumar a bagunça. Era de enfurecer.

De certo modo, somos definidos tanto por nosso potencial quanto pela expressão deste. Há uma grande diferença entre uma bolota de carvalho e um pedaço de madeira esculpido em forma de bolota, diferença essa que nem sempre é notada a olho nu. A diferença existe, mesmo que a bolota nunca tenha a oportunidade de plantar-se e se tornar um carvalho. Lembrar seu potencial muda o modo como concebemos uma bolota e reagimos a ela. O modo como a valorizamos. Se uma bolota tivesse consciência, conhecer seu próprio potencial alteraria a maneira como ela poderia pensar e sentir-se a respeito de si mesma. Os hindus usam a saudação *Namaste* em vez do nosso neutro "Olá". A conotação de *Namaste* é, aproximadamente: "Seja qual for sua aparência exterior, vejo e saúdo a alma dentro de você". Existe sabedoria nessa maneira de relacionar-se. Às vezes, o melhor modo de ajudar outras pessoas é relembrar que o que pensamos a respeito delas pode estar refletido em nossa presença, podendo afetá-las, não sabemos bem de que forma.

Talvez uma impressão ou sensação seja transmitida por nosso tom de voz, expressão facial ou determinada escolha de palavras. Ao longo dos anos, passei a pensar que talvez essa informação seja comunicada mais diretamente, pelo compartilhamento de uma imagem privada de um modo, embora misterioso, bastante tangível, como acontecia com minha prima em relação a mim.

Ter e transmitir uma sensação ou impressão não significa ter expectativas ou exigências. Pode significar não ter expectativa alguma, mas simplesmente ser receptivo a qualquer promessa que a situação possa encerrar e lembrar que pessoa alguma é capaz de prever o futuro. Thoreau disse que devemos acordar e nos manter acordados não por meios mecânicos, mas por uma constante expectativa da alvorada. Não há necessidade de pedir pela aurora, ela é simplesmente uma questão de tempo. E paciência. E a aurora pode mostrar-se muito diferente da história que contamos a nós mesmos sobre ela. Minha experiência mostrou-me a sabedoria de permanecer receptivo à possibilidade de crescimento em toda e qualquer circunstância, sem jamais saber que forma esse crescimento pode assumir.

Quando as pessoas estão doentes, a imagem privada que temos delas pode ter conseqüências muito mais abrangentes do que imaginamos.

Conheci Aaron, um jovem arquiteto, quando ele estava em tratamento no hospital da universidade devido a um linfoma. Forte como um touro, com suprema confiança em sua força física, ele foi abatido pela primeira vez pelo poder da quimioterapia. Um homem menos forte teria ficado de cama, mas Aaron de algum modo conseguia atender a seus clientes e dirigir oitenta quilômetros até o hospital para fazer o tratamento. Em nossas sessões ele falava muitas vezes sobre o jovem médico, o oncologista, que fora encarregado de tratá-lo. Praticamente da mesma idade, os dois tinham começado a conversar sobre coisas além do diagnóstico e tratamento, sobre seus sonhos e seus valores. Aos poucos, esse relacionamento foi se tornando importante para Aaron; ele sentia que aquele médico o via não só como paciente, mas como um homem.

A quimioterapia prosseguiu por um ano. Admirei-me com o espírito resoluto de Aaron, com o poder de sua vontade de viver. Quando finalmente terminou o tratamento, ele, sua jovem esposa e os filhos começaram a reconstruir a qualidade de sua vida em família. A força de Aaron retornou rápido. Logo ele estava de novo treinando o time infantil de beisebol, acampando na Sierra e reinando absoluto sobre os amigos nas quadras de tênis. Ele continuou bem por dois anos.

Durante esse período, o oncologista ausentou-se do hospital para estudos adicionais de aperfeiçoamento em sua especialidade médica. Voltou para concluir sua preparação profissional, e Aaron viu-o pela primeira vez em dois anos durante um *check-up* de rotina. Encantado, Aaron convidou-o para passar uma noite na cidade com ele e sua esposa. Os dois jovens casais poderiam jantar e talvez ir ao teatro. O jovem médico hesitou. Meio constrangido, disse que não achava aquela uma boa idéia. Perplexo, Aaron perguntou: "Por que não?". O médico ficou ainda mais constrangido. "Bem", murmurou, "não quero ficar muito íntimo, preciso me proteger. Afinal de contas, você tem câncer."

Aaron ficou arrasado. Nos meses seguintes ele só falava sobre aquilo em suas sessões. Por mais que eu me esforçasse, não consegui convencê-lo de que aquele médico confiava na eficácia de sua terapia e acreditava na possibilidade de Aaron vencer aquela doença. Aaron tornou-se deprimido. Telefonei a seu médico, que fez pouco caso de minha preocupação e disse que eu estava imaginando coisas. Afinal de contas, ele simplesmente dissera a Aaron como se sentia. "Todos nós estamos cientes das probabilidades."

"As pessoas vencem essas probabilidades", lembrei-o.

"Não com freqüência", ele replicou.

Quatro meses depois, a doença de Aaron voltou a se manifestar. Tentou-se um transplante de medula, mas ele não sobreviveu. Recebi uma longa carta do médico resumindo o caso, na qual ele mencionava o profundo respeito e admiração que sentia pela maneira como Aaron lidara com a doença e com sua vida e comentava sobre os benefícios do trabalho psicológico que fizéramos. Ao longo dos anos, ele tem encaminhado vários pacientes a mim.

Continuo a lembrar-me do impacto das palavras do médico sobre Aaron e imaginar se elas não teriam afetado mais do que sua disposição de ânimo. Do ponto de vista da medicina tradicional, não seria esse o caso e não há nenhum estudo científico rigoroso que indique o contrário; contudo, recordando os episódios no Russian Tea Room, não tenho certeza disso. Sem dúvida, o médico de Aaron não via sua própria atitude como uma influência nos resultados de seu paciente. Mas seria isso tão surpreendente? A maioria de nós não imagina o quanto é capaz de influenciar os outros e desconhece o potencial de nosso mundo interior de atitudes e crenças para afetá-los. Isso absolutamente não faz parte de nossa cultura.

Uma ocasião, vivenciei algo parecido como paciente. Como já fazia algum tempo que eu não ia a um médico, marquei consulta com o doutor Z., renomado especialista na doença de Crohn, para saber se havia surgido algum tratamento novo. Enviei-lhe um resumo de quarenta páginas de meus extensos registros médicos e cirúrgicos, e depois conversamos diretamente por telefone. Examinando sua agenda e a minha, não conseguimos achar uma hora para nos encontrarmos antes de dois meses.

O doutor Z. tinha um consultório formal e tradicional. Sua sala era abarrotada de textos e periódicos médicos e dominada por uma mesa enorme. Ele se sentou de um lado da mesa com seu avental branco e me indicou uma cadeira do lado oposto. Atrás de uma vasta extensão de mogno, ele se pôs a me fazer uma série de perguntas sobre minhas condições presentes. Que remédios eu estava tomando? Que sintomas eu tinha? As questões eram minuciosas e ponderadas. Minhas respostas, também. E então, inesperadamente, ele me pediu uma coisa maravilhosa: "Conte-me a história de sua doença desde o princípio". Em todos aqueles anos, ninguém jamais me pedira aquilo. "É muito longa", eu disse. "Não há problema", replicou ele.

Assim, comecei minha história, que incluía anos de terapia intensiva com drogas tóxicas, diversas cirurgias grandes e muitas ocorrências dramáticas, como entrar em coma depois de um sangramento muito forte no início da doença, ganhar uma barba cerrada aos dezesseis anos e precisar barbear-me todo dia devido à cortisona impura que era a única coisa disponível para o tratamento, começar a tomar remédios novos na faculdade e voltar para casa no Dia de Ação de Graças com a aparência tão alterada que meu pai não me reconheceu no aeroporto antes de eu proferir seu nome, ou sofrer uma perda de massa óssea tão grande durante os dez anos em que fui tratada com altas doses de cortisona que mais de uma vez tive ossos fraturados nas circunstâncias mais prosaicas.

Prossegui, contando uma experiência próxima à da morte — no meio de uma cirurgia — e a perda de uma parte significativa da visão devido a catarata e glaucoma induzidos por esteróides. Eu nunca reunira tudo aquilo antes; o efeito era devastador. Também falei sobre o inexplicável abrandamento dos sintomas, de modo que os problemas que eu tinha no presente não eram resultado da doença, mas de alguns procedimentos e medicamentos de tempos atrás, efeitos de longo prazo que meus primeiros médicos não imaginavam que ocorreriam por não contarem que eu sobreviveria para sofrê-los. "Ela me pegou, mas me deixou ir", eu disse. Levei quase 45 minutos para contar tudo isso, e ele ouviu atentamente sem interromper. Quando terminei, ele se inclinou e, com voz cheia de solicitude, perguntou-me se eu ainda conseguia exercer um pouco de medicina. Chocada, lembrei-lhe que eu era quase tão ocupada quanto ele. O doutor Z. pareceu muito embaraçado e mudou de assunto. Mas seu comentário reavivou um profundo senso de dúvida. Muitos anos antes, outros médicos me haviam dito que eu estaria morta bem antes de chegar à idade em que eu estava por ocasião da consulta com o dr. Z. Confiando nos conhecimentos daqueles médicos, decidi não me casar nem ser mãe. Se aquele homem, tão versado no tratamento de minha doença, achava que em minha situação eu não podia ser um membro ativo e útil da sociedade, havia alguma razão para supor que eu não me tornaria uma inválida amanhã? Ou no dia seguinte? Minha vida, do modo como eu a conhecia, tinha alguma segurança? Eu podia confiar nela? O poder do especialista é enorme, e o modo como um especialista o vê pode facilmente tornar-se o modo como você próprio se vê.

Nas semanas que se seguiram a essa consulta, comecei a me preocupar com os inúmeros problemas físicos com os quais eu convivera serenamente por anos. Cheguei a cancelar algumas palestras que marcara para fazer na Costa Leste porque não me sentiria segura estando a quase cinco mil quilômetros de distância dos médicos que conheciam meu caso. Finalmente, um de meus amigos perguntou por que eu parecia estar tão atribulada. Quase em lágrimas, contei-lhe o que acontecera. "Posso ouvir a história também?", ele pediu, e assim eu a contei mais uma vez. Como o dr. Z., meu amigo ouviu atentamente, sem interromper, mas ouviu algo muito diferente. Quando terminei, ele ficou me olhando por um longo tempo. "Meu Deus, Rachel, eu não tinha idéia. Que *guerreira* você é!", ele disse, e me curou.

202

TOQUE

Em uma das sessões matutinas que oriento durante nossos retiros para pessoas com câncer, os participantes executam uma espécie de cura pelas mãos uns com os outros. A maioria dos demais líderes de grupos matutinos faz isso também com seus participantes. Comecei a fazê-lo na esperança de colocar as pessoas em maior contato com sua própria capacidade de curar. A maioria das pessoas que vem para esses retiros tem estado do lado de quem recebe por um longo tempo. Isso pode fazer uma pessoa sentir-se diminuída, vencida e vulnerável. Aqui, não importa o quanto estejam doentes, as pessoas têm a chance de oferecer cura umas às outras e podem ocasionalmente perceber pela primeira vez a força do poder de curar que há nelas mesmas.

A sessão de cura pelas mãos tem sido um momento de descoberta para muita gente. Poucos de nós tiveram oportunidade de tocar e ser tocados dessa maneira. Para muitos, é comovente, uma experiência de genuína intimidade. As pessoas mencionam como os outros as olham de modo diferente depois. Com freqüência falam da reverência que sentem pela vida que há na pessoa com quem fazem par e se surpreendem pelo senso de comprometimento com aquela vida. Imagens espontâneas emergem, ligadas à cura ou à natureza e integridade essenciais das próprias pessoas. Muitos expressam sua gratidão pela oportunidade de estarem juntos dessa maneira. Isso acontece sejam as pessoas religiosas ou não, instruídas ou não, jovens ou idosas. Acontece mesmo quando os parceiros não gostam um do outro antes de fazerem esse exercício juntos. De fato, isso muitas vezes muda depois desse tipo de experiência.

Por mais poderosas que sejam essas experiências, elas nem chegam perto do que ocorre quando o mesmo exercício é feito com um grupo de especialistas médicos altamente treinados. Tendo feito isso com mais de sessenta médicos em meus programas de treinamento do instituto Commonweal, descobri que muitos dos que foram treinados para curar possuem percepção e compreensão profundas e inatas do processo da cura.

Em medicina, não somos treinados para curar diretamente. Para a maioria dos médicos, o toque é uma fonte de informação, uma estratégia importantíssima de diagnose e às vezes de tratamento. Somos treinados para conectar mão e mente. Contudo, depois de 15 minutos de explicação e discussão, grupos de oito médicos podem sair dos limites de 150 anos coletivos desse treinamento e recuperar o que para muitos deles parece ser um modo mais familiar e genuíno de relacionar-se com o sofrimento dos outros. Embora seja um grande privilégio fazer isso com pessoas que têm câncer, observar médicos curando uns aos outros é uma das coisas mais comoventes que já presenciei em qualquer parte. Às vezes me parece que eles estão recuperando o próprio significado de seu trabalho e de suas vidas, libertando-se de gerações de distorção e mito para recuperar uma integridade reconhecida intimamente. Outros médicos, em geral, são tão intensamente afetados por essa experiência quanto eu, e o discernimento que lhes vem muitas vezes é profundo.

Muitos se surpreendem com o quanto lhes parece natural sentar-se com alguém em silêncio e tocar essa pessoa com intenção de curá-la. O comentário feito com mais freqüência é que é como relembrar. Alguns dizem ter sentido vontade de tocar seus pacientes de um modo que os curasse, mas julgaram não ser esse um procedimento profissional, ou que não seriam bem-recebidos.

Assim como as pessoas com câncer, os médicos falam sobre como é incomum ser tocado por alguém que deseja apenas nosso bem-estar e quão raramente eles foram tocados dessa maneira. Comentam com freqüência que seria preciso apenas uma mudança interior simples para tocar alguém com intenção de curar no próprio processo de fazer um exame físico de rotina.

Muitos médicos se surpreenderam ao descobrir que possuíam um conhecimento profundo e intuitivo dos sofrimentos uns dos outros. A paz experienciada no simples ato de se defrontar com alguém em sofrimento sem a pressão de ter de solucionar nada era novidade para a maioria deles. Nesse contexto, muitos voltaram a se dar conta do quanto eles se preocupam com as pessoas. É uma curva de aprendizado bastante pronunciada.

Das muitas histórias que emergiram desse exercício, minha favorita está ligada a uma médica muito bonita e intimidante, de trinta e poucos anos de idade, cirurgiã-geral de grande sucesso. O brilho de sua inteligência e a força de sua vontade eram incomuns até mesmo para um grupo desses. Nas discussões, era a sua voz que desafiava opiniões ou questionava a lógica das idéias dos outros. Com freqüência, ela estava com a razão, mas o efeito acabava sendo um certo distanciamento. Desconfiei que esse tipo de distanciamento interpunha-se entre ela e a vida em geral. Para o exercício, ela foi colocada como parceira de um oncologista.

Posteriormente, ele descreveu a experiência da seguinte maneira: "A princípio pensei apenas em ter cautela, mas depois que Jane contou-me sobre a dor que ela normalmente sentia nas costas, decidi-me arriscar e contar-lhe sobre meu divórcio, que se consumou no ano passado. Falei para ela o quanto se tornara difícil para mim confiar nas mulheres. Ela me perguntou onde eu sentia aquela dor, e eu não conseguia verdadeiramente dizer, por isso apenas toquei em meu coração. Ela assentiu com a cabeça. Em seguida, eu me deitei no tapete e fechei os olhos, e ela ficou sentada ao meu lado por alguns momentos sem me tocar. Recordo-me de ter pensado que ela provavelmente não me tocaria, e de repente senti vontade de chorar. Fiquei imensamente surpreso; eu não tinha chorado durante todo aquele processo. Mas não chorei. E, então, Jane colocou a palma da mão em meu peito. Fiquei assombrado com o calor que vinha de sua mão e com a delicadeza e o carinho com que ela me tocou. Pouco a pouco, o calor de sua mão pareceu penetrar em meu peito e envolver meu coração. Tive uma espécie de experiência estranha. Por um instante, ali deitado, pareceu-me que ela estava segurando na mão meu coração em vez de apenas tocar meu peito. Foi quando senti a força de sua mão, o quanto ela era segura como uma rocha e, de um jeito engraçado, pude sentir que ela estava verdadeiramente *preocupada* com minha dor, empenhada em me ajudar, e de repente senti que não estava sozinho. Foi quando comecei a chorar." Ele se virou para ela e disse: "Eu não imaginava você assim. Seus pacientes têm sorte".

A própria Jane ficou de olhos marejados. Com a voz vacilante, ela começou a falar sobre tudo o que achava ter perdido com seu treinamento médico — sua suavidade, sua brandura, sua afabilidade. Descreveu como não havia aprovação para essas coisas no mundo masculino da medicina e, por isso, no esforço para ser bem-sucedida como médica, ela as eliminara. O exercício a pusera em contato com a dor daquilo. Ela pensava que aquelas partes de si mesma haviam se perdido, e significava muito para ela ser vista e valorizada dessa maneira. "Os pacientes nunca dizem isso para nós", comentou.

Àquela altura, ficara claro para todos os médicos presentes que Jane não estava falando apenas sobre si mesma, nem sobre as outras mulheres médicas — ela estava falando em nome de todos os médicos que foram treinados para negar sua maneira de ser, como um todo, na crença errônea de que isso lhes permitiria ser mais útil aos outros. Ela estava falando sobre todos nós.

O LUGAR DE ENCONTRO

Os lugares onde somos genuinamente vistos e ouvidos têm grande importância para nós. Estar lá nos lembra muito mais de nossa força e nosso valor do que tantos outros lugares pelos quais passamos. Meu sócio de consultório, que nunca ficara um só dia doente na vida, morreu subitamente de um fulminante ataque cardíaco, aos 56 anos. Ele sabia curar como poucos, era um amigo magnífico e deixou seus colegas e seus pacientes desolados. Por várias semanas, atordoados, vasculhamos papéis e demos indicações às muitas pessoas que telefonavam, várias delas chorando. Por fim, os últimos detalhes foram resolvidos, e nos preparamos para um futuro sem Hal.

Foi quando os pacientes começaram a chegar. Durante quase um ano, várias vezes por semana eu abria a porta de meu consultório e encontrava um dos pacientes de Hal sentado na sala de espera. A princípio, preocupava-me pensando que ele não soubesse da morte de Hal e que fosse preciso contar-lhe, mas todos sabiam. Tinham apenas vindo ao lugar onde haviam vivenciado sua atenção, seu modo especial de vê-los e valorizá-los, apenas para sentar-se um pouco ali, talvez para pensar nas decisões difíceis que agora tinham de tomar. Vinham diversos pacientes. Era muito, muito comovente. Fazia-me ficar com raiva de Hal por cuidar de um modo tão impecável de todas as vidas, exceto da sua.

Outro colega, chefe do departamento de medicina familiar em uma das principais faculdades de medicina da Costa Leste, conta uma história sobre uma de suas pacientes. Era uma mulher sem lar, cujas posses cabiam em dois carrinhos de supermercado. Uma vez por mês, ela subia com tudo aquilo a íngreme colina até seu consultório, amarrando cada carrinho alternadamente nos parquímetros com um cinto. Primeiro amarrava um, empurrava o outro até o parquímetro seguinte colina acima, amarrava este, voltava para buscar o outro, desamarrava-o e empurrava-o até o parquímetro seguinte àquele onde já estava seu outro carrinho, até que ela e os dois carrinhos chegavam à porta de entrada da clínica. Ele a atendia uma vez por mês, às quartas-feiras. Ela falava às vezes de um jeito desconexo, e suas roupas eram imundas e excêntricas. Aquele homem imensamente bondoso e respeitoso não ligava para isso. Com sua costumeira cortesia circunspecta, ele a recebia no consultório, escutava os detalhes de sua vida difícil e fazia o possível para aliviar o seu fardo.

Depois de tê-la atendido durante algum tempo, ele ficou sabendo que ela às vezes ia ao hospital quando ele não estava lá. A princípio as enfermeiras da clínica ficaram intrigadas, pois ela parecia saber, de algum modo misterioso, que aquele não era seu dia de ver o médico. Depois de conversar com ela, as enfermeiras constataram que ela simplesmente queria ir ao seu consultório. Ali chegando, ela não entrava, mas ficava em pé na soleira da porta e, lenta e deliberadamente, colocava o pé direito dentro da sala vazia e o retirava, fazendo isso várias vezes. Depois de algum tempo, ficava satisfeita e ia embora de novo.

Os lugares em que somos vistos e ouvidos são sagrados. Eles nos lembram de nosso valor como seres humanos. Nos dão força para prosseguir. Podem até mesmo acabar nos ajudando a transformar nossa dor em sabedoria.

A SOMBRA SANTA

Os sufistas contam a história de um homem que era tão bom que os anjos pedem a Deus que lhe dê o dom dos milagres. Deus sabiamente manda que perguntem ao homem se é isso o que ele deseja.

Assim, os anjos aparecem para o bom homem e lhe oferecem primeiro o dom da cura pelas mãos, depois o dom da conversão das almas e, por fim, o dom da virtude. Ele recusa todos. Os anjos insistem para que ele escolha um dom, ou eles escolherão em seu lugar. "Pois muito bem", ele replica. "Peço que eu possa fazer um bem enorme sem jamais saber disso." A história termina assim:

Os anjos ficaram perplexos. Deliberaram entre si e decidem seguir um plano: toda vez que a sombra do santo incidisse atrás dele, ela teria o poder de curar doenças, aliviar dores e consolar tristezas. Quando ele andava, sua sombra tornava verdes os caminhos áridos, fazia florescer plantas murchas, brotar água límpida em riachos secos, trazia cor às crianças pálidas, alegria para homens e mulheres infelizes. O santo simplesmente levava sua vida cotidiana difundindo virtude, assim como as estrelas difundem a luz, as flores o perfume, sem jamais ficar sabendo disso. As pessoas, respeitando sua humildade, seguiam-no em silêncio, jamais contando a ele sobre os milagres. Logo até esqueceram seu nome e passaram a chamá-lo de "a Sombra Santa".

É consolador pensar que podemos ser úteis de maneiras que nem sequer percebemos. Uma das pessoas que contribuíram para minha cura provavelmente não tem a menor idéia da diferença que fez em minha vida. De fato, eu nem mesmo sei seu nome, e tenho certeza de que ela há muito tempo se esqueceu do meu.

Aos 29 anos de idade, boa parte de meu intestino foi removida cirurgicamente, e fiquei com uma ileostomia. Uma alça do intestino abre-se em meu abdômen e é coberta por um engenhoso dispositivo plástico planejado, que eu removo e recoloco com intervalos de alguns dias. Não é algo com que uma mulher jovem convive facilmente. Embora essa cirurgia me tenha devolvido boa parte de minha vitalidade, o dispositivo e a profunda mudança em meu corpo fizeram com que eu me sentisse irremediavelmente diferente, afastada para sempre do mundo da feminilidade e elegância.

De início, antes de eu mesma poder trocar meu dispositivo, eu precisava que ele fosse trocado para mim por enfermeiras especializadas chamadas terapeutas enterostômicas. Aquelas profissionais de branco entravam em meu quarto de hospital, punham avental, máscara e luvas e então removiam e substituíam meu dispositivo. Tarefa concluída, elas retiravam todo o aparato protetor. Depois lavavam cuidadosamente as mãos. Aquele ritual elaborado tornava aquilo mais penoso para mim. Eu sentia vergonha.

Certo dia, uma mulher mais ou menos da minha idade veio fazer o trabalho. Era tarde e ela não estava de avental branco, mas de vestido de seda, sapatos de salto alto e meias finas. Simpática, ela perguntou se eu estava pronta para a troca do dispositivo. Quando assenti com a cabeça, ela puxou as cobertas, pegou um novo dispositivo e, do modo mais simples e natural que se possa imaginar, removeu o anterior e colocou o novo, sem calçar luvas. Recordo-me de ter observado suas mãos. Ela as lavara cuidadosamente *antes* de me tocar. Eram mãos macias, suaves e lindamente bem-cuidadas. Ela usava esmalte rosa-claro e tinha anéis de ouro.

Duvido que ela soubesse o quanto sua disposição para tocar-me daquela maneira natural significou para mim. Em dez minutos ela não só cuidou de meu corpo mas curou minhas feridas e me deu esperança. O que é mais profissional nem sempre é o que mais cura.

Em anos recentes, tem-se prestado muita atenção a anjos, e muitas pessoas tornaram-se mais conscientes da possibilidade de que discernimento e orientação podem ser fornecidos em momentos surpreendentes e de modos surpreendentes. Livros foram escritos a respeito de encontros com esses mensageiros celestes e da ajuda e cura que eles proporcionaram. O que não se reconhece com tanta freqüência é o fato de que não apenas os anjos trazem mensagens divinas de cura e orientação; qualquer um de nós pode ser usado dessa mesma maneira. Somos mensageiros uns aos outros. A diferença entre nós e o pessoal alado é que muitas vezes levamos essas mensagens sem saber. Como a Sombra Santa.

Sei por experiência própria, e essa experiência tem sido também de outros terapeutas, que quando estou enfrentando algum problema pessoal difícil, uma decisão penosa ou, ainda, quando estou em luta contra alguma parte recalcitrante e obstinada de mim mesma, uma coisa muito singular acontece. Muitos de meus clientes espontaneamente vêm a mim com a mesma questão. Totalmente ignorantes da importância pessoal que isso tem para mim, eles trabalham em algum aspecto do problema no que lhes diz respeito, o tempo todo me fornecendo, por meio de seus próprios esforços, orientação e perspectiva na questão de minha cura. Às vezes eles trabalham com o mesmo problema; outras, no processo de trabalhar em alguma outra coisa, eles surgem com uma única sentença ou pensamento que penetra em minha confusão e me liberta.

Tenho vários exemplos disso, mas um deles destaca-se em minha mente. Foi uma época em que descobri que uma amiga havia incorporado algumas de minhas idéias e exercícios em seu livro, que se tornou um *best seller*, sem mencionar onde os aprendera. Fiquei magoada e me senti traída por isso, até que minha terceira cliente do dia sentou-se e comentou alegremente: "Sabe, podemos fazer um bem enorme neste mundo se não nos importarmos com quem fica com o crédito". Espantada, perguntei a ela o que a fizera pensar naquilo. "Ah, estava no adesivo do carro que saiu da vaga onde estacionei", ela respondeu.

Talvez o mundo seja uma grande comunidade de pessoas que curam, e nós sejamos todos agentes de cura uns para os outros. Talvez sejamos todos anjos. Sem saber.

Às vezes, a mensagem é menos direta. Há 25 anos, eu me vi em um dilema entre dois paradigmas. Eu fazia parte do corpo docente da faculdade de medicina de Stanford havia vários anos, mas uma insatisfação fora crescendo em mim. Diversas pessoas tinham cruzado meu caminho com conhecimentos sobre um modo diferente de fazer as coisas: antropólogos, psicólogos, artistas, mensageiros do mundo além da medicina, estudiosos de outra forma de sabedoria sobre a dor e o sofrimento. Cada vez mais eu me via participando de discussões a respeito de regenerar* em vez de curar.

Estávamos em 1973, e naquela época não havia lugar para essas idéias no trabalho médico ou no ensino da medicina; contudo, sendo eu mesma paciente, eu as reconhecia, e elas me pareciam ser de grande importância. Comecei a refletir sobre certas coisas. Será que as crenças das pessoas a respeito de si mesmas afetam sua capacidade de se restabelecer? Será que as pessoas podem ter um senso intuitivo da direção de seu processo de cura? Haveria outros tipos de recursos para ajudar as pessoas a se recuperar além de saber o diagnóstico certo e proporcionar o tratamento adequado? Nosso relacionamento com os pacientes afeta os resultados com tanta intensidade

---

* No inglês, "healing rather than curing". A palavra "healing" permite várias interpretações, inclusive a de cura, mas seu sentido é mais abrangente. (N. E.)

quanto nossas medicações? Lentamente, passei a questionar coisas que ninguém à minha volta duvidava serem verdadeiras. No decorrer de certo período, senti que eu me afastava cada vez mais das perspectivas de meus colegas. Eu era incapaz de transpor o abismo sempre crescente de nosso pensamento, e isso era assustador.

A tensão era tamanha que me peguei duvidando da possibilidade de continuar com o tipo de trabalho que estava fazendo, embora não houvesse lugar algum aonde eu pudesse ir trabalhar de outra maneira. Parecia que eu não me encaixava em parte alguma, e eu não tinha mais certeza de quem eu era ou em que acreditava.

Um de meus novos amigos dera-me um livro de poesias — *O profeta*, de Khalil Gibran — no qual havia diversas ilustrações feitas pelo próprio poeta, entre as quais a figura da mão que tinha na palma um olho humano, bondoso e compassivo. Descobri que aquele era o tradicional símbolo hindu da pessoa que cura. Na crença hindu, os centros de energia denominados chakras, situados nas palmas das mãos, conectam a mão e o coração da pessoa que cura e transmitem a sabedoria e energia necessárias para curar. Isso contrastava diretamente com meus estudos de medicina, que me haviam ensinado a confiar no intelecto como o instrumento para a cura. Entretanto, essa idéia mais antiga de poder "ver" com as mãos era, por algum motivo, atraente para mim, e me surpreendi pensando muito nela. Parecia familiar. Por fim, tirei a página do livro e a emoldurei. Fiquei constrangida em pendurá-la em meu consultório de Stanford, por isso pendurei-a na parede acima da escrivaninha em minha casa.

A tensão continuou a aumentar; recebi uma inesperada e importante promoção como docente. Em meio à avalanche de congratulações, senti-me cada vez mais perturbada. Parecia-me que tinha de ser feita uma escolha, entre o caminho que eu passara metade da vida me preparando para percorrer — o caminho do reconhecimento, da segurança, da aceitação profissional — e outro caminho, vagamente percebido e malcompreendido, que levava ao desconhecido. Como é que eu podia sequer levar em consideração uma alternativa dessas? Uma centena de outros médicos daria tudo para estar no meu lugar. Eu queria desesperadamente aceitar a promoção, mas alguma coisa me impedia. Procurei ganhar tempo.

Na época, eu estava morando em um lado do país, e minha família, no outro. Algumas vezes por ano eu atravessava o país de avião para visitar meus pais, indo para Nova York no verão e para a Flórida no inverno. Uma dessas ocasiões, meu trigésimo quinto aniversário, estava se aproximando. De coração apertado, cheguei à Flórida para passar uma semana com a família, cujos sacrifícios financeiros haviam possibilitado minha formação médica. Eu sabia que minha promoção os deixaria imensamente satisfeitos, mas por algum motivo não conseguia convencer a mim mesma de contar-lhes a novidade.

No dia de meu aniversário, saí para dar uma caminhada com minha mãe. Sentamo-nos um pouco em um banco no parque, ao sol da Flórida, conversando sobre o que ela se lembrava de meu nascimento: eu nascera antes do tempo, de cesariana. Ficara um período na incubadora. Ela se sentira culpada por isso, como se meu sofrimento fosse sua culpa. Era muito comovente ouvir coisas que eu desconhecia e, enquanto me sentava ali ouvindo-a contar minha história, recordo-me de ter tido o pensamento claro e distinto de que ali estava a única pessoa que me conhecera desde o princípio, que sabia quem eu realmente era.

Bem naquele momento, minha mãe virou-se e olhou para uma jovem sentada no banco ao lado, que brincava com sua filhinha. A menina estava desenhando caras nas pontas dos dedos com uma caneta hidrográfica, e conversava com elas como se fossem fantoches. Ela e a mãe estavam rindo. Fiquei encantada.

Após observar em silêncio por alguns momentos, minha mãe voltou-se para mim com um sorriso e comentou com certa ênfase: "Algumas coisas nunca mudam".

"Como assim, mamãe?" Deliciada com a lembrança, ela contou que quando pequena eu também costumava desenhar nas mãos. Eu não me lembrava absolutamente disso, e perguntei se desenhava caretinhas nas pontas dos dedos.

"Não", minha mãe respondeu. "Você fazia uma coisa engraçada. Pegava a caneta-tinteiro de seu pai e desenhava olhos nas palmas das mãos. Depois erguia as mãos espalmadas à frente do rosto, com as palmas de frente para você, assim", disse ela, mostrando. "Fechava os olhos e dizia: *'Agora* eu posso ver você', e dava uma risadinha. Era muito engraçado. Às vezes você não nos deixava lavar suas mãos por vários dias. Você devia ter uns quatro anos, nessa época. Lembra-se agora?"

Em um dia comum na clínica pediátrica, eu lavava as mãos trinta ou quarenta vezes. Talvez ao longo dos anos eu tivesse lavado de uma vez por todas os meus olhos. Mais ou menos duas semanas depois, pedi demissão de Stanford e comecei a procurar os olhos que eu perdera.

A CURA É MÚTUA

Um de meus pacientes certa vez definiu a pessoa que cura como alguém que consegue ver sua possibilidade de inteireza mais claramente do que você mesmo será capaz em qualquer momento de sua vida. Lembro-me de viajar de avião com um colega para ir a uma conferência médica. Entre San Francisco e Boston, eu o curei duas vezes, e ele me curou três.

Frank é um clínico-geral de meia-idade, diretor de uma das clínicas médicas de um hospital no centro de uma cidade do meio-oeste. Já faz algum tempo que ele secretamente pensa em abandonar a medicina e fazer alguma outra coisa, algo que lhe dê mais satisfação. Alguém sugeriu que ele experimentasse o programa de treinamento para médicos que eu faço antes de tomar qualquer decisão importante, e nos últimos nove meses ele vem recuperando o que lhe dá satisfação em seu trabalho. Ele conta a seguinte história sobre voltar à clínica depois de um fim de semana participando de um *workshop* a respeito do poder da intuição:

Sua clínica fica em um grande hospital-escola. Sendo professor, parte de seu trabalho é atender aos pacientes que não têm "valor de ensino". Os pacientes que apresentam um desafio médico ou um problema de diagnóstico são reservados para os médicos mais jovens que ainda estão em treinamento.

Naquela tarde específica de segunda-feira, uma dessas pacientes, uma certa sra. Gonzales, tinha sua consulta regular das 2 horas. Ela era uma senhora idosa, com talvez oitenta anos, nos últimos estágios de câncer de mama. Não havia mais tratamento contra seu câncer e, por isso, em cada consulta, ele a ouvia descrever como passara a semana, ajustava suas medicações contra a dor e tratava outros problemas do melhor modo possível.

Naquela segunda-feira, como sempre, ele fez ajustes no regime paliativo da paciente e, então, lembrando-se do fim de semana, decidiu reservar alguns momentos para refletir e descobrir o que sua intuição tinha a dizer sobre ela. Para sua grande surpresa, sua intuição sugeriu que o que mais ajudaria a sra. Gonzales naquele momento seria fazerem juntos uma prece.

Ele não era homem de orações, e começou a suar. Profissionalmente, aquilo lhe parecia arriscado. Repassou mentalmente a lista de verificações contra perigos apresentada no *workshop*: Havia alguma razão para não fazer isso? Seguir sua intuição prejudicaria alguém? Retardaria ou negaria algum tratamento necessário? Deixaria alguém embaraçado ou humilhado? Percorrendo a lista de cima a baixo, ele não encontrou razão alguma para descartar aquela intuição. Então, pronto.

Assim, Frank virou-se para aquela vovó enferma e disse-lhe: "Senhora Gonzales, talvez fosse bom se fizéssemos uma prece juntos". Ela olhou para ele e começou a chorar.

Felizmente, ele não fez o que eu fora treinada para fazer anos atrás quando um paciente chorava. Ele não chamou a enfermeira. Fez o que aprendera em outro dos *workshops*. Segurando a mão da senhora Gonzales, ele simplesmente recebeu suas emoções com respeito e esperou. Ainda segurando na mão de Frank, ela disse: "Isso seria maravilhoso, doutor". E, então, ela contou que era católica e perguntou se podiam ajoelhar-se. Hesitante, ele olhou para a porta. Estava fechada. Ele estava em terreno altamente desconhecido, mas já que estava ali decidiu prosseguir. "É claro", respondeu.

Assim, de avental branco, ele a ajudou a ajoelhar-se e se ajoelhou com ela na minúscula sala de exame. Ela começou a rezar, primeiro em espanhol e depois em inglês. Frank não rezava fazia muitos anos, mas uma calma desceu sobre ele, e sua memória, despertada pelo som da voz da senhora Gonzales, trouxe à lembrança uma oração que ele aprendera na infância. Quando ela terminou, ele disse a oração em voz alta. Seguiu-se um longo e sereno silêncio.

Então, com muita delicadeza, a velha senhora estendeu a mão e tocou o rosto de Frank. Primeiro em espanhol e depois em inglês, pediu a Deus que o abençoasse e lhe desse forças para fazer seu importante trabalho. Frank diz que ainda pode sentir o toque daquela mão, mesmo passados seis meses, e que essa lembrança o ajuda nos momentos difíceis.

Frank hoje reza com freqüência junto com seus pacientes, por eles e por si mesmo.

Uma das razões por que muitos médicos se sentem exauridos pelo trabalho é não saberem como criar uma abertura para receber alguma coisa de seus pacientes. Do modo como fomos treinados, receber é considerado não-profissional. Do modo como a maioria de nós foi criada, receber é considerado uma fraqueza.

214

DANDO O *DARSHAN*

As pessoas que estão à morte têm o poder de curar o restante de nós de maneiras singulares. Muitas pessoas conseguem recordar, anos depois, o que um moribundo lhes disse e carregar isso consigo por toda a vida. Talvez os moribundos dêem uma espécie de *darshan* a todos nós, como fazem os mestres espirituais.

A prática do *darshan* é muito comovente. O guru senta-se diante dos discípulos e atira bocados de doces e frutas cristalizadas, que simbolizam a sabedoria de seu estado iluminado. Os discípulos que pegam os doces comem-nos e incorporam a doçura da sabedoria do guru em si mesmos. O *darshan* que comemos fica entremeado em nossos tecidos, por assim dizer, e se torna parte de quem somos.

As palavras e as perspectivas de uma pessoa que está à morte, com freqüência, são transmitidas dessa maneira, ficam entremeadas em nossos tecidos, mudando-nos dali por diante, ajudando-nos a viver melhor.

Trago comigo desse modo a morte de uma mulher que em vida nunca fora uma amiga muito chegada. Ela era muito franca e um tanto crítica, e eu achava aquela rispidez intimidante. Embora eu admirasse seu trabalho e freqüentássemos os mesmos círculos, eu sempre mantivera distância. Mesmo quando eu soube que ela estava com câncer, não fui visitá-la pessoalmente, mas pensava nela e me mantinha a par de sua luta telefonando a amigos que tínhamos em comum. Nossos caminhos haviam convergido durante muitos anos, mas eu ignorava isso, e assim surpreendi-me quando seu marido me telefonou para dizer que Mary estava morrendo e queria me ver. Sem saber por que, ela me chamara, e eu fui.

A mulher que me recebeu no quarto não era alguém que eu tivesse conhecido antes. Magra e totalmente careca, sem dúvida alguma gravemen-

215

te doente, ela mostrava uma beleza magnética. Com a graça de uma rainha, ela indicou a cama com batidinhas da mão, dando a entender que eu deveria sentar-me ali. Recordo-me das quatro horas que se seguiram como um dos momentos mais íntimos, fortalecedores e restauradores que já vivenciei. Falamos sobre doença e dor, e ela disse com simplicidade que já não estava mais sofrendo. Falamos da complexidade que caracterizara sua vida e de todos os seus relacionamentos, com a família e com os amigos. Contamos piadas uma para a outra. Em certo momento, seu marido juntou-se a nós, e lemos juntos os Provérbios 31, O Louvor da Mulher Virtuosa. Era um de seus favoritos. Alguns dos versos ainda andam comigo: "Ela estende as mãos ao fuso, mãos que pegam na roca"; "No tocante a sua casa, não teme a neve, pois todos andam vestidos de lã escarlate". Bebemos suco de frutas, degustando-o como se fosse um vinho fino.

Parte de nossa conversa girou em torno do poder daquele momento à beira da morte na vida de uma pessoa. Ela sentia que se libertara de algumas limitações e dúvidas sobre si mesma, que carregara a vida inteira, e que agora podia chegar nas pessoas como jamais conseguira antes. Era grata por isso e pela clareza de visão que parecia permitir-lhe abrir mão de seus hábitos de raiva e crítica e ver a beleza nos outros. Ficava imaginando por que aquele dom lhe teria sido dado naquele momento, como se fosse para ser usado de algum modo. Eu disse que, em minha opinião, se isso fosse verdade lhe seria mostrado como usá-lo. Quando nosso tempo juntas se esgotou, senti-me relutante em ir, como se me houvesse sido concedida uma audiência com um grande lama. Mas era apenas Mary. Por fim, ela adormeceu no meio de uma sentença, e fui embora.

Poucos dias depois, seu marido telefonou-me para dizer que ela entrara em coma, e perguntou se eu gostaria de ir até lá e me despedir. Sua casa estava muito quieta e tranqüila. Subindo as escadas até seu quarto, tive a sensação do silêncio santo que ela de algum modo atraíra para sua proximidade. Mary jazia no leito em coma profundo, respirando superficialmente. Peguei sua mão e me sentei a seu lado por algum tempo, pensando em nossa última conversa. De repente, seus olhos se abriram. Eram límpidos como os de uma criança pequena, e tinham a mesma honestidade. Na intensidade de seu olhar eu me senti despida, vista em toda a minha intimidade e insuficiência. No entanto, não me senti embaraçada, nem mesmo vulnerável. Ela me olhou daquela maneira por um longo momento, depois sorriu com brandura e disse: "Amo você". Fechando os olhos, ela voltou ao estado de coma.

Tenho trazido comigo esse momento como uma espécie de pedra de toque. Seu marido contou-me que várias das pessoas que foram vê-la depois que ela entrou em coma tiveram experiências semelhantes à minha. Ela abrira os olhos e se comunicara com elas da mesma maneira singular, transmitindo a mesma derradeira mensagem. Refletindo agora, aquele foi um puro momento de intimidade, sendo difícil descrever seu poder. Penso nele como uma espécie de hipótese nula. A hipótese nula é um princípio de pesquisa que se aplica somente quando alguém está estudando leis e princípios universais, forças que prevalecem em todas as circunstâncias e em todas as ocasiões. Estipula que, se alguém encontrar apenas um único exemplo no qual a lei não vale, a própria lei é invalidada.

Existem leis em nosso mundo interior que prendem cada um de nós tão firmemente quanto a gravidade, crenças que acalentamos a respeito de nós mesmos e da vida em geral, que sentimos serem verdadeiras em todas as condições e em todos os momentos. O sentimento de falta de valor pessoal é uma dessas leis interiores. Um momento de amor incondicional pode contestar toda uma vida marcada pelo sentimento de não ter valor e invalidar esse sentimento.

Talvez aqueles momentos derradeiros comigo e com os demais tenha sido um momento de cura também para Mary. Após anos de raiva e dúvida de si mesma, as palavras dos provérbios finalmente se tornaram verdadeiras para ela. "Ela percebe que o seu ganho é bom; a sua lâmpada não se apaga de noite."

VIII
CONHECENDO DEUS

Cada pessoa nasce com um espaço em aberto, livre de expectativa e desapontamento, de ambição e embaraço, de medo e preocupação, um lugar umbilical em estado de graça onde cada um de nós foi pela primeira vez tocado por Deus. É esse lugar que exala paz. Os psicólogos chamam-no de Psique; os teólogos, Alma; Jung o denomina A Sede do Inconsciente; os mestres hindus chamam-no de Atmã; os budistas, Dharma; Rilke, Interioridade; os sufistas chamam-no de Qualb, e Jesus o denomina O Centro de Nosso Amor.

Conhecer esse lugar de interiorização é conhecer quem somos, não por indicadores superficiais de identidade, como com o que trabalhamos, o que usamos, ou o modo como gostamos de ser tratados, mas por sentir nosso lugar em relação ao Infinito e por habitá-lo. Essa é uma tarefa árdua e vitalícia, pois a natureza do tornar-se *é estar constantemente recobrindo o lugar onde começamos, ao passo que a natureza do* ser *é uma constante erosão do que não é essencial. Cada um de nós vive em meio a essa tensão constante, cada vez mais embaçados ou recobertos, só para sermos novamente desgastados e voltarmos àquele incorruptível lugar em estado de graça em nosso cerne.*

Mark Nepo

Os xamãs atribuem a doença à perda da alma, à perda do senso de percepção do sagrado dentro e em torno de nós. A experiência sagrada é subjetiva, até mesmo intuitiva. Crescendo nesta cultura, muitas pessoas desenvolveram e cultivaram uma noção mais prática do que é real. Poucos de nós conseguem falar sobre coisas que não podem tocar ou expressar em números, não importa o quanto a experiência seja corriqueira. E a experiência de Deus é comum. Deus está no corriqueiro, nos minúsculos detalhes. Pensando bem, toda vida é sagrada. As coisas mais reais podem ser exatamente aquelas que não conseguimos expressar de modo algum, e, no entanto, sabemos.

A experiência de realidades imensuráveis é muito mais importante do que poderíamos imaginar. As coisas que não podemos medir podem ser as que, em última análise, sustentam nossa vida. Estudos médicos muito recentes indicam que o isolamento nos torna vulneráveis à doença e que o relacionamento propicia a sobrevivência. A ciência médica demonstrou que nossa simples solicitude uns pelos outros nos sustenta e nos capacita a sobreviver melhor, até mesmo a desafios físicos como o câncer de mama metastático. A comunidade cura. Contudo, quando se fala em relacionamento que cura, quem pode dizer que a comunhão não é tão importante quanto a comunidade?

O diagnóstico de uma doença muito grave nos atira de cabeça no mundo subjetivo. Pessoas que buscaram a cura por toda a parte, com freqüência, receiam olhar para dentro temendo encontrar, no fundo, alguém insignificante ou mesmo indigno. Contudo, isso raramente ocorre. A alma é nosso direito inato. No íntimo, todo o mundo é belo. Muitas vezes é a descoberta do "espaço em estado de graça" que anuncia o princípio de nossa cura mais profunda.

E SE DEUS PISCAR?

Quando eu era pequena, ainda se falava sobre Deus nas escolas públicas. Lembro-me de uma reunião na qual nossa diretora, que era fundamentalista, proferiu um sermão daqueles, de fogo e enxofre para todos os alunos do curso primário. Leu um trecho da Bíblia para nós e disse que era importante nos ajoelharmos para rezar três vezes por dia, pois precisávamos lembrar a Deus de que estávamos ali. Refletindo agora, é possível que ela não tenha dito exatamente essas palavras, mas foi assim que interpretei. Você ora porque tem de fazer Deus olhar para você. Se Deus virasse o rosto em outra direção, disse ela à emudecida platéia de crianças, você murcharia e morreria como uma folha no outono. E — desta parte tenho certeza — ela realmente ergueu na mão uma grande folha seca e murcha. Mesmo aos cinco anos de idade, pareceu-me que Deus tinha uma porção de outras coisas para pensar além de mim. E, nos intervalos enquanto eu não estivesse rezando, Ele poderia piscar, e então o que seria de mim? Recordo-me do medo, do enorme terror que senti. *E se Deus piscar?* Fiquei tão obcecada por essa questão, tão receosa, que não conseguia dormir.

Meus pais eram jovens socialistas para quem a religião era o "ópio das massas", e meu avô, que era rabino, era minha única conexão com uma realidade mais ampla que o bem-estar social e a luta de classes. Sendo tão pequena, eu realmente imaginava Deus como um de seus amigos, como os homens que vinham fumar charuto e jogar *gin rummy* em nossa cozinha.

Como aqueles temores não eram algo que eu pudesse discutir com meus pais, precisei esperar até que meu avô viesse nos visitar. Provavelmente, foram só alguns dias, mas eu me lembro da espera. Acho que nenhum adulto é capaz de sentir tamanha angústia e solidão. É preciso ser muito jovem para isso.

Quando finalmente tive meu avô só para mim, contei a ele o que acontecera. Tremendo, fiz a ele a temida pergunta: "E se Deus piscar?", e por fim o terror me dominou por completo; encostei em seu ombro e comecei a chorar. Meu avô afagou-me os cabelos para me acalmar. Apesar de sua delicadeza, ele parecia perturbado, até mesmo zangado.

Mas com seu jeito calmo costumeiro, ele respondeu minha pergunta com outras perguntas. "*Nashume-le*", disse ele (e, a propósito, durante anos pensei que o nome pelo qual meu avô me chamava significava "Pequena Naomi" — na verdade, significa "Pequena Alma"), "se você acordasse no meio da noite em seu quarto, saberia se sua mãe e seu pai teriam ido embora e deixado você sozinha na casa?" Ainda chorando, respondi afirmativamente com a cabeça. "Como saberia disso?", ele perguntou. "Você precisaria vê-los, olhar para eles?" Balancei a cabeça em negativa.

"Você precisaria escutá-los?"

"Não."

"Precisaria tocar neles?"

Àquela altura eu tinha parado de chorar e, recordo-me, estava intrigada com as perguntas, pois me parecia óbvio que eu simplesmente *saberia* que não estava sozinha em casa. Disse isso a meu avô, e ele assentiu com a cabeça, satisfeito. "Muito bem, muito bem! É assim que Deus sabe que você está aqui. Ele não precisa olhar para você para saber que você está aqui. Ele simplesmente *sabe*. Da mesma maneira como você sabe que Deus está aqui. Você simplesmente *sabe* que Ele está aqui e que você não está sozinha em casa."

A presença de Deus na casa é uma experiência interior que nunca muda. É uma relação que existe o tempo todo, mesmo quando não estamos prestando atenção nela. Talvez o Infinito nos prenda a Si mesmo da mesma forma que a Terra o faz. Assim como a gravidade, se alguma vez ela parasse, nós saberíamos instantaneamente. Mas ela nunca pára.

Esse conhecimento íntimo é um modo pelo qual me oriento, um ponto de referência infalível. Seu efeito em minha vida é tão intenso, tão profundo quanto a influência da gravidade sobre meu corpo. Mais do que qualquer outra coisa, meu senso de não estar sozinha em casa tem sido o que me permite acompanhar as pessoas quando elas se vêem em face da dor, da doença e às vezes da morte.

CONEXÃO TOTAL

Talvez a sabedoria resida não na luta constante para trazer o sagrado para a vida cotidiana, mas no reconhecimento de que talvez não haja vida cotidiana, que a vida é comprometida e global e que, apesar das aparências, estamos sempre em terreno sagrado. Em meio à vida cotidiana, o ritual pode tornar-se um modo de nos lembrarmos disso.

Uma jovem paciente, recuperada recentemente de uma cirurgia, contou-me uma história a respeito da preparação da refeição do feriado da Páscoa Judaica para seu namorado, que era judeu ortodoxo, e quarenta amigos do casal. Uma das crenças básicas do judaísmo é a de que o lar é um lugar sagrado, um local de cerimônia e ritual religioso. Muitos desses rituais estão ligados à alimentação, e vão da simplicidade da lavagem das mãos e das bênçãos do vinho e do pão do Sabá até a enorme complexidade do almoço da Páscoa. Minha paciente, nascida em família judaica, fora criada por pessoas que foram negligenciando sua prática da religião, e ela nunca havia participado da preparação de um almoço de Páscoa. Seu namorado, porém, celebrara o feriado todos os anos desde pequeno e ajudara a mãe a fazer os mesmos preparativos ano após ano. Ele os sabia de cor, e ensinou-a.

A lei *kosher* proíbe ingerir alimentos preparados com leite junto com os que contêm carne. Ela se surpreendeu ao descobrir que uma cozinha judaica tradicional possui quatro jogos completos de pratos, panelas, prataria e utensílios. Um jogo é usado diariamente para os alimentos que contêm leite, e um outro jogo completo é usado para os que levam carne. Esses pratos nunca são misturados, e seu namorado possuía duas lavadoras de louça e duas pias na cozinha. Além desses dois jogos de pratos havia mais dois, um para leite e outro para carne, usados apenas na ocasião da Páscoa. A tra-

225

dição manda que nesse momento os pratos e os utensílios diários sejam guardados em armários que fiquem separados e fechados e que os pratos do feriado sejam trazidos para a preparação do almoço da Páscoa. É um empreendimento monumental.

Tudo isso quase a esmagou. "Rachel", disse ela, "você nunca viu tantos pratos, panelas, facas, garfos e escumadeiras. Tudo aquilo me parecia um despropósito, mas tinha tamanha importância para Herbert que eu tremia só de pensar em cometer um erro e arruinar tudo para ele. Mas uma coisa estranhíssima aconteceu. Em certo momento, eu estava ajeitando as coisas, sozinha na cozinha, segurando uma montanha de pratos de leite usados todo dia, olhando em volta desesperadamente à procura de algum lugar no armário onde eu pudesse trancá-los. Todas as prateleiras estavam abarrotadas. Recordo-me de ter pensado: 'Mas onde é que eu vou pôr estes pratos de leite?'. E de repente eu não estava sozinha. Tive uma sensação muito real da presença das muitas mulheres que sempre fizeram essa mesma questão corriqueira, milhares e milhares delas, algumas jovens, outras velhas, em tendas, aldeias, cidades. Mulheres segurando pratos feitos de argila, de madeira, de estanho, mulheres vestidas com trajes medievais, com peles, com tecidos grosseiros e em estilos que eu nunca vira. Entre elas estavam minhas avós, que viveram e morreram em Varsóvia antes de eu nascer."

"Naquele mesmo instante eu soube também que, se a raça humana continuasse, haveria mulheres vestidas com tecidos que eu nem sequer podia imaginar, segurando pratos feitos de materiais ainda não inventados, que se veriam em pé em suas cozinhas enfrentando o mesmo problema. Mulheres que ainda nem tinham nascido. Elas também estavam lá. Num piscar de olhos, sozinha na cozinha de Herbert, eu estava na companhia de mulheres que representavam um período de mais de cinco mil anos. E também por todo o mundo, naquele mesmo instante, havia mulheres fazendo a si mesmas exatamente aquela pergunta, em todas as línguas humanas: 'Onde é que eu vou pôr estes pratos de leite?' E eu também estava entre elas."

"Rachel, eu quase deixei cair os pratos, de tão surpresa. E é difícil expressar em palavras, mas aquela não foi só uma idéia, foi mais como um acontecimento. Tive uma perspectiva abrangente. Percebi que eu era um fio de uma grande tapeçaria tecida pelas mulheres em nome de Deus desde o princípio. Você poderia pensar que isso faria com que eu me sentisse pequena, mas não fez. Eu era um único fio, mas eu *fazia parte*, e isso era uma coisa que eu nunca vivenciara antes. Por alguns segundos vislumbrei algo maior, não só sobre quem eu sou, mas sobre de *quem* eu sou. Durou apenas um segundo, mas posso lembrar-me claramente. Eu me senti mudada por isso."

O judaísmo considera a comida uma manifestação visível do pacto entre o homem e Deus. Há um modo especial de preparar a comida, assim como pratos especiais nos quais se comem os tipos específicos de alimento, bênçãos especiais a serem proferidas sobre a comida e sua preparação. Na vida de uma mulher que prepara a comida dessa maneira e mantém a cozinha *kosher* com toda a sua complexidade ritual, Deus pode tornar-se quase tão tangível quanto o fogão.

PRECE

Um de meus pacientes, que está gravemente enfermo, ouviu recentemente de seu oncologista que nada mais havia que pudesse ser feito por ele. Em seguida, o médico disse-lhe: "Acho que é melhor você começar a rezar". Para esse médico, a oração tornou-se uma espécie de último recurso, algo a oferecer aos pacientes quando ele já não tem mais maneiras de ajudá-los pessoalmente, quando não existem mais tratamentos eficazes. Deus tornou-se sua indicação final.

Mas rezar não é um modo de conseguir o que desejamos que aconteça, como o controle remoto que vem junto com o televisor. A meu ver, a oração pode ser menos voltada para pedir pelas coisas às quais estamos apegados e mais relacionada à nossa libertação desses apegos de alguma forma. Ela pode nos conduzir para além do medo, que é uma forma de apego, e da esperança, que é outra forma de apego. Pode nos ajudar a lembrar a natureza do mundo e a natureza da vida, não em um plano intelectual, mas de um modo profundo e vivencial. Quando rezamos, não mudamos o mundo, mudamos a nós mesmos. Mudamos nossa consciência. Passamos de um tipo de consciência individual, isolada, voltada para as coisas práticas, para uma conexão mais profunda com a realidade, o mais abrangente possível. E, então, a questão: "Como foi que você se recobrou?" torna-se mais uma questão sobre mistério do que sobre eficácia. Um tipo de questão muito diferente.

Em seu aspecto mais profundo, a prece é uma declaração sobre a causalidade. Recorrer a uma prece é libertar-se da arrogância e vulnerabilidade de uma causalidade isolada e individual. Quando rezamos, paramos de tentar controlar a vida e nos lembramos de que pertencemos a ela. É uma oportunidade de vivenciar a humildade e reconhecer a graça.

228

Às vezes, as preces mais poderosas são também as mais simples. Certa vez, quando eu estava deitada na mesa de operação à espera da anestesia, um dos cirurgiões pegou minha mão e perguntou se eu gostaria de juntar-me a ele e à sua equipe em uma prece. Espantada, assenti com a cabeça. Ele reuniu a equipe ao redor da mesa de operação para um momento de silêncio, após o qual ele disse serenamente: "Que possamos ser ajudados a fazer o que for mais certo".

Essa prece tradicional dos índios americanos parece um modo bastante simples de resignar-se à suprema causalidade. Por meio dela, em uma sala de cirurgia equipada com a mais avançada tecnologia, não estamos sozinhos em casa. O alento que o cirurgião me ofereceu foi autêntico. Senti meus temores em relação ao resultado dissipar-se, e adormeci com a anestesia apegando-me àquelas poucas palavras, com a mais profunda sensação de paz. Assim como todas as preces genuínas, esta prece é um modo poderoso de acolher a vida, encontrando um lar em qualquer resultado e lembrando que pode haver razões além da razão.

A prece é um movimento do domínio para o mistério. Eu costumava orar por meus pacientes. Hoje, oro também por mim. Às vezes rezo por compaixão, porém com mais freqüência rezo para não causar dano, a grande qualidade espiritual incorporada ao juramento de Hipócrates. Como ser humano, sei que nunca posso esperar ter a profundidade e amplidão de perspectiva para saber se qualquer uma de minhas ações irá em última análise causar mal ou curar. Contudo, minha esperança é poder ser usada para atender a um propósito santo sem jamais ficar sabendo. Por isso, às vezes, antes de atender um paciente, faço uma pequena prece sem palavras: Compreender o sofrimento está além de mim. Compreender a cura, também. Mas, neste momento, estou aqui. Use-me.

VOVÓ EVA

Quando eu era pequena, meu avô me contava histórias. Muitas delas falavam de mulheres que tinham vivido tempos atrás, mulheres heróicas que aprenderam coisas importantes por meio de seus erros. Havia Sara, cujo marido chamava-se Abraão; Raquel, esposa de Jacó; e Ester, que era rainha. Só depois que ele morreu fui descobrir que aquelas histórias eram do Gênese, contadas por um rabino ortodoxo erudito, de barbas brancas, a uma devotada neta, filha de dois jovens socialistas agnósticos.

A história de meu avô sobre vovó Eva e a serpente é na verdade uma história sobre a importância da vida interior.

No começo da história, vovó Eva é uma menininha, e vive de um modo bem parecido com o que eu vivia na época. Deus é o Pai e, como todos os pais, provê o alimento, o abrigo e todas as coisas necessárias à vida. Em troca, Eva obedece-lhe da mesma maneira que eu devia obedecer a meu pai.

A vida prossegue no jardim, muito parecida dia após dia. Pede-se muito pouco a Eva. Todos os animais e plantas vivem ali junto com ela, inclusive uma árvore muito bela, no centro do jardim, chamada Árvore da Sabedoria Divina. Deus deu a Eva orientações bem precisas com respeito a essa árvore. Ela pode comer os frutos de todas as demais árvores, mas os frutos desta são proibidos. De início ela aceita isso sem questionar, muito embora a própria finalidade da vida possa ser crescer em sabedoria. Com o passar do tempo, muito embora o jardim não mude, Eva muda. Começa a crescer, a tornar-se adolescente. Certo dia, ao passar pela árvore mais bela, uma serpente enrolada em seus ramos lhe diz: "Eva, eis uma das maçãs desta árvore. Por que não a come?".

Naquele momento, meu avô sempre explicava que a serpente não era realmente uma serpente, mas um símbolo da ânsia humana por sabedoria, o poder sedutor do desconhecido e a infinita fascinação que o misterioso exerce sobre os seres humanos. A serpente é o primeiro mestre, e fala àquela parte de Eva que já não é mais uma menininha, mas alguém que busca. Eva lembra o que Deus Pai disse. O fruto da árvore é proibido. Mas Eva é uma adolescente. Como a maioria das pessoas de sua idade, ela precisa descobrir por si mesma. Eva sente o magnetismo da maçã. Atraída por ela, estende a mão para pegá-la, dá uma mordida.

Aquilo que comemos torna-se parte de cada uma de nossas células e fica entremeado na própria estrutura de nosso ser. "Aquela maçã não é diferente de qualquer outro alimento", disse meu avô. Quando vovó Eva a come, a sabedoria de Deus torna-se parte de sua vida interior, uma sabedoria santa que ela carrega dentro de si, e não algo com que ela fala fora de si mesma. Ela agora traz a voz de Deus dentro de cada uma de suas células, como uma pequena bússola. Como seus descendentes, nós a trazemos também.

Comer a maçã possibilitou uma enorme mudança no modo de vida de vovó Eva. Ela já não precisava mais viver na casa de Deus, na estufa, para estar segura. Pôde deixar aquele ambiente protegido porque trazia Deus consigo. Podia ouvir Deus se desejasse ouvir. Ao comer a maçã, ela se tornou adulta e adquiriu a liberdade que tem o adulto de sair para um mundo de complexidade, aventura, responsabilidade e mudança. Para ter sua própria vida e fazer suas próprias escolhas.

Como acontece com a maioria das crianças, os aspectos literais da história me preocupavam. "Mas vovô", perguntei, "por que Deus disse a vovó Eva que ela não devia comer a maçã se não era verdade?" Uma das características mais magníficas de meu avô era não mudar sua resposta a uma pergunta só porque a pessoa que a fazia era muito jovem. Ele me respondeu como se eu fosse uma colega estudiosa da Cabala. "Nashume-le", disse ele, "essa é uma questão dificílima, uma questão que exige muita reflexão. A Bíblia está cheia de imagens de Deus. Deus como um pai autoritário, Deus apaixonado, Deus zangado, Deus ciumento, Deus fiel, Deus amoroso. Em um trecho Deus está caminhando sobre a terra, em outro seu sopro agita as águas. Em outro, ainda, ele é uma coluna de fogo. Mas Deus não é nenhuma dessas coisas. Essas todas são imagens de Deus na mente dos homens. Para conhecer Deus talvez seja preciso questionarmos todas essas coisas."

O Deus em nosso interior parece demandar um tipo de atenção íntima dia a dia, momento a momento, em vez de apenas uma simples obediência. Eu tinha pena de vovó Eva. Isso me parecia ser muito mais difícil do que a obediência.

A complexidade do mundo real exige que lutemos para ouvir o Sagrado e que desenvolvamos a responsabilidade pessoal de viver de modo apropriado. Exige que nos mantenhamos acordados. Vovô apresentou-me Eva como uma pessoa adulta, em vez de uma pecadora. Só anos depois fui ouvir a versão oficial da história. Talvez agora haja algo para nós na versão de meu avô. Temos esperado muito de nossos especialistas e autoridades, de nossos médicos, políticos, técnicos e educadores, até mesmo de nossos rabinos, ministros e padres. Oferecemos a eles obediência, na esperança de que se disponham a responsabilizar-se por nos dar uma vida apropriada. É hora de encontrar o lugar de graça em nosso interior.

O RABINO DOS RABINOS

Quando jovem pediatra, tive como paciente uma menina de 12 anos com a doença de Hodgkins, um câncer nos gânglios linfáticos, que vinha a Nova York para submeter-se ao tratamento por radiação no acelerador linear de Stanford. Seu pai, um rabino ortodoxo, era inflexivelmente tradicional e observava todos os numerosos rituais e leis da religião antiga. Para os ortodoxos, o dia mais santo do ano é o do Yom Kippur, o dia da expiação dos pecados cometidos. Nesse dia, entre outras coisas, não se manuseia dinheiro, não se usam peles de animais, nem mesmo sapatos de couro, não se anda em veículos motorizados, e nem se usa eletricidade para finalidade alguma. O oitavo tratamento de Shoshana estava marcado para o dia do Yom Kippur. O acelerador ficava demasiado distante para ser alcançado a pé por aquela menina, e seu pai veio me procurar para falar sobre o problema. Ele explicou a importância da meticulosa observação do Yom Kippur. Propôs que o tratamento fosse adiado.

"Não. Seguir os dias precisos desses tratamentos é crítico para a recuperação de Shoshana", eu disse. Zangado, ele replicou que ela não poderia ir. As leis de Deus predominavam sobre as leis humanas. Fiquei horrorizada. "O senhor está me dizendo que a lei de Deus é mais importante do que o tratamento de sua filha? Que espécie de Deus pediria isso?" Ofendido, ele me citou a história de Abraão e Isaac. Não me convenci. Ele saiu do consultório dizendo que levaria a questão a uma autoridade superior, o rabino da cidade de Nova York que dirigia sua seita judaica ortodoxa. Fiquei consternada.

Porém, na manhã do Yom Kippur, lá estava Shoshana, sentada em seu lugar de costume na sala de espera, pontualmente. Com ela estavam sua mãe *e* seu pai. "Estou surpresa por vê-lo aqui, rabino", falei. "O que disse o rabi-

233

no de Nova York?" Docilmente, ele contou que escrevera descrevendo a situação e que seu rabino, o Grande Mestre em pessoa, mandara chamá-lo. Disse a ele que chamasse um táxi a sua casa na manhã do Yom Kippur. Quando o táxi chegasse, Shoshana deveria ir nele para o tratamento, e seu pai deveria acompanhá-la.

Quando ele protestou por ter de andar de automóvel no dia do Yom Kippur, o rabino insistiu para que ele acompanhasse a filha. "Por quê?", perguntei. Com brandura, ele disse que seu rabino, o Grande Mestre, insistira para que ele acompanhasse a filha para que ela soubesse que até mesmo o mais devoto e correto homem de sua vida, seu pai, podia andar de automóvel no mais santo dos dias com o objetivo de preservar a vida. O rabino disse que era importante para Shoshana não se sentir separada de Deus por aquela violação da lei. Tal sentimento poderia interferir na cura.

SANTUÁRIO

Meu gato Charles, de 18 anos, tem muitos esconderijos. Quando está em um deles, acontece-lhe uma mudança sutil. Ele deixa de ficar vigilante e cauteloso, avaliando o ambiente à procura de uma potencial ameaça. Em seus esconderijos, ele parece em paz e sem medo. Esses esconderijos são numerosos e variados. Alguns são clássicos santuários felinos: debaixo da cama, atrás das cortinas ou no guarda-roupa. Outros são exclusivos da casa que compartilhamos: o nicho debaixo da escada ou o lugar atrás do televisor. Mas um deles fica bem à vista, um lugar no tapete da sala. Quando Charles está nesse lugar, envolve-se na costumeira inviolabilidade de todos os demais esconderijos. Não importa se chega o entregador, a criançada do vizinho ou até o veterinário. Totalmente visível, ele se mantém calmo e descontraído. Parece tão a salvo ali que, observando-o, você poderia pensar que ele está sozinho.

Recordo-me de ter lido uma coisa interessante a respeito das touradas em um livro sobre a Espanha. Há um lugar na arena onde o touro se sente em segurança. Se ele consegue alcançar esse lugar, pára de correr e pode recuperar totalmente suas forças. Não sente mais medo. Do ponto de vista de seu oponente, ele se torna perigoso. Esse lugar na arena difere para cada touro. É tarefa do toureiro estar ciente disso, saber onde fica o santuário de cada animal, assegurar-se de que o touro não ocupe aquele lugar de integridade.

Nas touradas, o lugar seguro é denominado *querencia*. Para os humanos, a *querencia* é um lugar em nosso mundo interior. Com freqüência, é um lugar familiar que não foi notado antes de um momento de crise. Às vezes é um ponto de vista, uma posição a partir da qual se conduz a vida, diferente para cada pessoa.

Muitas vezes, é simplesmente um lugar de profundo silêncio interior. Uma das meditações que tenho feito com as pessoas que sofrem de câncer começa com a sugestão "Encontre um lugar seguro". Um homem para quem fora recentemente diagnosticado câncer de cólon contou-me o seguinte:

"Eu nunca iniciava o exercício porque não conseguia encontrar um lugar seguro para começar. Procurava por toda a parte. Eu me imaginava em minha casa. Imaginava-me pescando trutas. Imaginava-me à mesa do escritório em minha empresa ou na cabeceira da mesa da sala da diretoria. Nada ajudava. No meio disso, percebi que esse tipo de busca era familiar; venho me empenhando nela toda a minha vida. Comecei a ficar desesperado. No fim, eu me imaginei como um menininho no colo de minha mãe."

"Esta última ajudou. Pouco a pouco, comecei a me sentir mais calmo, a serenar por dentro, e quando por fim me senti seguro, subitamente, me dei conta de que os braços à minha volta não eram os de minha mãe, mas os meus. O lugar seguro é dentro de mim. Não fora, onde o tenho procurado a vida inteira. Todos aqueles esconderijos, todas aquelas realizações estão dentro de mim. Por isso é que nunca o tinha encontrado antes."

Trabalhando com pessoas com câncer, tenho visto a mudança que ocorre quando a pessoa encontra sua *querencia*. Bem à vista do matador, elas se mantêm calmas e serenas. Sábias. Reuniram suas forças ao seu redor. O silêncio interior é mais seguro do que qualquer esconderijo.

Talvez seja por isso que o silêncio na floresta de sequóias gigantes, próxima de minha casa, me atrai. Muitas manhãs acordo cedo e me visto depressa para chegar ao bosque antes que os ônibus de excursão e os carros que trazem pessoas do mundo inteiro cheguem para deslumbrar-se com a majestade da natureza. Às 8 horas, as grandiosas árvores quedam-se enraizadas em um silêncio tão absoluto que nosso eu mais íntimo atinge o repouso. Um silêncio antigo. O avô dos silêncios. Para mim, o silêncio é ainda mais admirável do que as árvores.

Há manhãs em que não consigo acordar nem com dois despertadores, e me levanto só depois de terem chegado os primeiros ônibus. Vou lá assim mesmo. Há centenas de pessoas na floresta antes de mim. Pessoas falando francês, alemão, espanhol; pessoas expressando seu assombro umas às outras e chamando os filhos em japonês, sueco, russo e algumas línguas que desconheço. E crianças se esgoelando na linguagem universal das crianças. Mas o silêncio está sempre ali, imutável. É tão impenetrável àqueles sons passageiros quanto as próprias árvores.

Envelhecendo, fico grata por descobrir que um silêncio começou a reunir-se em mim, coexistindo com meus humores e meus medos, inalterado por minhas alegrias ou por minha dor. Santuário. Ligado ao Silêncio de toda a parte.

CONSAGRANDO O COMUM

Contam que a mística cristã Theresa d'Ávila, a princípio, sentia dificuldade para conciliar a vastidão da vida do espírito com as tarefas corriqueiras de seu convento carmelita: lavar panelas, varrer o chão, dobrar roupas. Em algum ponto pleno de graça, o corriqueiro tornou-se para ela uma espécie de prece, um modo pelo qual ela podia vivenciar sua sempre presente conexão com o padrão divino que é a fonte da vida. Ela começou, então, a ver o rosto de Deus nos lençóis dobrados.

As pessoas conseguem reconhecer o mistério mais facilmente quando ele se apresenta sob formas dramáticas. A pessoa que se cura por razões desconhecidas, quando já não há mais esperança, a aparição do anjo, a coincidência que altera a vida. Parecemos capazes de ouvir Deus melhor quando Ele grita: até Moisés precisou de um arbusto em chamas, e os discípulos de Jesus precisaram que ele alimentasse a multidão com um único peixe. Contudo, o mistério é tão comum quanto uma ida à mercearia. Em seu livro *Guide for the perplexed*, E. F. Schumacher observa que o interminável debate sobre a natureza do mundo tem por alicerce as diferenças de sensibilidade dos olhos que o contemplam: "Só conseguimos enxergar aquilo para o que desenvolvemos a visão". Alguns de nós só conseguem notar milagres. Alguns de nós só conseguem enxergar em momentos de crise. Mas todos podemos aprender a ver Deus nos lençóis dobrados.

Pouco depois de mudar-me de Nova York para a Califórnia, plantei uma horta. Eu nunca vira verduras frescas a não ser no supermercado, e no primeiro ano senti uma fascinação infinita por aquela minúscula horta. Adorava especialmente as alfaces, que plantara apertadas em um quadrado, cujas bordas eu colhia para o jantar todas as noites. Certa vez, saí para apanhar a salada, como sempre, e passei a mão levemente sobre o fresco qua-

237

drado verde de folhas de alface, maravilhando-me com sua vitalidade, quase como se ele estivesse saindo do chão borbulhando. Subitamente, palavras da infância vieram-me à lembrança, palavras que eu ouvira inúmeras vezes nas mesas de jantar de tias e tios e que eu sabia de cor, palavras que eu ouvia agora pela primeira vez:

Louvado seja o Senhor, Rei do Universo, que faz surgir o pão da terra.

Longe de ser o costumeiro murmúrio sem sentido, essas palavras de repente eram uma poderosa descrição de algo real, uma declaração sobre a graça e o mistério da própria vida. Até então eu considerara aquela bênção uma teoria ou uma hipótese, a idéia de alguém sobre como as coisas funcionavam. Eu não tinha idéia de que aquelas palavras familiares eram simplesmente uma descrição de algo verdadeiro. Nunca as tinha visto acontecer no mundo antes. Eu seguira rituais do mesmo modo que levara a vida. Automaticamente. Viver pode tornar-se um hábito, uma coisa feita sem pensar. Levar a vida assim não nos desperta. Contudo, qualquer um de nossos hábitos cotidianos pode nos despertar. Toda a vida pode transformar-se em ritual. Quando isso acontece, nossa experiência da vida muda radicalmente, e o corriqueiro torna-se consagrado. Os rituais não fazem acontecer mistérios. Ajudam-nos a ver e a vivenciar algo que já é real. Não criam o sagrado, apenas descrevem o que está lá e sempre esteve, profundamente oculto no óbvio.

SEM IGUAL

Em uma floresta virgem de sequóias, as grandes árvores juntam-se a grande altura, impedindo a passagem de boa parte da luz solar. Muitas das plantas que crescem em abundância a apenas alguns quilômetros de distância não crescem na floresta. Na montanha, as folhas crescem em todas as direções. Aqui, na semi-escuridão, todas as folhas são bem estendidas e voltadas para cima. Até mesmo as plantas pequenas estendem suas folhas, o azevinho, o hibisco e a azedinha, que lembra um trevo mais crescido. Algumas das plantas mais graúdas têm folhas do tamanho de pratos grandes, que flutuam paralelas ao solo. Quando escurece, as plantas voltam suas folhas para o alto, a fim de sobreviver e crescer. As pessoas também. Muitos de meus pacientes são pessoas cujas folhas voltaram-se para o alto.

Após todos esses anos ouvindo, parece-me que a qualidade essencial da alma humana é sua singularidade. Cada um de nós é sem igual. Nenhum de nós já existiu antes na história da raça humana. Essa mesma percepção ocorreu na meditação matinal a um alto executivo que está se recuperando de câncer na próstata. Ela veio na forma de um simples pensamento: "Eu sou eu", seguido por uma sensação intensa de paz e uma antes desconhecida aceitação de si mesmo como ele era. Ficou tão surpreso que me escreveu contando:

"Estou pasmo por ter descoberto esta manhã que sou o único de mim que existe. Acho que esta é a chave de tudo — compaixão, bondade, confiança na vida, mistério. Um senso de importância e autovalorização genuíno e não presunçoso. Passei a maior parte da vida comparando-me aos outros homens. Estão à minha frente na *Forbes*? Pertencem a conselhos diretores mais poderosos? São mais espertos? Mais *sexy*? Têm mais cabelos? E o tempo todo existe esta outra maneira de ver as coisas. Não sou um dos motores que minha empresa produz às centenas de milhares. Sou feito a mão. Menos do que perfeito, porém, mais uma obra da criação do que um produto da tecnologia. E não estou sozinho nisso. Cada pessoa é a única de si que existe." Alguns *insights* são viscerais. Podem transformar-nos profundamente. Meses depois, esse homem descobre que olha para as pessoas de maneira diferente, que as escuta com um respeito que é novo e sem esforço, que deseja conhecer as maneiras pelas quais essas pessoas são únicas. O que ele antes via como diferenças a serem julgadas e possivelmente descartadas ele agora vê como uma singularidade a ser apreciada e compreendida. Percebeu muito valor em pessoas nas quais mal teria reparado antes. Ele faz menos comparações. E as pessoas também conversam com ele de modo diferente.

Outro paciente, um homem bem mais pragmático e de espírito prático, teve um discernimento semelhante de maneira diferente.

Ele entrou no elevador de um grande hospital quando estava a caminho de seu tratamento diário de radiação e viu que já havia outro homem ali. Enquanto subiam juntos, meu paciente teve este estranho pensamento: "Que fácil teria sido para nós perder um ao outro. Se ele não tivesse encontrado exatamente aquela vaga para estacionar e precisasse caminhar um pouco mais, ou se este tivesse sido um dia ruim e eu não pudesse andar tão rápido, não estaríamos aqui juntos. Ou se ele tivesse encontrado aquele lugar para estacionar mas houvesse parado para comprar jornal, ou se eu tivesse parado para comprar jornal, nossas vidas não se teriam tocado."

E, a partir disso, ele foi em frente. "E se eu não tivesse entrado em Yale e não houvesse encontrado o professor que me inspirou a tornar-me estatístico? Muito provavelmente eu estaria fazendo alguma outra coisa, vivendo em algum outro lugar neste instante. E se apenas mais uma pessoa, mais bem qualificada do que eu, se houvesse candidatado a meu emprego, eu também não estaria aqui na Califórnia. Ou se minha mãe nunca tivesse conhecido meu pai, ou minha avó o meu avô, e assim por diante, seguindo essa linha até o passado inimaginavelmente distante. Se qualquer uma dessas pessoas não tivesse encontrado a outra, houvesse feito uma ligeira mudança de direção para a esquerda ou para a direita, o que poderia ter ocorrido com a mesma facilidade com que eu poderia ter comprado o jornal e deixado de encontrar este homem nesta manhã, eu não teria nascido. E isso vale para ele, um passo errado e ele também não teria nascido. Contudo, a despeito das mais inacreditáveis chances em contrário, nós estamos juntos aqui."

Como estatístico, ele se comoveu, assombrado pelo vislumbre das circunstâncias orquestradas que haviam criado a ocasião daquele encontro com um total estranho. E, então, ele recordou-se do que dissera nesse

240

extraordinário momento de encontro: "Com licença, poderia fazer a gentileza de apertar o dez?".

Este homem também foi mudado pela experiência. Descobriu que está mais aberto a possibilidades ocultas. Aprecia mais a presença de outros em sua vida, tem mais curiosidade em saber que possível significado ou ensinamento pode haver nos relacionamentos mais corriqueiros. "É como se alguma coisa me houvesse sacudido pelos ombros dizendo: 'Acorde! Pode haver mais vida do que você imagina'."

Nenhum desses homens descreveria sua experiência como espiritual, e no entanto ambas me parecem ser experiências da realidade básica e do mistério do mundo. Experiências sobre não estar sozinho em casa. Não sou muito versada em meditação. Não importa. Acabei por acreditar na possibilidade de a própria vida ser uma prática espiritual. O processo da vida cotidiana parece capaz de refinar a qualidade de nossa condição humana ao longo do tempo. Há muitas pessoas cujo despertar para realidades maiores se dá por meio de experiências da vida diária, sendo pais, trabalhando, sendo amigos, adoecendo ou simplesmente andando de elevador.

O reconhecimento de que o mundo é sagrado é uma das percepções que mais dão poder dentre as muitas que podem ocorrer a pessoas com doenças graves e àqueles que lhes são próximos, seus amigos, parentes ou mesmo quem lhes presta assistência médica. É uma das maneiras pelas quais essas pessoas curam a comunidade à sua volta. E, se vierem a morrer, é muitas vezes o legado que deixam.

IX
MISTÉRIO E REVERÊNCIA

Num canto do porão da casa de fachada de arenito pardo onde meu tio Frank morava, e tinha seu consultório médico, havia um velho guarda-roupa feito de papelão pesado. Nas manhãs de sábado, quando era bem pequena, eu muitas vezes brincava ali embaixo, esperando meu pai, que trabalhava como técnico de raio X para meu tio. Um dia, mais por tédio do que por curiosidade, esforcei-me para abrir a porta do guarda-roupa. As dobradiças estavam enferrujadas. Lá dentro, pendurado em um gancho, havia um esqueleto.

Achei ótimo. Depois de examiná-lo por um longo tempo, admirando as belas formas, a maciez de mármore dos ossos e os pinos de bronze que engenhosamente os mantinham juntos, descobri que, ficando em pé numa cadeira, eu podia erguer o gancho e tirar dali o esqueleto. Não era muito pesado. Por muito tempo ele foi meu companheiro de brincadeiras, meu convidado em intermináveis chás, o confidente de meus segredos. Refletindo hoje, percebo o estranhíssimo quadro que formávamos, mas na época aquilo não me parecia estranho. Nem assustador.

Mais ou menos na mesma época, sofri com uma série repetitiva de terrores noturnos causados pelo elevador manual de carga, um equipamento comum nos prédios de apartamento dos anos 40. O elevador manual destinava-se a transportar, do saguão do prédio até cinco ou seis andares acima, as compras da mercearia ou a descer com o lixo até o incinerador no porão. Era uma caixa que subia e descia em um poço vertical e era operada manualmente por um sistema de corda e roldana. Quase sempre, quando se abria a porta, o elevador manual estava no andar de qualquer vizinho de baixo ou de cima que o tivesse usado mais recentemente. Minha mãe estendia a mão na escuridão do poço e puxava as cordas até aparecer a caixa de madeira.

O vazio negro do poço me apavorava e, por muito tempo, sonhei com ele quase todas as noites. Eu tinha certeza de que a escuridão estava viva e qualquer noite daquelas escaparia de seu esconderijo para me pegar. Eu não conseguia dormir sem uma luz acesa. Os terrores noturnos prosseguiram até ser instalado um elevador mecânico no prédio, e o poço do elevador manual ser totalmente selado. Aqueles temores eram uma parte importante da estrutura de minha vida naquela época. Eu contava ao esqueleto sobre eles durante nossos chás. O conhecido era muito mais aceitável do que o desconhecido, mesmo então.

Como médica, fui treinada para lidar com a incerteza tão agressivamente quanto lidava com a própria doença. O desconhecido era o inimigo. Nessa visão de mundo, ter uma questão é como estar em uma emergência; significa que algo está fora de controle e precisa ser conhecido do modo mais rápido, eficiente, barato e vantajoso possível. Mas a morte conduziu-me às fronteiras da certeza, ao lugar das questões.

Após anos trocando o mistério pelo domínio, era difícil, e mesmo assustador, deixar de oferecer a mim mesma explicações racionais para algumas das coisas que eu observara e que outros me contaram, aceitando-as simplesmente como eram. "Não sei" vinha sendo havia muito tempo uma declaração vergonhosa, um fracasso pessoal e profissional. Durante todo o tempo em que estudei e me especializei, não me lembro de ter ouvido isso dito em voz alta uma única vez.

Porém, à medida que fui ouvindo mais e mais pessoas com doenças graves contar suas histórias, não saber simplesmente se tornou uma questão de integridade. As coisas aconteciam. E as explicações que eu dava a mim mesma tornaram-se cada vez mais vazias, como uma criança assobiando no escuro. A verdade era que, com muita freqüência, eu não sabia e não era capaz de explicar, e, por fim, esmagada pelos numerosíssimos exemplos do misterioso que são uma parte tão fundamental da doença e da cura, eu me rendi. Foi um momento de despertar.

Pela primeira vez, senti curiosidade a respeito das coisas que não estivera disposta a ver antes, fiquei mais sensível a incoerências que explicara loquazmente ou deixara de lado com êxito, mais disposta a fazer perguntas às pessoas e levá-las a contar histórias que, antes, eu teria menosprezado. O que descobri no final foi que a vida que eu, como médica, defendera por ser preciosa era também sagrada.

Já não acho que a vida é algo comum. A vida cotidiana é repleta de mistério. As coisas que conhecemos não passam de uma pequena parte daquilo que não podemos conhecer, mas só vislumbrar. No entanto, até mesmo o menor dos vislumbres pode nos sustentar.

O mistério parece ter o poder de consolar, de dar esperança e de conferir significado em momentos de perda e dor. De maneiras surpreendentes, é o misterioso que nos fortalece nessas ocasiões. Eu antes tentava dar certeza às pessoas em momentos que não eram absolutamente certos e não podiam ser tornados certos. Hoje eu ofereço apenas minha companhia e compartilho meu senso do mistério, do possível, do prodígio. Após vinte anos trabalhando com pessoas com câncer, acho possível não duvidar do improvável ou não aceitá-lo, mas simplesmente permanecer receptiva e esperar.

Aceito que poderei jamais saber onde está a verdade nesses assuntos. As questões mais importantes não parecem ter respostas prontas. Mas as próprias questões possuem um poder de curar quando são compartilhadas. Uma resposta é um convite para parar de pensar a respeito de algo, parar de refletir. A vida não tem esses lugares de parada, a vida é um processo no qual cada evento está ligado ao momento que acabou de passar. Uma questão não respondida é um boa companheira de viagem. Ela nos aguça a vista na estrada.

Quando caloura na faculdade, fui selecionada aleatoriamente para ser a fotógrafa da classe, e deram-me uma câmara para tirar fotografias para o almanaque. Tirei fotos durante quatro anos. A princípio eu considerava aquela responsabilidade um fardo, sendo preciso carregar a câmara pesada para as aulas, lembrar de prestar atenção nas coisas. Porém, com o tempo, a câmara levou-me a enxergar o ambiente que me cercava com muito mais clareza, a me dar conta da beleza à minha volta em locais altamente improváveis. Ela me deu novos olhos. Uma boa questão é como aquela câmara Zeiss.

Em alguns contos de fadas existe uma palavra mágica que tem o poder de desfazer o encanto que aprisionou alguém e libertá-lo. Quando pequena, eu esperava ansiosamente que o príncipe ou a princesa se deparassem com a fórmula e proferissem as palavras restauradoras que os libertaria para a vida. Em geral, as palavras eram alguma coisa sem sentido como "Shazam!". Descobri, agora, que minhas palavras mágicas são: "Eu não sei".

LIBERDADE

Eu estava bem no início de minha carreira em aconselhamento de pessoas com câncer quando um de meus pacientes morreu. Ele era jovem, um engenheiro de quarenta anos, com câncer no pâncreas. Fora enviado a mim por seu oncologista, que me disse: "Olhe, eu não disponho mais de tratamentos para ele. Estou disposto a conversar com ele, mas realmente não tenho mais nada para lhe oferecer". Sabendo que aquele médico era um homem bom, percebi que ele apenas não sabia que possuía alguma coisa além de seus conhecimentos especializados que podia ser valiosa para seu paciente. Por isso, respondi que estava disposta a conversar com aquele homem para quem não havia mais tratamentos disponíveis.

Pouco tempo depois, iniciamos nossas sessões. Richard era um homem reservado, muito alto e magro. Andava sempre vestido com esmero e impecavelmente. As roupas que usava eram feitas para vestir o homem muito mais corpulento que ele fora outrora. Espantei-me, como me acontece com freqüência ao ver pessoas assim tão enfermas, com a vontade férrea que o animava. Ele recusara meu oferecimento de atendê-lo em sua casa, insistindo em ir a meu consultório. Posteriormente, sua família contou-me que ele demorava mais de duas horas para vestir-se. Recusando a ajuda dos parentes, ele calçava um sapato, descansava, depois lutava para calçar o outro.

Ao todo tivemos quatro ou cinco sessões juntos. Conversamos sobre várias coisas: sobre seus sintomas e a amargura pelo que lhe acontecera, sobre seus sentimentos de isolamento em relação às pessoas que o cercavam, sobre abrir comunicações com sua família. Uma ou duas vezes, seus parentes vieram, todos nós conversamos, e isso ajudou.

Certo dia, quando ele chegou, perguntou se eu poderia escrever para ele uma receita médica. "Está sentindo dor?", perguntei, consternada. Teria o seu complexo regime de controle da dor perdido a eficácia? Aquilo era tudo o que tínhamos. Ele balançou a cabeça em negativa. "Não. É que fico ansioso o tempo todo. Não tenho conseguido dormir há duas noites. Só fico deitado. Pode receitar alguma coisa para mim?"

Eu disse que podia, e perguntei se ele tinha alguma idéia sobre o que estava provocando aquilo. "Você já passou por tanta coisa, então por que agora?", perguntei.

Ele não tinha idéia.

Ele andara tendo sonhos? "Só o mesmo de sempre", ele respondeu. No sonho, uma fera faminta o perseguia. Ele não conseguia vê-la, mas sabia que ela estava lá. Acordara, suando, mas não conseguia lembrar-se de mais nada. Esperei que ele continuasse, mas ele não fizera uma associação entre o sonho e o que estava sentindo.

"Talvez fosse bom revermos esse sonho", sugeri. "Pode nos ajudar a entender." Ele assentiu com a cabeça. Pedi, então, que ele fechasse os olhos, respirasse fundo e me avisasse quando se sentisse pronto para começar. Quando ele indicou que estava pronto, pedi que se imaginasse de volta ao sonho. Isso se revelou surpreendentemente fácil para ele. Em sua imaginação, ele começou a correr. Nos dez ou 15 minutos seguintes, fiz tudo o que sabia para ajudá-lo a fazer emergir outra associação com a fera que o perseguia, para livrá-lo de tornar-se vítima dela. Nada funcionou. "Torne-se invisível", sugeri.

"Ela consegue me ver."

"Esconda-se atrás de alguma coisa."

"Ela sabe onde estou."

"Fale com ela."

"Ela não quer me responder." À medida que a fera se aproximava dele, sua ansiedade crescia.

Quando ficou claro que ele não seria capaz de fugir da fera, comecei a fezer-lhe perguntas sobre ela. Ele ainda não conseguia enxergá-la e continuava a correr, mas gradualmente suas respostas ajudaram-no a saber muito mais sobre ela. Contou-me que ela era irresistível e inflexível. Não havia como argumentar com ela. Era "inevitável". Mas não era má. Ele foi muito claro quanto a isso. De fato, afirmou que ela lhe parecia natural. Depois de algum tempo eu disse: "Veja bem, Richard, você tentou tudo. Talvez a única coisa que lhe reste fazer é permitir que ela o coma".

Eu esperava que ele objetasse, que falasse sobre as coisas às quais era apegado, as pessoas que deixaria, mas ele imediatamente seguiu a sugestão e se imaginou alcançado. Por um momento, a situação tornou-se intensa; Richard sentava-se de olhos fechados, chorando, suando e tremendo tanto que eu podia ouvir a cadeira sacudindo. Ele parecia frágil demais para aquilo, e comecei a duvidar do acerto do que estávamos fazendo. Porém, lentamente, o tremor cessou e ele foi se acalmando. Pouco a pouco, a sala tornou-se muito quieta e, na quietude, tive a sensação da luz do sol, mas sabia que eram quase 17 horas. De repente, lembrei-me do menininho com leucemia que parecia saber que estava indo para casa. Eu podia vê-lo claramente, sentado de pernas cruzadas no travesseiro e sorrindo para mim.

Richard parecia totalmente descontraído e em paz. Eu também estava. Ficamos ali sentados por algum tempo, e ele então comentou serenamente: "Há luz, há somente Luz. Eu sou Luz". Permanecemos ali por mais algum tempo, depois ele abriu os olhos e disse: "Puxa vida, não me sinto nem um pouco ansioso. Isso foi ótimo, doutora". A sessão terminou e ele se foi. Esqueci-me de dar-lhe a receita para os tranqüilizantes, e ele não me lembrou.

Eu ainda era novata naquele tipo de aconselhamento, e nos três ou quatro dias seguintes não parava de pensar naquela sessão. Racionalmente, desconfiava que a ansiedade de Richard estava relacionada ao que Freud denomina de medo do Não-Ser. Mas a experiência que Richard tinha no sonho parecia diferente, semelhante a algumas outras coisas que eu lera recentemente a respeito da experiência à beira da morte, coisas que não constavam ainda da literatura médica.

Por fim, telefonei para a casa de Richard e lhe contei que estivera pensando nele. "Como tem passado?" Com a voz agradável e num tom de conversa informal, ele me contou que estava bem pior. Começou a descrever seus novos sintomas, e no entanto parecia calmo com respeito àquelas mudanças físicas fundamentais. Chamei sua atenção para o fato. "Sim, eu me sinto diferente. Aquela foi uma sessão bem útil."

"Como é que você passa seu tempo?"

"Apenas pensando nas coisas."

"Que tipo de coisas?"

Ele riu. "Idéias malucas."

"Conte-me uma."

E ele me contou que no dia anterior estava deitado na cama, pensando em se levantar, quando subitamente, pelo canto do olho, ele se deu conta de algum tipo de barreira ou muro logo atrás de si. Quando o notou, percebeu que sempre soubera que aquilo estava ali, porém nunca o vira antes. Encorajei-o a dizer mais. "Bem, eu sei que estou aqui deste lado. Mas ao mesmo tempo sei que estou do outro lado também. Não sei o que isso significa. Você sabe?"

"Não", respondi.

"Pois eu penso bastante nisso, e assim me sinto bem. Ele me dá a mesma sensação que tive em seu consultório. Uma espécie de sensação de paz e alegria."

"É uma sensação boa de ter", comentei.

"Sim", disse ele.

Houve um silêncio; bem baixinho, ele começou a rir e pôs o fone no gancho. Dois ou três dias depois, fiquei sabendo que ele morrera. Gosto de pensar que ele morreu de um modo um pouco diferente do que poderia ter morrido. Gosto de pensar assim, mas não sei. Ainda posso ouvir seu riso.

A QUESTÃO

Nos dez últimos anos de sua vida, o pai de Tim sofreu com a doença de Alzheimer. Apesar dos cuidados devotados da mãe, ele piorou lentamente até se tornar uma espécie de vegetal ambulante. Não conseguia falar e era alimentado, vestido e cuidado como se fosse um bebezinho. Quando Tim e seu irmão cresceram, ficavam com o pai por breves períodos enquanto sua mãe tratava das necessidades da casa. Um domingo, quando ela saíra para fazer compras, os garotos, na época com 15 e 17 anos de idade, assistiam a uma partida de futebol com o pai sentado em uma poltrona perto deles. De repente, ele tombou para a frente e caiu no chão. Os filhos perceberam de imediato que o caso era gravíssimo. Seu pai estava com a pele cinzenta, a respiração irregular e ruidosa. Assustado, o irmão mais velho de Tim mandou-o telefonar e chamar uma ambulância. Antes de Tim poder responder, uma voz que ele não ouvia fazia dez anos, uma voz da qual ele mal se lembrava, interrompeu. "Não chame a ambulância, filho. Diga a sua mãe que eu a amo. Diga-lhe que estou bem." E o pai de Tim morreu.

Tim, um cardiologista, olhou em volta da sala, para o grupo de médicos fascinado com esta história. "Como ele morreu inesperadamente em casa, a lei requeria que se fizesse uma autópsia", disse-nos ele serenamente. "O cérebro de meu pai estava quase todo destruído pela doença. Por muitos anos, eu me perguntei: 'Quem falou?' Nunca encontrei a mínima ajuda nos livros de medicina. Não estou mais perto de saber isso hoje do que estava naquela época, mas trazer essa questão comigo lembra-me de algo importante, algo que não quero esquecer. Boa parte da vida nunca pode ser explicada, apenas testemunhada."

QUAL É O SOM DO APLAUSO DE UMA SÓ MÃO?

"Para tudo o que acontece neste mundo, crianças, existem duas razões: a boa razão e a razão verdadeira." A senhora Mullins, minha professora da quarta série, era uma pessoa espirituosa, e muitos de seus comentários eram tão céticos quanto este. Com freqüência, seus alunos eram jovens demais para entender o que ela estava querendo dizer e, com medo de perder alguma coisa importante, eu anotava algumas de suas tiradas. Duas décadas depois encontrei a frase acima em minha caligrafia infantil. Na época, eu era uma jovem médica, também bastante cética. Dei boas risadas com a declaração de minha velha professora sobre a insinceridade do mundo, e supus que uma das duas razões era falsa. Hoje, quase cinco décadas depois, desconfio que, na realidade, ambas são verdadeiras.

No centro de cada história está o Mistério. As razões que atribuímos aos eventos podem ser bem diferentes da verdadeira causa dos mesmos. Com freqüência, nossa primeira interpretação dos acontecimentos é bem diversa da última. O Mistério é um processo, e também é um processo nossa compreensão dele.

A capacidade de procurar e encontrar significado na vida baseia-se, mais do que tudo, na capacidade de sustentar o paradoxo e de manter sem constrangimento uma dissonância cognitiva. O mundo objetivo e o mundo subjetivo sobrepõem-se. A causalidade espiritual e a causalidade imediata, com freqüência, são diferentes e contudo ocupam o mesmo espaço; portanto, a verdade pode ser menos uma questão de, ou uma coisa ou outra, do que de ambas as coisas juntas. Assim, talvez a senhora Mullins tenha enunciado uma idéia mais sábia do que ela imaginava. Para tudo o que acontece neste mundo, *existem* duas razões: a boa razão e a razão Real.

Considere a prática zen do *koan*, a questão ou o problema que os mestres zen propõem uns aos outros ou a seus discípulos. O *koan* é um dilema, um mistério que a mente racional não tem capacidade para resolver. Frustrando e contrariando nossas estratégias habituais de obter respostas, conhecer e compreender, ele nos leva a começar de novo. A chave para a resolução de um *koan* é uma mudança no ser, do estudioso que permite um novo entendimento da própria questão.

Ao apresentar um *koan*, o mestre ocupa o discípulo com o mistério de modo acentuadamente pessoal. O discípulo adquire intimidade com a questão e às vezes se empenha nela por um longo tempo. A princípio, os discípulos zen reagem ao mistério de modo muito semelhante àquele como nós reagimos: com frustração, orgulho ultrajado, idéia de injustiça e sensação de vítimas, com autopiedade, até mesmo com raiva do mestre. Nada disso funciona. Tendo esgotado todos esses caminhos, podemos começar a encontrar a capacidade para outros caminhos, e estes podem começar a nos mudar. Colocando a mente habitual em um lugar de impasse, uma espécie de escuridão profícua, podemos inadvertidamente voltar a entrar naquele lugar fértil e promissor do não-saber que em zen se denomina "mente do principiante".

O mistério pode apresentar-se de maneiras muito corriqueiras. Eu nem sempre soube disso. Nos primeiros tempos de meu trabalho com aconselhamento, tive como cliente uma mulher notável. Artista e escultora talentosa, ela gradualmente viciara-se em bebidas alcoólicas. Muitos anos atrás, quando chegou ao fundo do poço, seus quatro filhos lhe foram tirados e entregues à avó, mãe de minha cliente, para que ela os criasse. Por fim, ela procurou tratamento e, com grande força pessoal, deu início a uma duradoura recuperação e construiu uma vida produtiva e laboriosa.

Entrando na casa dos cinqüenta, ela dava conta de grandes responsabilidades no trabalho e era proprietária de um apartamento encantador.

Após vários meses de sessões, ela parecia estar iniciando uma vida de coração aberto, e eu achava que isso podia representar uma cura profunda para ela. Na época, amigos meus estavam participando de uma prática espiritual para abrir o coração. Telefonei a eles pedindo que me ensinassem a "meditação do coração" que lhes fora tão útil. Durante uma das sessões seguintes de minha cliente, ensinei-lhe essa meditação, explicando-a meticulosamente. Demorou a sessão inteira, mas achei que tinha valido a pena. Lembrei-a da importância de fazer a meditação todos os dias. Ela disse que faria.

Uma semana depois, as coisas pareciam não ter mudado. Perguntei se ela estava fazendo a meditação do coração. Meio sem graça, ela respondeu que fizera apenas uma vez. Assim, gastamos o resto da sessão repassando a meditação. Na semana seguinte, ela retornou ansiosa e consternada. Perguntei novamente sobre a meditação. Não, ela não a fizera nenhuma vez.

254

Aborrecida, ela disse que não estava realmente interessada em fazer aquilo, que havia outro problema que a estava perturbando. Preferia falar sobre isso a falar sobre a meditação do coração. Com a voz trêmula, ela contou que nas últimas semanas um rato invadira seu apartamento. Ela achava que o rato era sujo, até mesmo perverso, e ficava transtornada com o fato de uma coisa como aquela poder entrar no lindo espaço que ela criara com tanto esmero para si mesma. Apesar da óbvia importância disso para ela e de seu possível valor simbólico, fiquei frustrada. Na época eu tinha um senso muito limitado da elegância do espiritual e das muitas formas pelas quais ele pode manifestar-se. Falar sobre o coração era muito mais importante para mim, e achei que aquele rato me estava estorvando. Com um suspiro, pedi: "Conte-me mais".

Ela foi ficando cada vez mais transtornada à medida que falava. Sentira-se incapaz de colocar pessoalmente uma armadilha, e por isso pedira a seu filho que fosse ao apartamento e fizesse isso por ela. Ele foi, mas em vão. O rato continuou a aparecer todas as noites. Seus colegas de trabalho também tentaram ajudar. Uma das mulheres chegou a levar um pouco da isca que usara quando camundongos invadiram sua garagem. Isso também não funcionou. Por fim, ela pediu ao zelador do prédio que inspecionasse seu apartamento. Ele passou a manhã inteira tapando todos os possíveis pontos de entrada que conseguiu encontrar, mas o rato continuou ali. Àquela altura, ela estava quase em lágrimas. Em minha impaciência, eu mal notei isso.

"E o que *você* fez a respeito?", perguntei. Acontece que, além de guardar bem tudo o que fosse comestível, ela na verdade não fizera muita coisa. Finalmente atenta, espantei-me com o número de outras pessoas que se haviam envolvido no caso. Com certa rispidez, chamei sua atenção para isso. "Acho que esse rato é seu", disse a ela. "Ele provavelmente vai ficar lá até que você faça alguma coisa a respeito." No mesmo minuto em que disse essas palavras, arrependi-me delas. Tinham sido duras, eivadas de crítica.

Por uma semana eu me senti mal. Fora insensível e me deixara dominar por opiniões pessoais. Mas ela voltou radiante na sessão seguinte. Encorajada e impávida, perguntei se ela fizera a meditação do coração. Isso nem lhe passara pela cabeça. Mas muita coisa acontecera. Ela me contou que ao sair de meu consultório estava tão magoada e zangada que pensou que nunca mais voltaria. Ficara brava por vários dias. Depois começara a refletir que talvez pudesse haver algo de correto no que eu estava dizendo. Por isso, foi até a loja de ferragens para saber se existia alguma armadilha que não machucasse o rato. Comprou uma, chamada, inacreditavelmente, "Tenha Coração", mas não teve coragem de usá-la. Armadilhas absolutamente "não faziam seu gênero". Sentiu-se arrasada. "Eu tenho o *coração mole* demais", disse-me. Por fim, ocorreu-lhe que, se aquele era realmente seu rato, então ela podia lidar com ele como bem entendesse. Foi até o depósito de animais da prefeitura, encontrou um gatinho que ninguém queria e o levou para casa.

255

Desde então, nunca mais viu o rato.

Seus olhos ficaram marejados. Ela não tinha um bichinho de estimação desde os quatro anos de idade, quando seu pai trouxera um cãozinho para casa. Ela adorara o cachorro. Sua mãe dissera que poderiam ficar com ele se ela cuidasse do animal. Mas uma criança de quatro anos é demasiado pequena para esse tipo de coisa. Ela tentara, mas o cachorrinho fora demais para ela. Sua mãe tinha um gênio terrível, especialmente quando bebia. Um dia, o cãozinho não queria parar de latir e ganir, e ela não conseguiu entender o que ele precisava para acalmar-se. Enfurecida, sua mãe levou o animal para o banheiro e o afogou.

Fiquei pasma. Baixinho, ela me disse que sempre acreditara que fora sua culpa, que ela não amara seu cãozinho o suficiente. Mas o gatinho estava indo bem, crescendo, e todo dia quando ela voltava do trabalho para casa ele vinha recebê-la, roçando em suas pernas e ronronando. Por fim, as lágrimas correram. "Ele está crescendo mesmo", disse ela. "Talvez meu amor seja suficiente agora."

Há muitas maneiras de se ver esta história, mas certamente não se trata de uma história sobre ratos. A elegância com que a vida oferece a uma mulher que jamais confiou em seu próprio amor uma oportunidade para sentir o quanto este é forte é comovente. Também gosto de pensar nesta história como um exemplo de suprema causalidade. Meu senso de oportunidade estava certo... mas eu me perdi porque não procurei nos eventos de sua vida as maneiras como sua cura já estava em processo, julgando que era eu quem precisava abrir o coração de minha cliente. Podemos nem sempre reconhecer os modos como a cura tem início em nossa vida. O começo de uma integração maior pode apresentar-se sob formas tão diversas quanto uma oportunidade para conhecer novos homens, um rato em um apartamento imaculado, uma idéia esquisita que não quer ir embora ou uma experiência que desafie até o limite nosso senso do comum. A colaboração com esse processo pode requerer um respeito pelo mistério que está no cerne de todo crescimento.

A resolução de um *koan* exige certa confiança no mistério, uma fé em que existe uma resposta que aparecerá no devido tempo. Compreender muitas vezes requer um retiro para uma quietude interior, um movimento para longe da frustração em direção à atenção cheia de expectativas, uma receptividade para a compreensão combinada à disposição de seguir adiante sem compreender até que estejamos prontos para recebê-lo. Quando a resposta e quem a busca houverem crescido em direção um ao outro, a solução emergirá por si mesma. A resolução de um *koan* em geral é óbvia; estava bem diante de nós o tempo todo, mas nunca a tínhamos visto antes. Depois de vislumbrada, é difícil acreditar que alguma vez já vimos as coisas de outra maneira; de fato, nunca mais as iremos ver do modo antigo. Nossos olhos foram mudados pela maneira como nos defrontamos com o desconhecido.

Assim como a boa ciência, a resolução de um *koan* requer confiança no padrão mais abrangente que é a base do acontecimento que a mente não compreende, e a compreensão obtida muitas vezes vem acompanhada por uma profunda apreciação da elegância do padrão, da inteligência da natureza das coisas. Um senso de reverência e espanto. Uma apreciação do próprio mistério que nos frustrou. Um senso de pertencer a ele.

Muitos dos problemas que a Vida nos apresenta são aparentemente sem solução, bem semelhantes aos *koans* que o mestre zen apresenta ao discípulo. Contudo, significado e sabedoria emergem de uma das histórias de nossa Vida de maneira muito semelhante àquela como surge a resolução de um *koan*. Esperar por esse significado é quase como esperar por um nascimento. Depois de viver ou ouvir uma história, ficamos grávidos de seu significado. Às vezes, a gravidez pode durar semanas, até mesmo anos. Muitas vezes, grávidos de uma história, podemos dar à luz muitos significados, cada um mais profundo que o anterior. A maioria das melhores histórias que já vivi ou ouvi contar são assim.

Com toda a certeza, o sofrimento e a doença são *koans*. A própria vida pode ser um *koan*. As pessoas que conseguirem defrontar-se com a vida da maneira como um discípulo zen se defronta com um *koan* serão conduzidas ao longo de uma trajetória espiritual por eventos que reduzem outras pessoas à amargura e à derrota. Não apenas seu corpo físico, mas também a qualidade de sua alma podem ser mudados nesse embate.

NA ESCURIDÃO

A luz em suas várias formas é comumente considerada um símbolo das energias da cura. Muitos livros de auto-ajuda usam o sol em meditações e imagens emotivas de cura. Dentre os meus pacientes, os que leram tais livros passaram a esperar que a luz simbolize a fonte de sua cura. Mas as coisas nem sempre são como esperamos, e o misterioso pode nos surpreender como fez com estes dois homens.

O primeiro deles, um vendedor, foi encaminhado a mim por seu médico, porque sua negação da doença dificultava-lhe cuidar de si mesmo. Vezes sem conta ele fazia coisas temerárias como erguer caixas pesadas logo depois de uma cirurgia abdominal ou esquecer-se dos remédios quando viajava. Tratamentos essenciais haviam sido retardados ou mesmo sabotados várias vezes, e por esse motivo ele sofrera muito com males desnecessários. Pouco antes de sua consulta comigo ele passara a apresentar toxicidade a um remédio e quase perdera totalmente a força do braço direito. Durante os três dias que ele demorou para notar isso, ele continuou a tomar o remédio. Finalmente, ele telefonou ao médico quando sua esposa chamou-lhe a atenção para o fato de ele estar derrubando coisas. O médico suspendera o remédio nocivo. Assustado com a possibilidade de um dano permanente ao nervo do braço, ele concordara em procurar aconselhamento.

Em nossa conversa inicial, ele descreveu seu câncer como "um buraco negro no meio de minha vida que está sempre me puxando para si". Quando uma imagem aparece dessa maneira no decorrer de uma conversa corriqueira, ela raramente é casual, e pode nos revelar, tanto quanto o conteúdo de seus sonhos, muito sobre o mundo inconsciente da pessoa, suas mais profundas atitudes e crenças. Sem que saibamos, o sonhador que há em nós pode murmurar nossos segredos diretamente para os outros. A escolha de palavras de Steve indicava que ele estava usando todas as suas forças para resistir a um puxão, para não se render à força da doença em sua vida. Talvez, para ele, prestar atenção a seus sintomas e tomar os remédios prescritos significasse render-se.

Chamei-lhe a atenção para a imagem que havia em suas palavras e sugeri que talvez ela estivesse dizendo algo importante sobre ele mesmo e sua vida. Talvez uma parte tão substancial de sua energia estivesse sendo dissipada na resistência que não lhe sobrasse com o que viver. Ele assentiu com a cabeça. Perguntei-lhe o que havia no buraco. "Só escuridão", respondeu, com simplicidade. Convidei-o a explorar isso junto comigo em sua imaginação, permitindo-se ser puxado para dentro do buraco só para ver como era.

Ele hesitou apenas por um momento. Depois fechou os olhos e começou a entrar em sua própria imagem. Imaginou-se puxado para dentro do buraco, para a escuridão. Os comentários a seguir foram extraídos das minhas anotações da sessão. Cada um está separado por vários minutos de silêncio.

Há escuridão. Uma *grande* escuridão. Estou flutuando.
A escuridão é muito suave... branda... Ela me sustenta.
Não tenho necessidades aqui... (Suspira.)
Estou cansado.
Estou em repouso... totalmente em repouso. Cada célula está em repouso.
Cada célula está aberta. Estou sendo preenchido... preenchido com vida.
Eu não podia ser preenchido porque não conseguia me abrir... renunciar.
Posso me abrir na escuridão.
A vida está em toda a parte.
Aconteça o que acontecer, será bom...

O segundo homem, dominado pela raiva contra o câncer e contra o tratamento, respondeu à pergunta: "O que você acha que pode ser necessário para sua cura?", com um conciso "Nada!". Levando totalmente a sério essa afirmação, pedi-lhe que me descrevesse o "nada". "Escuridão infinita", disse ele. Comentando sobre o poder dessa imagem, encorajei-o a fechar os olhos e se permitir experimentá-la.

Como seu rosto foi ficando cada vez mais descontraído, perguntei-lhe o que estava sentindo. Novamente, os comentários seguintes, extraídos das anotações que fiz da sessão, estão separados por vários minutos de silêncio.

259

A escuridão está em toda a minha volta...
Não estou caindo. Ela me sustenta. Estou suspenso na escuridão.
Envolto na escuridão.
A escuridão é... suave... quase carinhosa. (Suspira.)
É seguro aqui.
Preciso sentir-me seguro. Não me sinto descontraído desde que soube do diagnóstico. (Suspira novamente.) Posso descansar. Estou muito cansado. Não há dor aqui. Não há fome. Não há necessidade.

Encorajei-o a se permitir um relaxamento total. Observando-o, ficou evidente que ele entrara suavemente em um leve transe ou cochilo. Cobri-o com um cobertor de lã macio que tenho no consultório. Depois de algum tempo, ele comentou que podia ouvir um som "como uma grande batida de coração". Era imensamente reconfortante.

Incentivei-o a encostar-se ali. A descansar. Logo ele se pôs a chorar baixinho, dizendo: "Mamãe, mamãe".

Outra paciente com câncer contou-me um sonho. Ela dobra a esquina de uma rua conhecida e se vê diante de uma figura de manto negro:

Grito por socorro, mas não há ninguém. Estou completamente sozinha com a figura negra. Quando me viro para fugir, o manto é atirado em cima de mim. Luto, mas não há ninguém no manto, só escuridão. Ela é negra, totalmente negra, mas de algum modo eu consigo enxergar... não com os olhos... a escuridão continua sempre. É muito tranqüila. Completamente silenciosa. De veludo. Macia. Não estou caindo. Estou flutuando na escuridão infinita. Flutuando...

Estou livre. Não há gravidade. Meu corpo não dói mais. (Longa pausa.) A escuridão é como o amor. É muito, muito bom aqui. Ela me aceita exatamente como sou. Sem julgamento. Não estou errada. Eu... simplesmente sou.

Esses pacientes, e os muitos outros que tiveram experiências assim, ficaram surpresos com o poder de suas imagens emotivas espontâneas e a forma que elas assumiram. Com freqüência, pensamos na saúde e na doença como expressões da polaridade bem/mal. A maioria das línguas reflete essa identificação. Dizemos "Eu me sinto mal" quando estamos doentes, e "Eu me sinto bem" quando nos recuperamos. Escuridão e luz são uma extensão adicional dessa polaridade: a cura, como uma função do bem, é associada à luz; e a doença, como uma função do mal, é associada à escuridão.

A escuridão tem sido mal-afamada por milênios. Contudo, é realmente assim tão surpreendente que as imagens emotivas espontâneas de cura possam apresentar-se sob essa forma? Segundo as tradições da alquimia, a escuridão era a condição necessária para a purificação e a transformação. Os alquimistas colocavam refugo de metal fundido em um frasco fechado, criando a escuridão perfeita necessária à transformação em ouro puro. Assim como a luz representa o arquétipo da energia masculina, a escuridão sugere o poder do feminino, e leva à idéia intuitiva de que a *experiência* da cura pode estar associada à escuridão. A escuridão é uma condição do princípio. O corpo vem a existir primeiro na escuridão. É nutrido, como uma semente, na escuridão. Algumas pessoas encontram sua cura ao lembrar o princípio.

ENXERGANDO DEPOIS DA ESQUINA

Meu prenome é Rachel. Recebi esse nome em honra à mãe de minha mãe. Durante os primeiros cinqüenta anos de minha vida, chamaram-me por outro nome, Naomi, que é meu nome do meio. Quando eu estava com quarenta e poucos anos, minha mãe, já então com quase 85 anos, concordou em submeter-se a uma cirurgia cardíaca de ponte de safena. A cirurgia foi extremamente difícil, e só em parte bem-sucedida. Ela ficou hospitalizada vários dias, com mais de duas dúzias de pessoas na Unidade de Terapia Intensiva coronariana de um de nossos principais hospitais. Na primeira semana ela permaneceu inconsciente, com a vida por um fio, respirando por aparelhos. Fiquei estarrecida com a brutalidade daquela cirurgia e a capacidade do corpo, mesmo em idade avançada, para suportar uma intervenção tão grande.

Quando ela recobrou a consciência, estava profundamente desorientada e, por várias vezes, não reconheceu sua única filha. As enfermeiras procuravam me tranqüilizar. Vemos esse tipo de coisa com bastante freqüência, diziam. Chamavam-na Psicose da UTI e explicavam que naquele ambiente de máquinas apitando e luzes artificiais constantes, muitas vezes as pessoas idosas, desprovidas de sinais conhecidos, ficam desorientadas. Mesmo assim, eu me preocupava. Além de não me reconhecer, mamãe estava tendo alucinações, via coisas rastejando em sua cama e sentia água correr-lhe pelas costas.

Embora não parecesse saber meu nome, ela falava comigo com freqüência e longamente, quase sempre sobre o passado, sobre sua mãe, que morrera antes de eu nascer e era considerada uma santa por todos os que a conheceram. Falava sobre os muitos atos de bondade que sua mãe praticara sem ao menos perceber que estava sendo bondosa. *"Che-sed"*, disse minha mãe, usando uma palavra em hebraico que se traduz aproximadamente por "bondade amorosa". O abrigo oferecido a quem não tinha, o incentivo e o apoio financeiro que ajudou outros, muitas vezes estranhos, a realizar seus sonhos. Falava da humildade e grande erudição de sua mãe e sobre a pobreza e dificuldade da vida na Rússia, que ela lembrava ter vivido na infância. Recordava-se dos abusos e ódios sofridos pela família, aos quais muitos outros reagiram com raiva, e sua mãe apenas com compaixão.

Passaram-se os dias e minha mãe pouco a pouco foi melhorando fisicamente, embora seu estado mental continuasse incerto. As enfermeiras começaram a corrigi-la quando ela as confundia com pessoas de seu passado, asseverando que os pássaros que ela via voando e cantando no quarto não estavam ali. Encorajaram-me a corrigi-la também, dizendo que aquela era a única maneira de ajudá-la a retornar ao que era real.

Lembro-me de uma visita pouco antes de ela sair da UTI. Saudei-a perguntando se ela sabia quem eu era. "Sim", ela disse, com carinho. "Você é minha filha querida." Aliviada, virei-me para sentar-me na única cadeira do quarto, mas ela me deteve. "Não sente aí." Em dúvida, olhei novamente para a cadeira. "Mas por quê?"

"Rachel está sentada aí", disse ela. Olhei de novo para minha mãe. Era óbvio que ela via claramente alguma coisa que eu não conseguia ver.

Apesar do cenho franzido da enfermeira especial que estava ajustando a aplicação endovenosa de minha mãe, fui até o corredor, trouxe outra cadeira e nela me sentei. Minha mãe olhou para mim e para a cadeira vazia a meu lado com grande ternura. Chamando-me por meu prenome pela primeira vez, ela me apresentou à visitante: "Rachel, esta é Rachel", disse.

Minha mãe se pôs a contar para sua mãe, Rachel, sobre minha infância e o orgulho que sentia pela pessoa que eu me tornara. Seu sentimento da presença de Rachel era tão convincente que me peguei imaginando por que eu não conseguia enxergá-la. Era muito enervante. E enternecedor. De quando em quando, ela parecia escutar, e em seguida me contava sobre as reações de sua mãe ao que ela lhe dissera. Falavam sobre pessoas que eu não conhecia no tom familiar das fofocas: meu bisavô David e seus irmãos, que eram homens bonitos e exímios cavaleiros. "Demônios", disse minha mãe, rindo e meneando a cabeça para a cadeira vazia. Ela explicou à mãe por que me dera seu nome, esperando que eu tivesse bom coração, e pediu desculpas por meu pai, que insistira em me chamar por meu segundo nome, inspirado no seu lado da família.

Exausta por toda aquela conversa, minha mãe recostou-se no travesseiro e fechou os olhos por alguns momentos. Quando tornou a abri-los, sorriu para mim e para a cadeira vazia. "Estou muito feliz por vocês duas estarem aqui agora", disse. "Uma de vocês me levará para casa." Depois, fechou os olhos novamente e adormeceu. Foi minha avó quem a levou para casa.

Esta experiência, muito perturbadora para mim na época, pareceu imensamente confortante para minha mãe, e refleti muitas e muitas vezes sobre isso depois de sua morte. Eu sobrevivera a muitos anos de doença crônica e limitação física. Fora uma das poucas mulheres de minha classe na faculdade de medicina nos anos 50, uma das poucas mulheres do corpo docente da faculdade de medicina de Stanford nos anos 60. Eu era perita em lidar com limitações e desafios de vários tipos. Não fora bem-sucedida no campo da *bondade amorosa*. Depois de algum tempo acabei percebendo que, apesar de meus êxitos, eu talvez tivesse perdido alguma coisa importante. Quando fiz cinqüenta anos, comecei a pedir às pessoas que me chamassem de Rachel, meu nome verdadeiro.

RECORDANDO O SAGRADO

Em resposta a um convite para recordar um momento no exercício da medicina que poderia ser considerado uma experiência sagrada, uma tarimbada neonatologista, diretora da unidade de neonatologia de um grande hospital do Sul do país, fez a um grupo de colegas o relato a seguir. Depois de semanas de luta, seu paciente, um pequenino bebê prematuro, estava morrendo, apesar de toda a assistência que um altamente avançado berçário de tratamento intensivo podia oferecer. A hora se aproximava, e chegara o momento de os pais irem dizer adeus. Com dor no coração, ela telefonou ao pai do bebê convidando-o para encontrar-se com ela no hospital. A mãe da criança, transtornada depois de semanas de incerteza, estava agora precisando de medicação. Parara de ir ao hospital algumas semanas antes. Ele iria sozinho, respondeu o pai.

Ao desligar o telefone, ela se deu conta dos bips dos monitores e outras máquinas e do lufa-lufa na UTI da neonatologia; sentiu necessidade de silêncio e tranqüilidade para organizar seus pensamentos enquanto esperava a chegada do pai do bebê. Seguiu pelo corredor até a capela, o único lugar quieto nas proximidades, para ficar sozinha por alguns minutos e encontrar palavras para contar ao jovem pai que seu filhinho não sobreviveria.

Quinze minutos depois, quando seguia em direção à sala de espera dos visitantes, ela se pegou pensando que talvez devesse fazer um teste com determinada droga para o bebê. A idéia surpreendeu-a, pois aquela droga não era habitualmente empregada para o problema que aquela criança apresentava; sacudiu a cabeça, aborrecida. Mas aquela idéia estranha não queria ir embora facilmente. Ela repassou a trajetória do bebê junto com o pai, assegurando-lhe que todo o possível fora feito e sugerindo que fossem à UTI da neonatologia para dizer adeus. Vendo a tristeza no rosto do moço, ela se viu pensando: "Afinal de contas, que importa?", e sugeriu que talvez houvesse mais uma coisa que ela poderia tentar, uma droga que em geral não era empregada para aquele problema, mas que ela estava pensando em usar agora. Ela gostaria de ter a permissão do pai para usá-la. Ele a deu prontamente, e foram os dois juntos à UTI.

O bebê parecia moribundo. Embaraçada por fazer um pedido tão inusitado às enfermeiras, ela preparou a injeção e aplicou-a pessoalmente. Juntos, ela e o pai aguardaram, um de cada lado da incubadeira, observando o bebê azulado e arquejante. Não houve mudança. Desejando dar ao pai uma chance de ficar a sós com o filho pela última vez, ela saiu para preencher alguns papéis. Poucas horas depois, ela foi à UTI e surpreendeu-se por ainda encontrá-lo ali. Aproximou-se da incubadeira e viu que o peitinho do bebê estava mais lento e que sua respiração estava normal. Mal podendo acreditar nos próprios olhos, ergueu a cabeça e viu que o pai estava olhando para ela. Fitaram-se por um longo e silencioso momento. Esse foi o momento que ela escolheu para nos descrever como um momento "sagrado". Pouco tempo atrás, esses pais levaram a criança ao hospital para visitá-la. O menino está hoje com 12 anos.

O círculo de médicos sentou-se pensando sobre isso por algum tempo. Em seguida, a neonatologista começou a descrever o modo como lidara com aquele estranho acontecimento na época. Ela tem a mente muito organizada e pragmática, contou, e aquilo a perturbara. Tentara encontrar alguma explicação para o ocorrido a fim de poder tirá-lo da cabeça. Gradualmente, convenceu-se de que lera ou ouvira em algum lugar um relatório preliminar de pesquisa que mencionava o emprego daquela droga para o problema do bebê, sendo esse o motivo por que ela tivera a idéia. Ela não conseguia lembrar-se do periódico ou encontro onde obtivera a informação, mas cada vez mais teve certeza de que fora isso o que acontecera. Isso lhe permitiu esquecer o assunto por completo.

Cerca de dois anos depois, ela leu sobre um estudo com bebês prematuros com graves problemas respiratórios que haviam recebido aquela mesma droga e sobrevivido. O mistério estava solucionado! Toda satisfeita, ela telefonou aos pesquisadores para saber onde eles haviam publicado seus estudos preliminares ou apresentado o relatório sobre o trabalho em andamento. Ficou pasma ao descobrir que aquela era a primeira vez que o estudo estava sendo apresentado por escrito ou oralmente ao mundo. Apresentá-lo antes de os resultados serem decisivos teria parecido maluquice. Ela então contou-lhes que tinha um caso adicional.

Refletindo em voz alta sobre suas reações pessoais, ela nos contou que se apegara a uma explicação que lhe teria permitido manter sua noção familiar e confortável sobre o modo como o mundo funciona. Rejeitara o dom da reverência uma vez, e por isso ele lhe fora concedido novamente.

Um segundo médico, especialista em tratamento paliativo, falou sobre uma experiência que teve quando tratava de um jovem hospitalizado que estava morrendo de Aids. Tanto o paciente como sua família estavam amargurados, esquivos e hostis apesar dos esforços do médico para fazer contato com eles. Finalmente desistindo disso, ele simplesmente pôs em prática as melhores técnicas de tratamento que conhecia.

Às 3 horas as enfermeiras telefonaram, informando que seu paciente morrera e pedindo que ele fosse até lá para declará-lo morto e assinar o atestado de óbito. Lembrando que precisaria fazer sua ronda bem cedo pela manhã, ele se vestiu às pressas por cima do pijama e entrou no carro para ir ao hospital. Enquanto dirigia pelas ruas escuras, ele espontaneamente olhou para cima e viu o céu noturno como que pela primeira vez. A escuridão parecia um vazio silencioso e santo sem princípio ou fim. Naquela vastidão, as estrelas pendiam como incontáveis pontos de pura radiância. Ele nunca vira a noite daquela maneira, e se sentiu tomado por um profundo senso de reverência, paz e gratidão. Seu intelecto tentou descartar aquilo como coisa da imaginação, salientando a necessidade de apressar-se e cuidar das coisas práticas de modo que pudesse acordar cedo na manhã seguinte. Mas ainda assim parou o carro à beira da estrada, saiu e deixou que aquela intensa experiência o inundasse. Passados uns 15 minutos ela se esvaiu, e ele dirigiu até o hospital sob um céu que parecia estar como sempre estivera. A vivência fora breve, porém poderosa e surpreendentemente importante para ele, ainda que não conseguisse explicar por quê.

Juntos, os médicos do grupo refletiram sobre o que tudo isso poderia ter significado. Surgiram várias interpretações, mas a que acabou dispensando discussões adicionais foi a de que talvez o paciente, ao morrer, tivesse encontrado um modo de compartilhar sua perspectiva atual diretamente com o médico, como um pedido de desculpas e um presente de despedida. Como expressou um dos médicos: "Talvez no momento da morte ocorra uma recuperação da totalidade... e essa totalidade possa passar bem perto de nós".

MISTÉRIO

Eu estava atrasada para aquela que seria minha última visita a minha mãe. Atravessando o trânsito no horário de pico, cansada do longo dia no consultório, parei para comprar-lhe flores. Eram 19 horas, e o florista não tinha mais íris roxas, as favoritas de minha mãe, e restava bem pouco de qualquer outra coisa. Condoendo-se de minha aflição, ele me ofereceu um buquê de botões de íris semifechados que retirou da geladeira, assegurando-me que abririam em poucas horas. Aceitei-os e aguardei, irritada e impaciente, enquanto ele os embrulhava em papel verde. Um buquê bem estranho. Depois, saí às pressas.

Carregando as flores, empurrei as portas pesadas da enfermaria. Uma enfermeira estava ali à minha espera. "Sinto muito", disse ela. Minha mãe morrera alguns momentos antes. Aturdida, deixei-me conduzir até seu quarto. Ela jazia no leito, parecendo adormecida. Suas mãos ainda estavam quentes. A enfermeira ofereceu-se para telefonar às pessoas que eu desejasse chamar. Confusa, forneci-lhe os números do telefone de alguns de meus amigos mais antigos e me sentei para esperar. O quarto estava muito tranqüilo e silencioso. Um a um foram chegando meus amigos.

Quatro dias mais tarde, eu estava a quase cinco mil quilômetros de distância fazendo os preparativos para o sepultamento de minha mãe. A primavera estava intempestivamente quente, e a cidade de Nova York mostrava-se o mais inóspita possível, mormacenta e desconfortável. O administrador da funerária era uma pessoa sensível e gentil. Com afabilidade, ele repassou os preparativos, reassegurando a si mesmo e a mim de que seguiria todos os detalhes dos desejos de minha mãe sobre os quais havíamos falado por telefone. Fez então uma pausa. "Há uma coisa que veio da Califórnia junto com sua mãe. Posso mostrar-lhe?", perguntou. Seguimos juntos pelo corre-

268

dor até onde jazia minha mãe em seu caixão de pinho fechado. Em cima da tampa do caixão, ainda enrolado no papel verde, estava o buquê que eu deixara em sua cama no quarto do hospital. Mas agora as íris estavam totalmente abertas. Ainda me lembro delas com muita clareza, cada uma enorme e vibrante, parecendo repletas de uma espécie de luz púrpura. Tinham estado fora da água por quatro dias.

Seria facílimo menosprezar esse tipo de experiência, não fazer uma simples mudança de perspectiva ou não encontrar vontade para suspender a descrença por um momento. Não cogitar em somar a coluna de números de outra maneira e se maravilhar. A disposição para levar em conta a possibilidade requer uma tolerância para com a incerteza. Jamais saberei se estive ou não por um momento na presença de minha avó russa, nem se minha mãe usou meu último presente de flores para fazer-me ela própria um presente, deixando-me saber que pode haver mais na vida do que a mente é capaz de compreender.

A ÚLTIMA LIÇÃO

Às vezes, os detalhes no modo como alguém morre, a hora, o local, até mesmo as circunstâncias, podem levar aqueles que ficam a pensar na possibilidade de tal evento estar representando a regeneração de padrões ocultos e de estar respondendo a certas dúvidas presentes ao longo de toda a vida daquela pessoa. A morte tem sido apontada como o grande mestre. Talvez também seja a grande promotora da cura. *Educare*, a raiz de "educação", significa abrir o caminho para a totalidade inata de uma pessoa. Assim, no sentido mais profundo, o que verdadeiramente nos educa também nos cura.

A teoria do carma supõe que a própria vida é, em sua natureza essencial, promotora da educação e da cura, que a totalidade inata que alicerça a personalidade de cada um de nós está sendo evocada, elucidada e reforçada por meio dos desafios e experiências que surgem ao longo de nossa vida. Todos os caminhos da vida podem ser um movimento em direção à alma. E, sendo assim, a morte pode ser a mais definitiva e integradora de nossas experiências de vida.

Quando conheci Thomas, ele estava com mais de setenta anos, um médico de família que exercia sua profissão sozinho havia quase meio século. Famílias inteiras, dos avós aos netos, procuravam-no em busca de ajuda para seus males, seguiam seus conselhos e o chamavam de amigo. Ele era talhado para a coisa, grisalho, bondoso, corpo esguio e nodoso como um velho carvalho.

Na época em que nos conhecemos, ele estava com câncer no pulmão em estágio final. Já não podia deslocar-se sem um constante fluxo de oxigênio suprido por um cateter nasal, e fazia um mês que ele parara de exercer a medicina. Até o ano anterior, nunca perdera um dia de trabalho. Exímio em diagnósticos, ele viera porque sabia que estava morrendo.

Propôs que iniciássemos uma série de conversas a respeito de sua vida. Fizera algumas reflexões nos últimos anos, mas achava que compartilhar o processo naquela altura dos acontecimentos poderia ajudá-lo a preparar-se para a morte.

Thomas julgava que a morte era o fim absoluto da vida. Criado como católico, abandonara a Igreja cedo e abraçara a ciência como um modo de levar ordem ao caos da vida. A ciência não o decepcionara. Contudo, a vida tinha um valor intrínseco para ele, e ele desejava examinar e entender sua própria vida e o que ela significara.

Surpreendeu-me que um homem tão altruísta, compassivo e reverente pela vida dos outros, tão maravilhado com a beleza da anatomia e fisiologia, não tivesse crenças religiosas ou espirituais. Curiosa, perguntei a ele sobre as circunstâncias que o haviam levado a abandonar a Igreja. Franco e aberto com respeito a outros detalhes de sua longa vida, ele se mostrou reticente ao extremo nesse aspecto. Deixara a Igreja aos 16 anos devido a um acontecimento específico. Nunca descobri o que era.

Thomas fora toda a vida um solitário. Nunca se casando, tivera uma vida pessoal marcada por uma solidão quase ascética. No entanto, era um *connoisseur* da beleza em todas as suas formas, amante das artes, poesia, teatro, música, balé e literatura. Sua biblioteca continha mais de mil livros. O principal comprometimento de Thomas era com a medicina, com as famílias e suas necessidades, esperanças e sonhos. Sua devoção a eles era absoluta.

Bem no início de nossas conversas, perguntei-lhe como ele via seu relacionamento com os pacientes. Olhando para uma estatueta de um pastor com seu rebanho que outro paciente me dera, ele sorriu. "Assim." Passamos as semanas seguintes examinando a natureza de seu trabalho e o que este significara para ele. O pastor era o condutor da vida do rebanho, protegia os seus do perigo, ajudava a encontrar alimentos e satisfazer-se. Auxiliava no parto dos filhos. Encontrava-os desgarrados e os levava de volta para junto dos outros.

Thomas contou-me várias histórias sobre suas atividades de pastor e a vida de seu rebanho. Examinamos juntos essas histórias, compartilhando nossas reflexões e perspectivas. À medida que contava e refletia, ele parecia estar trazendo à tona um senso muito mais profundo do que sua vida significara para outros e do que ele representara. Nessas conversas, ele usou com freqüência um termo antigo: as pessoas "abrigavam-se" nele. Ele era a segurança, o apoio, o amigo daquela gente. Estava presente quando precisavam, constante, vigilante e confiável. Falamos sobre o *yang*, ou princípio masculino da ação e proteção, e do *yin*, ou princípio feminino da aceitação e nutrição, e como os dois se juntavam na pessoa de um pastor. O símbolo emergiu como um símbolo de totalidade.

Durante todo esse tempo suas condições foram se agravando, a respiração ficando mais difícil. Por fim, levantei a questão de seu isolamento pessoal. Em quem ele se "abrigava", quem era o pastor do pastor? "Ninguém", ele respondeu, e essas palavras encerravam mais dor do que ele jamais expressara antes. Ficou claro que ele não acreditava que existisse um lugar de abrigo para si mesmo. Por mais pastor que ele houvesse sido profissionalmente, no plano pessoal ele se tornara separado do rebanho, um não-participante, uma pessoa desgarrada. Ele pareceu não desejar aprofundar-se muito mais neste aspecto.

Intrigada, pedi-lhe que inventasse uma história sobre uma ovelha perdida; hesitante, ele descreveu uma ovelha que ficara perdida por tanto tempo que nem mesmo conseguia lembrar-se de que havia um rebanho. Ela aprendera a sobreviver sozinha, comendo o que havia para comer, escondendo-se dos predadores. "Essa ovelha sabe que seu pastor está procurando por ela?", perguntei. "Não", ele respondeu, "a ovelha tinha feito uma coisa muito má, e o pastor se esquecera dela".

"Você, como pastor, procuraria por uma ovelha desgarrada que fez alguma coisa má?" Ele pareceu confuso. Lembrei-o da jovem paciente do gueto da qual ele me falara, a que ele tirara do juizado de menores e acolhera como guardião e acabara indo para a faculdade. Perguntei por que ele fora buscá-la e a levara para casa. "Ora, ela era um dos meus", ele respondeu sem hesitar. "Sim", eu disse. Fez-se um breve silêncio. Ele então mudou de repente de assunto, mas percebi que se sentiu profundamente afetado pela idéia de que os laços entre o pastor e suas ovelhas podiam encontrar-se além do julgamento e eram mais fortes do que ele havia pensado.

Conversamos sobre muitas outras coisas nos meses seguintes, e gradualmente a imagem do pastor retirou-se para o recôndito de minha mente. Falamos sobre a infância, a masculinidade e o amor perdido, sobre a riqueza de setenta anos de vida que se evidenciava para nós dois. Fora uma vida profícua.

Thomas foi internado uma vez, sua saúde continuou a piorar. Seu oncologista esgotara todos os tratamentos para o câncer, e começou a aumentar a medicação para aliviar seu problema respiratório. Ele foi ficando enfermo demais para ir a meu consultório; no outono, comecei a vê-lo em sua casa. Ele passou a ser atendido em casa pelo serviço de saúde para doentes terminais; no início de dezembro, sentia tanta falta de ar que não conseguia mais falar. Eu me sentava com ele e segurava sua mão. Às vezes, lia poesias ou cantava um pouco para ele.

De algum modo, ele continuava a sobreviver. Os atendentes do serviço de saúde surpreendiam-se com sua resistência. Uma das enfermeiras comentou comigo que, na sua opinião, ele estava esperando por alguma coisa. Achei que talvez ela tivesse razão, mas não tinha idéia do que poderia ser. Seu irmão viera da Costa Leste para se despedir, e muitos de

272

seus pacientes já o tinham visitado, deixando cartões e outras expressões de afeto.

Na véspera de Natal, recebi um telefonema da enfermeira responsável por ele. Thomas estivera o dia todo em estado de coma, e agora estava tendo dificuldade com suas secreções. Eu poderia ir até lá? Assim que o vi, percebi que ele estava à morte. Sua respiração, sempre difícil, tornara-se superficial e intermitente. A enfermeira que estava com ele era jovem e parecia um pouco desorientada, por isso convidei-a para ficar enquanto eu conversava com ele. Ele não respondia de nenhum modo. Trocamos sua roupa de cama e o deixamos mais confortável. Depois, sentamo-nos juntos para esperar. Gradualmente, o espaço entre as inspirações aumentou e, depois de algum tempo, a respiração cessou.

A jovem enfermeira pareceu aliviada. Telefonou ao irmão de Thomas, que pedira para ser avisado; ele disse que pegaria o avião no dia seguinte. Pediu que ela telefonasse ao agente funerário escolhido por Thomas, o que ela fez. Ela chamou o oncologista para assinar o atestado de óbito. Não parecia haver mais nada que fazer. Permaneci por algum tempo ao pé da cama de Thomas, pensando nele, desejando-lhe coisas boas. Depois saí.

Estava escuro, esfriara muito. Segurando as chaves no bolso, encolhi-me no casaco e apressei um pouco o passo. Já estava quase chegando ao carro quando os sinos de igreja começaram a soar por toda a cidade. Por um momento parei, confusa. Estariam tocando por Thomas? E, então, me lembrei. Era meia-noite. O Pastor chegara.

273

EPÍLOGO

Tudo o que é real não tem começo nem fim. As histórias da sua vida e da minha não param por aqui. Muitas mesas da cozinha nos aguardam e, com o passar do tempo, talvez venhamos a nos sentar novamente nas mesas da cozinha de nosso passado. Uma de minhas lembranças mais queridas é a das tardes de domingo de minha infância. Enquanto o resto da família se reunia na sala depois do almoço discutindo acontecimentos mundiais e política, meu avô e eu nos reuníamos na cozinha e conversávamos sobre Deus. Esses encontros eram secretos, pois meus pais, orgulhosos de sua modernidade, encaravam Deus como pouco mais do que uma superstição e buscavam a solução para todos os problemas da vida nos braços da ciência. Não teriam gostado de conversas como aquelas.

Assim, enquanto no outro cômodo debatiam-se acirradamente as políticas de Roosevelt e se liam em voz alta os discursos de Churchill, meu avô e eu nos sentávamos à mesa da cozinha, conversando sobre a natureza sagrada do mundo. Ele me ensinava as bênçãos especiais pelos muitos favores que a vida concede, ou lia para mim trechos dos textos antigos que sempre carregava no bolso. Ocasionalmente, incentivava-me a memorizar uma passagem, em geral dos salmos ou provérbios ou de um livreto intitulado *Pirkey Avot, Dizeres de nossos pais*. Os salmos e provérbios eram belos e fáceis de lembrar, as bênçãos também, mas com os dizeres eu tinha grande dificuldade, pois eram complexos e sutis, nada acessíveis para uma criança de seis anos. Mas eu percebia o quanto meu avô amava aquelas palavras e, amparada em seu amor, eu tentava entendê-los e gravá-los na memória.

Quando minha atenção vacilava, meu avô me encorajava a prosseguir com um minúsculo gole de Vinho da Concórdia Sacramental, o vinho de

Manischewitz que ele guardava escondido nos fundos da geladeira. Era um patente suborno. Eu adorava o vinho.

Recordo-me de lutar com um dos dizeres. Era o *koan* judaico:

> *Se eu não sou por mim, então quem é por mim?*
> *Se eu sou só por mim, então quem sou eu?*
> *E se não agora, então quando?*

As palavras não tinham sentido algum para mim, e nem mesmo as pacientes explicações de meu avô ajudavam. Por fim, bradei frustrada: "Vovô, não sei o que isso significa". "Ah, *Nashume-le*", disse ele, "então lembre-se e espere. Algum dia, se você precisar saber, o significado virá para você." Olhei para meu avô querido, chocada, vendo pela primeira vez que ele era velho. Talvez ele não estivesse comigo para compartilhar minhas indagações durante toda a minha vida. Talvez algum dia ele morresse e eu ficasse sozinha com elas. Desatei a chorar, arrasada.

Manischewitz vem engarrafando vinho no mesmo frasco quadrado há mais de setenta anos. Muitas coisas se aproximam de mim sempre que passo por uma garrafa no supermercado. Talvez a sabedoria seja simplesmente uma questão de esperar; e a cura, uma questão de tempo. E tudo de bom que já lhe foi dado seja seu para sempre.

AGRADECIMENTOS

É preciso verdadeiramente uma aldeia inteira para escrever um livro. Minha gratidão a todos os que tão generosamente compartilharam a si mesmos comigo, aos pacientes que me deixaram orgulhosa de pertencer à raça humana e aos médicos e estudantes de medicina que me devolveram o orgulho por ser médica. Agradeço aos que me deram permissão para contar sua história e àqueles cujo lugar no mundo acabou se perdendo para mim e cujos nomes, ocupações e diagnósticos eu mudei, de modo que somente eles saberão quem são.

Minha gratidão, também, aos que tornaram este livro uma realidade: a Esther Newberg, minha agente, pelo apoio que sua inabalável honestidade e integridade me forneceram; e a Dean Ornish, cuja amizade possibilitou tudo. Obrigada a Amy Hertz, minha preparadora de texto, por saber o que destoava e dar-lhe credibilidade, e às pessoas maravilhosas da Riverhead por correrem o risco.

Agradeço muito especialmente a Barbara McNeill, pela constância de sua fé neste livro, por sua generosidade inesgotável e pelas virtudes de seus *insights* inigualáveis. Obrigada também a Tamara Cohen, Judith Skutch-Whitson, Whit Whitson, Lou Carlino e Jilly Carlino, por lerem o primeiro esboço da proposta e acreditarem que ali havia um livro.

Benditos sejam John Kabat-Zinn, David Eisenberg e Charles Terry por derrubarem todas as minhas pretensões intelectuais e me encorajarem a escrever do mesmo modo como levo a vida. E benditos sejam também Laurance e Mary Rockefeller, que desde o início acreditaram que eu seria capaz de fazê-lo e cujo apoio me deu a coragem para tentar.

Minha mais profunda gratidão a minha amiga Yola Jurzykowski, por telefonar do Nepal tarde da noite e me dizer do que este livro realmente tratava; e a meus amigos Jenepher Stowell, Marion Weber, Don Flint, Waz Thomas, Marya Marthas, Marilyn Wall e John Tarrant, por ouvirem hora após hora as histórias lidas por telefone, às vezes até de madrugada.

Meu agradecimento especial a Janie Siegrist por ler todos os esboços deste livro com amor e sabedoria e orar por todos e a todos os demais que avançaram penosa e intrepidamente pelas formas preliminares e muito maiores dos originais, a Sukie Milker por passar dias cortando-os em pedaços e a Phillip Brooks, Harris Dientsfrey, Josh Dunham-Wood, Don Flint, Waz Thomas, Barbara McNeill, Stephen Mitchell, Jenepher Stowell e Marion Weber por oferecerem *insights* e críticas com imensa bondade e amor. Obrigada a Caryle Hirschberg por socorrer a mim e a meus revisores dos muitos apertos com o Compuserve e a John Tarrant por incitar-me a pôr de lado o Microsoft 6.0 em favor do Mac e me refugiar no WordPerfect 3.1.

Minha eterna gratidão a Michael Lerner, colega extraordinário, e à equipe do Commonweal Cancer Help Program e do Institute for the Study of Health and Illness do Commonweal por seu apoio. Uma rosa para Taylor Brooks, Jnani Chapman, Purusha Doherty, Elizabeth Evans, Don Flint, Irene Gallwey, Monica Kauffer, Lenore Lefer, Shannon McGowan, Elise Miller, David Parker, Nadine Parker, Sharyle Patton, Michael Rafferty, Sara Reingold, Christine Schultz, Jenepher Stowell, Waz Thomas e Virginia Veach por sua bondade durante todos estes meses para com uma pessoa excêntrica e distraída.

Meus agradecimentos também a todos cujo empenho e apoio criaram o campo que cerca esta obra: Rob Lehman e os curadores e funcionários do Fetzer Institute, Charles Halpern e as pessoas generosas da Nathan Cummings Foundation, Wink Franklin e a diretoria e equipe do Institute of Noetic Sciences, e Eileen Rockefeller Growald, a corajosa e visionária fundadora do Institute for the Advancement of Health.

Minha sincera gratidão a Nina Stradtner por criar um lugar de paz, ordem e calma tão duradouras em minha casa uma vez por semana que ele se traduziu sem esforço em um lugar de calma dentro de minha cabeça.

E por fim os mais profundos agradecimentos àqueles poucos que me conheceram antes de eu começar a me conhecer, que acreditaram em mim mesmo então e que, com sua própria integridade, sustentaram-me até eu alcançar a minha: meu avô, o rabino Meyer Ziskind, minha mãe e meu pai, Gladys Sara Remen e Isidore Joseph Remen, e minhas amigas e companheiras de viagem, Brendan O'Regan e Sara Unobskey Miller.

Sem eles, eu teria sido uma história bem diferente.

Rachel Naomi Remen, foi pioneira no treinamento de profissionais no sentido de que atuassem dando ênfase à relação médico-paciente.
Ela vem trabalhando na área de psico-oncologia nos últimos vinte anos. É co-fundadora e médica responsável do Commonweal Cancer Help Program, em Bolinas, Califórnia, um retiro para pessoas com câncer.
Este trabalho foi alvo de uma reportagem especial de Bill Moyers para a televisão americana sobre o tema *A cura e a mente*.
Remen era membro da Stanford School of Medicine; hoje dá aulas de Medicina para famílias e comunidades na Universidade da Califórnia, em São Francisco.

www.gruposummus.com.br